LA ENCICLOPEDIA DE LAS
ORQUÍDEAS

LA ENCICLOPEDIA DE LAS
ORQUÍDEAS

ZDENĚK JEŽEK

LIBSA

Lista de símbolos usados

Tamaño de la planta:

☐   – Miniatura.

⊡   – Pequeña.

▣   – Mediana.

■   – Grande.

Dificultad de cultivo:

☹   – Extremadamente exigente.

😐   – Considerablemente exigente.

☺   – No muy exigente.

Fotografías en:
pág. 298: *Orchis tridentata.*
pág. 304: *Epipactis purpurata.*

© 2005, Editorial LIBSA
C/ San Rafael, 4
28108 Alcobendas. Madrid
Tel. (34) 91 657 25 80
Fax (34) 91 657 25 83
e-mail: libsa@libsa.es
www.libsa.es

Traducción: Alberto de la Guardia / Marta Llorente Mateo

© Rebo Production Ltd.

Título original: *The Complete Encyclopedia of Orchids*

ISBN: 84-662-1156-X

Derechos exclusivos de edición para todos
los países de habla española.

Contenido

Introducción

La reina del reino de las plantas

Orquídea es una palabra que siempre atrae la atención e impone respeto en el mundo de los amantes de la jardinería, pese al hecho de que estas plantas de maravillosa floración ya no constituyen la rareza ni sugieren el remoto exotismo de antaño. En nuestras mentes las orquídeas están asociadas a los aromas de lugares lejanos. Son símbolo de la nobleza, el lujo y la belleza, encarnando el mito de su condición inaccesible, pues hasta hace poco, los aficionados sólo podían manejar información de segunda mano acerca de estas plantas, procedente de los testimonios de un pequeño número de cazadores de orquídeas, emprendiendo peligrosos viajes a regiones tropicales inexploradas en su busca. Hasta finales del siglo XIX, el cultivo de las orquídeas halladas en tales aventuras y su complicado traslado a Europa había sido una cara afición para un reducido número de personas con grandes recursos económicos. En el siglo XX, nuevos avances en transportes, tecnologías de la información, nuevos materiales aislantes y de construcción hicieron posible que las orquídeas hayan pasado a tener una mayor presencia en nuestras vidas. La hibridización y obtención de especies nuevas de orquídeas ha conocido muchas mejoras. Como resultado, las orquídeas se pueden adquirir hoy en día casi en todas partes en una asombrosa gama de formas y colores a precios razonables.

El público aficionado a las flores aún no asume no sólo que las orquídeas pueden adquirirse fácilmente, sino que también se pueden cultivar con éxito en nuestras casas, sin necesidad de caros artilugios y herramientas. Ha arraigado la creencia de que el cultivo de orquídeas en los pisos y apartamentos es un privilegio exclusivo de los expertos, cuando la realidad es que el cultivo de gran número de especies botánicas «domesticadas» y de modernas hibridaciones de orquídeas es bastante sencillo.

Características de las orquídeas

El prosaico origen del nombre

El nombre «orquídea» tenía un origen muy prosaico y bastante corriente. Se deriva de la palabra latina *orchis*, que significa testículo, sugiriendo la similitud de los tubérculos de algunas de las especies de orquídeas a los órganos genitales masculinos. El uso del nombre *orchis* data del siglo III a. de C., cuando Teofrasto, discípulo de Aristóteles, lo utilizó por vez primera en su libro *Historia de las Plantas*. El término *orchis* se utiliza ahora para describir un género europeo concreto, y el nombre de esta familia de plantas, *Orchidaceae*, se deriva de él.

¿Qué son las orquídeas?

Ya sabemos que las orquídeas son plantas perennes integradas en una extensa familia botánica, las *Orchidaceae*. El número de especies de orquídeas silvestres se estima en torno a las 25.000. Esta cantidad de variedades, sorprendentemente alta, puede encontrar una explicación en la relativa juventud del género. En efecto, las primeras plantas angiospermas aparecen hace ciento treinta millones de años, mientras que los primeros representantes de la familia de las *Orchidaceae* no aparecen hasta cincuenta o sesenta millones de años más tarde. De ese modo, las orquídeas no deben haber encontrado

Izquierda: Alamania punicea, una bella habitante del bosque húmedo mexicano.

Bonitas flores de *Dendrobium eximium*, una orquídea asiática.

Orchis, un género de orquídeas europeas, toma su nombre del de la familia completa, *Orchidaceae* (la foto muestra una especie de *Orchis morio*).

Las orquídeas son simétricas respecto a un plano imaginario. La foto muestra la *Paphiopedilum charlesworthii*, una rara especie de Sandalia de Venus.

aún su apariencia definitiva y son objeto de una evolución bastante rápida. A favor de esta hipótesis juega la inestabilidad genética de los miembros de la familia. Muchas especies del mismo género, e incluso de diferentes especies de orquídeas, se cruzan sin demasiados problemas en el medio natural, dando lugar a un gran número de hibridaciones distintas, plenamente viables y completamente capaces de reproducirse. Mediante una deliberada aunque no siempre apropiada selección, los especialistas han tomado entre sus manos la evolución de las orquídeas. En total, hay otras 25.000 ó 30.000 especies híbridas de orquídeas, tanto naturales como artificiales, una cifra comparable a la de las especies «puras». El inventario completo de las orquídeas existentes lo más probable es que permanezca desconocido, ya que las regiones aún insuficientemente exploradas pueden dar muchas sorpresas. Además, el cruce aleatorio puede dar como resultado el nacimiento de nuevas especies. También, numerosas especies aún por descubrir están condenadas a desaparecer debido a la cada vez más intensa destrucción de la selva tropical y otros de sus hábitats naturales. Aunque en general, si se hace correctamente, la caracterización de las orquídeas es muy complicada; hay cuatro características básicas de las orquídeas que pueden encontrarse individualmente en otros grupos de plantas, pero sólo se dan juntas en el caso de las representantes de la familia *Orchidaceae*:

- las flores de las orquídeas son bilateralmente simétricas;
- los granos de polen están agrupados en masas pegajosas llamadas pollinia, lo que está rela-

cionado con lo complicado de su reproducción, como veremos más adelante;
- las semillas son muy pequeñas y contienen sólo embriones aún inmaduros sin material nutricional;
- en el medio natural, las semillas sólo pueden germinar si están presentes hongos simbióticos.

Una forma de vida doble

La familia botánica *Orchidaceae* trae su nombre del pequeño número de orquídeas terrestres que se cultivan en zonas templadas, aunque la mayoría de las componentes de la familia viven en las regiones tropicales. Además, no sólo hay orquídeas terrestres, sino que también hay muchas especies de orquídeas epifíticas, que viven sobre otras plantas. También existe un grupo pequeño de litofitas, que son orquídeas que viven sobre las rocas. La representación terrestre de la familia puede encontrarse en el medio natural en muchos sitios, no sólo en las zonas templadas, subtropicales y tórridas. En contraste, las epifitas sólo pueden sobrevivir en regiones donde las temperaturas nunca caen bajo cero.

Como sucede con la inmensa mayoría de las plantas, las orquídeas terrestres crecen sobre el terreno y utilizan sus raíces para obtener alimento y agua del suelo. Aparte del *Paphiopedilum*, las orquídeas europeas también forman parte del grupo. En el capítulo «Las orquídeas terrestres de las zonas templadas» las analizaremos con mayor detalle.

La apariencia irrelevante de las orquídeas terrestres europeas hace que sean poco conocidas entre los aficionados (la foto muestra un ejemplar de *Dactylorhiza majalis*).

Junto a las otras plantas epifíticas, las orquídeas forman a menudo «jardines aéreos», conjuntos sorprendentemente grandes y pesados situados en las copas de los árboles.

Los árboles solitarios cercanos a las superficies de agua son el hábitat de cientos de orquídeas (la foto muestra una espesa *Schomburgkia tibicinis* y otras epifitas).

Una gran parte de las orquídeas son epifitas. Existe la errónea creencia de que las orquídeas epifíticas son parasitarias respecto a los árboles sobre los que crecen, pues las *Orchidaceae* son completamente independientes en lo que se refiere a su nutrición, utilizando los árboles sólo para sostenerse. Crecen sobre ellos y no usurpan ni invaden sus tejidos. No infligen ese tipo de daño directo, aunque sí otros colaterales derivados de la sombra que proyectan y de su peso. Es un hecho que las orquídeas a menudo constituyen comunidades muy pesadas, conocidas como jardines aéreos, en las copas de los árboles, del mismo modo que las epifitas de otras familias. El epifitismo de las orquídeas parece ser una consecuencia del origen reciente de esta familia botánica. Sus miembros no aparecieron sobre la superficie terrestre hasta un momento evolutivo en el que otras plantas competidoras ya se habían hecho con el dominio del terreno. No obstante, la superficies de estas plantas, especialmente la de los árboles, quedaba pendiente de ocupación. Por consiguiente, las orquídeas «optaron» por trepar a las copas de los árboles en busca de luz, de manera que han sido capaces de proveerse por sus propios medios de agua y alimentos, o más bien con la ayuda de hongos simbióticos, como veremos más adelante.

Unas semillas muy curiosas
La probabilidad de que una semilla de orquídea eche raíces y madure sobre un árbol, que es un lugar con unas condiciones de vida muy severas, son muy pequeñas. Algunas estimaciones establecen que las probabilidades son de una entre cien millones. Las orquídeas necesitan adaptarse y garantizar la producción de un número de semillas suficiente para superar el ratio desfavorable de probabilidad de supervivencia. ¡Y lo consiguen! Todos los miembros de esta familia botánica son capaces de producir cantidades enormes de semillas. Un solo órgano reproductor puede contener más de cinco millones de

Un ovario bien desarrollado de orquídea *Cattleya* contiene entre cuatro y cinco millones de semillas minúsculas.

La germinación natural de las semillas de orquídeas resulta rara en condiciones de invernadero. La foto de la izquierda muestra un plantón de un año de *Maxillaria* sp., tras una germinación espontánea sobre un tronco de vid en un invernadero. En la foto de la derecha vemos el mismo ejemplar tras diez años de cultivo.

semillas. No obstante, si bien todas las semillas han de alojarse en estos órganos, tienen que contar además con el tamaño y el peso apropiados. Por consiguiente, las semillas de las orquídeas experimentan un proceso de miniaturización radical para transformarse en embriones diminutos. Los embriones están cubiertos por una capa fina denominada «testa» y sus progenitores no le dotan con material nutritivo de ninguna clase. Así pues, germinan porque la naturaleza hace de las suyas enviando hongos simbióticos en su ayuda.

Una simbiosis misteriosa

Todas las orquídeas son parcialmente dependientes de especies de hongos. Esta cooperación es parecida a la relación de las raíces de algunos árboles europeos con los hongos, cuyas partes carnosas son recolectadas para su consumo. Tras su maduración, las semillas de todas las orquídeas necesitan alcanzar condiciones favorables tanto para su propia supervivencia como para la de los filamentos de los hongos conocidos como *hyphas*. Si esto sucede, las semillas se hinchan, las células embrionarias comienzan a dividirse y a constituir raíces pseudo filamentosas. Cualquier posible desarrollo de estas plantas se termina en esta fase si no cuenta con el apoyo de los hongos, pues sólo ellos pueden proporcionar suministro de carbohidratos y quizá también de vitaminas y de hormonas. El filamento del hongo penetra a través del fondo de la semilla en germinación y empieza a alimentarla; así, se desarrolla un «protobulbo» esférico que pronto se torna verdoso y forma una yema en la parte superior. En la base, emergen las primeras raíces genuinas, a las que se trasladan los hongos filamentosos simbióticos, donde permanecerán durante el resto de la vida de la orquídea. La relación entre los hongos especializados y las *Orchidaceae* no ha sido aún explicada del todo; lo que sí es seguro, es que los *hyphas* cubren espesamente las raíces de la orquídea, y que a través de su piel, penetran las células vivas, donde constituyen diminutas formas parecidas a pequeñas

bolas que después son consumidas por los tejidos de las orquídeas. En resumen, los hongos aportan a las orquídeas ciertos materiales orgánicos y esta relación es más probable que sea una simbiosis de ambos que una parasitación de la orquídea sobre el hongo.

El siguiente estadio de desarrollo de la relación entre la orquídea y el hongo difiere en cada caso. Hay orquídeas capaces de conseguir una «independencia» completa una vez que han constituido un aparato de asimilación, si bien otras permanecen dependientes de los hongos durante toda su vida. Un grupo de orquídeas conocidas como saprofitas no son capaces de prosperar sin los hongos, ya que no tienen clorofila y, por tanto, su único medio de obtener nutrientes es a través de los filamentos de éstos.

El complicado desarrollo de las plantas jóvenes, junto al metabolismo raquítico de las orquídeas, prolongan considerablemente la ontogénesis: desde la germinación de la semilla hasta la primera antesis del espécimen adulto, pueden transcurrir normalmente entre siete y diez años y en ciertos casos ¡hasta quince años!

La distribución de las orquídeas en el mundo

Las orquídeas se dan prácticamente en todo el mundo, con la excepción de las zonas desérticas y las de nieve perpetua. Aproximadamente en torno al 90%, se encuentran en los trópicos, la mayoría en Asia (de entre 10.000 y 15.000 especies), aunque también hay en América Central (unas 1.000 especies), América del Sur (de 6.000 a 8.000) y África (2.000). El resto del mundo es más pobre en orquídeas, aunque pueden encontrarse en Australia (700 especies), en América del Norte (200) y en Europa (200).

No todas las orquídeas en las zonas tropicales son termófilas, depende de la altura en la que vivan. Así, por ejemplo en el Himalaya, algunas especies del género *Coelogyne* puede encontrarse a 3.000 m sobre el nivel del mar, y en los Andes de

Una abrumadora mayoría de orquídeas viven en zonas tropicales, fundamentalmente en las partes altas de la selva. La foto de la izquierda es de Puerto del Aire, México.

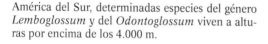

América del Sur, determinadas especies del género *Lemboglossum* y del *Odontoglossum* viven a alturas por encima de los 4.000 m.

La estructura de las orquídeas

El aspecto de las orquídeas desafía en cierto modo algunas ideas preconcebidas acerca del aspecto que debieran tener las plantas. Sin embargo, existe un gran número de variaciones dentro del grupo, resultado de la adaptación a distintas condiciones ambientales.

A continuación se abordarán las características comunes de la estructura de las orquídeas, cuyo conocimiento ayudará a entender la extraordinaria vida de las orquídeas y facilitará su cultivo en condiciones artificiales.

La importancia de las raíces

Las raíces son, quizá, el órgano más importante de los miembros de la familia de las *Orchidaceae*. Con especies epifíticas, sirven para más funciones que las que son comunes a las especies terrestres clásicas. No sólo sirven como herramienta mecánica para fijar la planta a los árboles y a la tierra: también se usa para la absorción y el almacenamiento. Y más aún, las raíces de muchas especies tienen incluso la materia verde de las «hojas», la clorofila, atendiendo así a otras funciones, las de asimilación. Algunas especies han llevado tan lejos esta característica que no forman ningún tipo de hojas (ver los detalles mencionados en relación con las especies de *Chiloschista*, *Polyrrhiza* y *Microcoelia*). Las raíces son

también el entorno idóneo para el desarrollo de filamentos de hongos. Éstas se encuentran cubiertas de células epiteliales capaces de crecer perpendiculares al eje de la raíz. Cuando una raíz se acerca a la superficie pueden crecer firmes y planas en las grietas. La adherencia es muy firme a lo largo de la su-

Las raíces carnosas de las orquídeas se agarran perfectamente a su soporte. Cuando las raíces están secas, una capa velada les dota de una blancura casi brillante (la foto muestra las raíces de la *Cattleya loddigesii*).

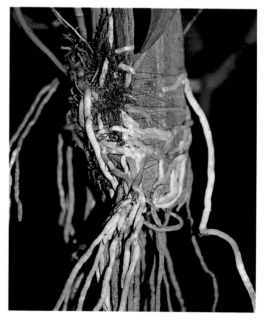

El género asiático *Vanda* es representativo de las orquídeas con un solo tallo (la foto fue tomada en la costa del mar de Andaman, en Tailandia).

perficie de la raíz, que soporta con firmeza el conjunto de plantas, fijándolo para evitar su caída. La existencia de raíces aéreas que penden libremente ha sido cuestionada por algunos botánicos. En su opinión, este fenómeno sólo se da si la planta tiene un espacio vital insuficiente y busca soporte nuevo.

Sólo los extremos de las raíces jóvenes absorben agua y minerales. Las partes más viejas se cubren más tarde con lo que constituye otra característica exclusiva de las orquídeas, conocida como velamen, que es una capa gruesa de células muertas llena de aire. El velamen da a las raíces secas su color blanco, sirve como aislante y facilita el ahorro de agua; en climas húmedos, absorbe agua y transmite más luz a la clorofila, útil incluso en las raíces más viejas.

Dos tipos de tallo
Existen dos tipos de crecimiento muy distintos en el tallo de las orquídeas: el monopodial y el simpodial. El tallo de las orquídeas monopodiales es más antiguo desde el punto de vista de su desarrollo. Se parece al mismo órgano de otras plantas de distintas familias y crece en una misma dirección a partir del

Las orquídeas simpodiales producen brotes anuales a partir de un rizoma rastrero, perpendicularmente a la dirección de su crecimiento. Los tallos se convierten en pseudobulbos y la posterior activación de una yema lateral asegura un futuro crecimiento horizontal (*Miltonia* sp.).

extremo de una yema. Las hojas brotan en dos direcciones opuestas. Un ejemplo típico de este tipo de orquídea es el género *Vanda*, con internodos alargados, o el género *Phalaenopsis*, cuyos internodos son significativamente cortos. La florescencia de las orquídeas monopodiales siempre se desarrolla a partir de las yemas laterales del tallo. Los tallos crecen a lo largo de los años, tornándose leñosos en la parte baja. Después pierden sus hojas y mueren.

El desarrollo simpodial del tallo es mucho más interesante, más moderno desde el punto de vista de la historia natural y original en el reino vegetal. Este tipo de tallo sigue la superficie del soporte y con frecuencia está totalmente enterrado en el sustrato. El tallo crece a partir de la yema del rizoma una vez en cada temporada. Tiene sus propias hojas y raíces. Tras un breve descanso y maduración del brote, el rizoma sigue creciendo a partir de una yema lateral principal o dos formadas a continuación de la del brote. Las no principales se denominan yemas «durmientes» y se utilizan para la propagación vegetativa de grupos de orquídeas (explicado más adelante). En ocasiones, comienzan a reproducirse vegetativamente plantas robustas, cuado se activa una de las «yemas durmientes». Los rizomas se dividen en dos, lo que origina la formación de dos tallos en vez de uno. Transcurridos varios años, la parte final del rizoma original muere, dando lugar a dos plantas independientes entre sí. La florescencia de las orquídeas simpodiales se forma tanto al final del brote (*Cattleya*), o en un lado (*Cynoches*, *Dendrobium*) o a partir de unas yemas especiales en la base del tallo (*Lycaste*).

Pseudobulbos
Resulta típico en la mayoría de las orquídeas simpodiales (con la excepción de, por ejemplo, el género *Paphiopedilum*, que parece monopodial pero, de hecho, es simpodial), que tallos completos o bien sus bases, se hichen para dar lugar a órganos de almacenaje especiales conocidos como pseudobulbos. Éstos pueden variar tanto en lo que se refiere a su forma (redonda, ovoide, con forma de huso) o a su tamaño (por ejemplo, el tamaño de los pseudobulbos de las representantes pequeñas de este género, la *Bulbophyllum*, no excede de 2 mm, mientras que los pseudobulbos de la *Grammatophyllum speciosum*, la mayor orquídea del mundo, pueden alcanzar entre dos y tres metros de tamaño). La superficie de los pseudobulbos es lisa, con surcos longitudinales o transversales, o bien estrecha. Los pseudobulbos permanecen en la planta varios años, asimilando y sirviendo como espacio de almacenamiento para agua y nutrientes.

Incluso las hojas pueden decorar
Las hojas de las orquídeas tienen por lo común una forma de cinturón, de óvalo o elíptica. La estructura de las hojas siempre corresponde al entorno en el

Las hojas carnosas sustituyen a los reducidos pseudobulbos y sirven como almacén de agua (*Pleurothalis teres*).

que crece una particular clase de orquídea (conocimiento que puede ser utilizado a su vez para el cultivo de nuevas o no bien conocidas especies). Las hojas de las plantas que crecen en un entorno húmedo y sombrío son delgadas y más bien fofas, no muy resistentes a una caída de la humedad del aire y una exposición directa al sol es suficiente para destruirlas por completo. Por el contrario, las hojas de las orquídeas que crecen en lugares donde se dan temporalmente períodos secos y soleados son carnosas, duras y están cubiertas por una gruesa «piel», de manera que sirven para almacenar agua. Entre los dos extremos mencionados, hay casos intermedios. Las hojas de muchas especies pueden asumir un rol decorativo y a veces se embellecen con lentejuelas plateadas, como en el caso de los géneros *Macodes* y *Ludisia*, puntos formados a través de la presencia de coloraciones brillantes (*Psychopsiella limminghei*, *Oncidium cramerianum*) o distribuciones desiguales de clorofila, conocidas como marmolado de las hojas en el género *Paphilopedilum*. En la mayoría de las orquídeas, las hojas permanecen fijas a los pseudobulbos durante años, con nuevas hojas surgiendo a partir de nuevos pseudobulbos, como la *Bletia, Calanthe, Catasetum*, etc.

Flores extraordinarias

Ninguna otra familia de plantas tienen flores que abunden en tal variedad de formas como las orquídeas. Las flores de las orquídeas se presentan en una variedad increíble de formas y modificaciones características de una especie concreta. A pesar de esta variabilidad, la mayoría de las orquídeas tienen unas ciertas características morfológicas y de las flores en común. Las flores por lo general constan de seis hojas florales, conocidas como tépalos. Los tres tépalos externos, denominados sépalos, funcionan como una especie de protección para el conjunto de la flor, siendo la capa exterior de los capullos, y son de color verde. Sólo después de florecer adquieren su color. Dos de cada tres tépalos internos se denominan pétalos, siendo idénticos en tamaño, forma y color. El tercer tépalo interno se transforma en un «labio» o *labellum*. Se presenta muy extendido y con gran fuerza cromática, constituyendo la forma más característica de la flor. Su función es atraer a los polinizadores y servirles de «pista de aterrizaje». En la Sandalia de Venus (el género *Capripedium*, *Phragmipedium* y *Paphiopedilum*), el labio se transforma en una zapatilla hueca, el cual lleva a veces una prolongación en forma de espuela llena de néctar. En los capullos florales, antes de su apertura, el labio no es sino un tépalo superior. Hasta las últimas etapas del desarrollo de la flor tiene lugar un fenómeno llamado resupinación, característico de las orquídeas: el ovario gira a lo largo del eje longitudinal y la flor da una vuelta de 180°. El labio se encuentra entonces en la parte inferior de la flor. En las flores de las orquídeas, los seis estambres originales se han visto reducidos a uno en la mayoría de las especies, o a dos en el género *Capripedium*. El estambre se une con las agujas de los pistilos para

Algunas orquídeas tienen un labio transformado en una especie de zapatilla hueca (*Cypripeidum macranthum*).

Cientos miles de semillas se generan en los ovarios durante un proceso muy largo y complejo (un grupo fértil de *Phragmipedium lindenii*, Sandalia de Venus de Ecuador).

constituir una forma inusual llamada columna. Parece como un pequeño baño, con la superficie pegajosa, para facilitar la fijación del polen. El polen de las anteras se une a una sustancia pegajosa (viscina) en unas masas en forma de bastón denominadas polinia, otra característica de la familia *Orchidaceae*.

El misterioso origen de las semillas de orquídea
La fijación del polen en la pollinia es vital en el caso de las orquídeas, ya que es la única forma de transportar de una vez una cantidad suficiente de granos de polen que aseguren la efectiva fertilización de las flores y el desarrollo de un número gigantesco de semillas diminutas. Unos pedúnculos con un extremo pegajoso sobresalen del *pollinium*. El polinizador, por lo general un insecto volador, se ve atraído por la belleza del conjunto y el aroma de la flor y lleva a cabo una visita durante la que la polinia se fija a su cuerpo. Cuando aterriza en la siguiente flor, suministra un paquete entero de polen. Si el *pollinium* transportado entra en contacto con el estigma, una polinización y fertilización completa están aseguradas. Estas no son las únicas características exclusivas de la vida sexual de las orquídeas. La naturaleza se enfrentaba a otro problema más, que tiene que ver con la enorme producción de semillas. Como sabemos hace falta un óvulo en el ovario para que se forme una semilla. Tras la polinización, el óvulo se funde con el polen, dando lugar a un embrión. Si las orquídeas produjeran en cada ovario una cantidad de óvulos equivalente a la suma de la producción fi-

nal de semillas, probablemente morirían exhaustas. Esta es la razón por la que en la familia de las *Orchidaceae*, los óvulos no se desarrollan antes de que el polen sea depositado sobre el estigma y los tubos de polinización hayan penetrado el ovario. El proceso de la polinización a la fertilización se prolonga así de modo radical, pudiendo llegar hasta los 280 días, tiempo en el que la parte inferior del ovario se hincha aumentando su tamaño y adquiriendo la forma de una vaina triangular o sexagonal. Tras la maduración de la semilla, la vaina amarillea, se abre y las semillas son esparcidas por el viento.

Cultivo y cuidados

Necesidades ambientales de las orquídeas
El cultivo de la mayor parte de las orquídeas terrestres, desde el punto de vista del jardinero aficionado, es prácticamente imposible. En la introducción del capítulo «Las orquídeas terrestres de las zonas templadas», se exponen sus necesidades especiales. El texto que sigue a continuación, por lo tanto, se centra en un grupo de *Orchidaceae* que resulta el de más interés desde el punto de vista de los cultivadores especializados: las epífitas tropicales.

Las condiciones imprescindibles para la supervivencia de todas las plantas, incluidas las epífitas,

Determinadas especies a veces son los únicos habitantes vegetales en lugares sometidos a circunstancias extremas. Las *Paphiopedilum* Sandalia de Venus que prosperan en ausencia de otras plantas en las grietas de los paramentos rocosos bañados por el sol de Tailandia son buen ejemplo.

Una adaptación metabólica y anatómica excepcional permite a las orquídeas sobrevivir en medio de condiciones aparentemente imposibles: una *Cattleyopsis lindenii* sobre un tronco de palmera desnudo bajo el sol de Cuba.

se centran en un cierto nivel de humedad, temperaturas adecuadas, luz y nutrición. Un factor limitador de la vida de las orquídeas epífitas lo constituye no únicamente un cierto nivel de humedad en el entorno, sino también su oscilación, que no resulta menos importante. La estructura morfológica y las estrategias de supervivencia de las orquídeas están adaptadas a todo tipo de cambios en lo que se refiere a la disponibilidad de agua durante el día y a lo largo de una estación completa. El agua para los períodos extraordinariamente secos la almacenan en los tejidos carnosos de sus raíces, tallos y hojas. Aunque esta estrategia permite a las orquídeas superar períodos de sequía que pueden extenderse a lo largo de varios meses, deben respetarse ciertos límites. Junto a la humedad, otra condición con frecuencia crítica para la supervivencia de una orquídea es la circulación de aire y la fluctuación de las temperaturas diurnas y nocturnas. Una temperatura óptima se hace con frecuencia imprescindible para la inducción de la flor. Resulta, por consiguiente, crucial para el cultivador de una especie en particular, tener una información completa acerca de las características de altura y temperatura en las que crece la flor en el medio natural. En el cultivo artificial, la temperatura y la intensidad de la luz afectan a la planta, por lo que si las orquídeas cultivadas en zonas templadas no pueden tener una cantidad suficiente de luz en invierno, su sufrimiento puede atemperarse reduciendo la temperatura. De ese modo las plantas no invierten tanta energía en respirar y, en estado «semidurmiente», sobreviven a los tiempos difíciles. Las necesidades de luz de las orquídeas son también muy diferentes. Las especies de selva tropical necesitan mucha menos luz que las orquídeas alpinas.

La nutrición juega un papel mucho menos importante comparado con los factores previamente mencionados. En contraste con las especies terrestres, las especies epífitas tienen una probabilidad mucho menor de obtener minerales. La única fuente de minerales es el agua de lluvia y el humus acumulado en las colonias epífitas, los excrementos de los animales y sus cuerpos cuando mueren. En los trópicos constituye un fenómeno interesante desde el punto de vista de la nutrición de las orquídeas, fácilmente observable: las orquídeas no crecen en cualquier árbol que tengan a mano; los eligen con cuidado. Como ejemplo baste decir que no crecen sobre los eucaliptos, aunque pueden encontrarse sobre los robles. A veces los ejemplares jóvenes de una especie alojan orquídeas totalmente distintas de las que viven sobre los árboles de más edad de la misma especie, con frecuencia situados sólo a unos metros de distancia. Esto se explica, además de por las diferentes condiciones de luz de cada árbol, por la calidad del ejemplar, su capacidad para retener y suministrar nutrientes, acumular humus, etc. Algunos árboles hacen literalmente imposible que las orquídeas crezcan sobre ellos al liberar ciertas sustancias que evitan el desarrollo de los filamentos fúngicos y de las raíces de las orquídeas.

Cuando se cultivan orquídeas, se pretende dar satisfacción a las necesidades ambientales de las plantas, en la medida en que esto sea posible. Es imposible dar un conjunto de instrucciones simple y uniforme para cultivar un grupo tan diverso de plantas como las *Orchidaceae*. Todo lo que se puede hacer es aprender algunas reglas de tipo general para el cultivo que son de aplicación tanto para aquellas miembros de la familia de las *Orchidaceae* de cultivo clásico y tradicional, por ejemplo, los híbridos del muy popular y conocido género de la *Cattleya*, la *Cymbidium*, la *Laelia*, la *Oncidium*, la *Paphiopedilum* y la *Phalaenopsis*, y las especies botánicas más pequeñas y «puras», cuyo tamaño las hace más adecuadas para los cultivadores aficionados y para los propietarios de invernaderos, fanales o cajas para epífitas más pequeñas.

Espacio para el cultivo de las orquídeas

Antes de empezar o ampliar una colección de orquídeas, debemos pararnos a pensar cuánto dinero y tiempo estamos dispuestos a dedicar a nuestras orquídeas. La selección de las orquídeas más adecuadas y la compra de los artilugios más idóneos para su cultivo deben estar basados en esa decisión inicial. El progreso científico y tecnológico ha resuelto todas las deficiencias asociadas con la elección del material más adecuado para la construcción de un aparato de cultivo que incluiría un sistema de calefacción fiable y económico, una programación y regulación perfecta de la temperatura, la forma y frecuencia de los riegos, etc., ahora bien, debido al coste, pocas personas se pueden permitir la construcción y el consumo de energía de los espaciosos invernaderos para el cultivo de orquídeas. Por fortuna para los aficionados, hay todavía muchos métodos alternativos como, por ejemplo, el cultivo de orquídeas en fanales de interior, invernaderos de ventanal o al aire en el antepecho de la ventana. El deseo de tener a la «reina del reino de las plantas» en nuestra casa puede satisfacerse así sin necesidad de un fuerte desembolso financiero. Una mayoría abrumadora de las especies de orquídea necesitan contar tanto con una atmósfera muy húmeda como con una circulación de aire suficientemente intensa. El mantenimiento de una temperatura óptima y una iluminación apropiada para las plantas debe ser una preocupación permanente. Esta es la razón por la que deben cultivarse en espacios cerrados o semicerrados, en los que los factores antes mencionados puedan ser administrados y controlados. La regla de oro a recordar es que cuanto más espacioso sea un equipo de cultivo en concreto, mejor. Los fanales de tamaño pequeño no permiten una ventilación mínima suficiente para el cultivo de muchas especies. La elección de la especie que puede ser cultivada utilizando el equipo adecuado, se incrementa de forma radical con el aumento del tamaño del equipo, gracias al hecho de que dentro del equipo se forma un microbiotipo concreto, con su propia circulación de aire y con puntos más húmedos, más secos, más cálidos o más fríos. Todo lo que el cultivador necesita es hallar estas «minilocalizaciones» adecuadas para determinadas orquídeas, para que éstas puedan encontrarse «en casa».

En espacios pequeños, podemos intentar afinar el microclima mediante el uso de la tecnología (humidificadores de aire, iluminación adicional artificial, ventiladores...). Sin embargo, la intensidad de la luz o el suministro de energía para poner en marcha los ventiladores y vaporizadores no puede ser definida con claridad. Esta es la razón por la que las pacientes pruebas de los cultivadores, con frecuencia penosas, especialmente para las plantas, son las que deben conseguir el resultado buscado.

La selección de la especie idónea

Especialmente en el caso de las orquídeas epífitas, una regla no escrita dice que cuanto más pequeña sea la planta, más exigente y menos inmune a los errores de los cultivadores será. La opción de las especies diminutas para su cultivo en contenedores epífíticos se limita así a los casos más resistentes. Encontrar nuestro camino a través del vasto número de especies de orquídeas no es fácil, aunque los

Los propietarios de cultivos de tamaño pequeño (fanales o invernaderos) deben dedicarse a especies pequeñas de aspecto poco interesante (en la imagen, una *Pleurothalis subulifolia* con hojas carnosas, de 2,5 cm de largo).

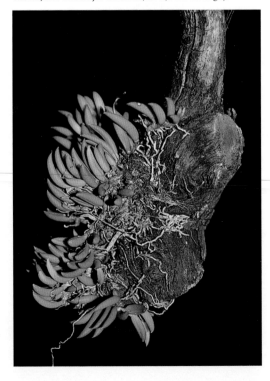

libros pueden servir de ayuda. Tienen una serie de reglas básicas que debemos observar, aunque lo más importante siempre será la práctica, la paciencia y hasta cierto punto, también el sexto sentido del cultivador, una orientación general hacia el mundo de las plantas y capacidad para percibir los cambios de estado en su salud y fisiología. En cualquier caso, los cultivadores, cuando siembran orquídeas en nuevos espacios de cultivo, especialmente si son de tamaño pequeño, deben poner una atención extra en las plantas que eligen y utilizar las más «rodadas» y conocidas. Sólo después se puede recomendar escoger especies más raras y más sensibles, además de más caras. Pero debemos tener cuidado. Generalmente, cualquier híbrido es menos exigente en materia de cultivo, que sus progenitores «puros», si bien siempre existen excepciones.

Clasificación de las orquídeas según sus necesidades de temperatura

La clasificación de las orquídeas según sus necesidades en materia de temperatura puede ayudarnos a escoger una especie para su cultivo. Los miembros de la familia se dividen en tres grupos, con diferentes necesidades en lo que a temperatura se refiere: termófilas, intermedias y criófilas. No es posible situar cada una de las orquídeas en un grupo en

Representantes del género *Odontoglossum y Lemboglossum*, que son las más conocidas entre las orquídeas criófilas obtenidas en condiciones de cultivo.

concreto, debido a la gran plasticidad del entorno, y hay muchas plantas cuyas necesidades en materia de temperatura varían. Aparte de esto, sus temperaturas óptimas de invierno y verano pueden ser radicalmente distintas. Un cultivador de orquídeas debe ser capaz de hacer una estimación aproximada sobre la categoría a la que pertenecen, qué temperatura es la propia para ellas y cómo cultivarlas adecuadamente, en el momento de tener el primer contacto con la planta, y sólo a partir de su aspecto.

Las plantas termófilas con origen en terrenos bajos tropicales son por lo general más verdes, de tejidos algo más carnosos, las hojas planas y blandas y con poca resistencia ante las sequías. Tales orquídeas necesitan temperaturas más altas y humedad durante todo el año, con sombra suficiente en verano. Crecen y florecen sin un período de reposo apreciable y toleran mejor un exceso en el riego, aunque se benefician de una deshumidificación del entorno de las raíces de vez en cuando. Las orquídeas de hondonada son más adecuadas para los fanales y cajas de cultivo de baja circulación de aire, generalmente sombrías. Las especies de las zonas montañosas de las zonas tropicales se llaman intermedias. Son más duras y compactas, con mayores pseudobulbos, hojas más firmes y con un color más o menos amarillento. Cuanto más lejos del ecuador y más alta sea su región de origen, menos exigente será en términos de temperatura, mientras que sus necesidades de circulación de aire y sol aumentan.

Los emplazamientos naturales de estas plantas se enfrentan a sequías y lluvias. Los períodos de sequía coinciden con un acortamiento de la luz diurna, aunque la intensidad del sol se incrementa gracias a los cielos despejados, y con una disminución de las temperaturas nocturnas. Estos factores inducen la formación de flores. A no ser que proporcionemos a las plantas este tipo de sequedad periódica durante el cultivo, nunca veremos flores.

Las orquídeas intermedias serán sin duda las más adecuadas para nuestros futuros invernaderos.

Con las especies extremadamente criófilas de las localizaciones alpinas, puede ser difícil en verano mantener las bajas temperaturas a las que están acostumbradas (18-22 ºC). Una posible solución consiste en colgar los ramos de orquídeas fuera del invernadero y en árboles frutales en semisombra, bajo belvederes, etc. Las plantas que se mantienen de esta forma, necesitan una humidificación más frecuente. En invierno, las especies alpinas nos presentan otro problema de difícil solución: la falta de sol. Esto puede compensarse parcialmente bajando la temperatura hasta niveles soportables.

Soportes, sustratos y contenedores para el cultivo de orquídeas botánicas

Las pequeñas especies botánicas se cultivan normalmente epifíticamente, sin sustrato de ningún tipo, suspendidas de un soporte. Son varias las co-

17

sas que pueden servir como soporte: corteza de pino, de alcornoque, una bella «cabeza» de vid u otras ramas o tocones de árbol con formas llamativas. Los mechones de raíces de helecho también solían ser muy utilizados. Por sus buenos resultados han sido recientemente recomendadas las varas más gruesas de *Sambucus nigra* (saúco). La madera de saúco ha de estar madura, ha de cortarse en el invierno y, para un mejor manejo, se debe cortar a lo largo en dos mitades. Antes de su uso, las varas deben secarse bien. El *Sambucus nigra* tiene un corcho blando y muy absorbente que se utiliza para las raíces de muchas orquídeas. Las plantas se fijan usando un sedal de pesca de nylon, tanto sobre una superficie lisa como sobre una capa de musgo (*Sphagnum*). Para las especies más robustas, podemos colocar un poco de sustrato epifítico bajo la capa de musgo y fijar la planta en la parte superior.

Tanto las especies botánicas como los híbridos pueden cultivarse también en cestas epifíticas hechas de madera o de plástico. Con las plantas del género Stanhopea, que lanza sus florescencias verticalmente hacia abajo, es la única posibilidad. Naturalmente, también podemos utilizar tiestos, debido a que tienen una mayor cantidad de nutrientes y el sustrato conserva la humedad más tiempo. Sin embargo, la humedad incrementa de modo considerable el riesgo de perder las raíces. Especialmente cuando las temperaturas caen en los invernaderos, los componentes instigadores de la formación de moho se desarrollan en exceso en el fondo húmedo de macetas y jardineras y las plantas pierden tanto sus raíces como los brotes nuevos.

La elección de la dosis de combinación de los componentes del sustrato para el cultivo de orquídeas en cestas o macetas es una decisión individual de cada aficionado. En función de su experiencia, la humedad en el invernadero, la disponibilidad de materiales para el sustrato y el tipo de jardineras. En las mezclas se usan materiales como los que siguen: pino, corcho en trozos de tamaños diversos, *Agroperlita*, *Styrofoam* o espuma plástica en trozos de tamaños distintos, musgo seco cortado en trozos, turba (que no sea muy ácida), virutas de madera de roble o de cáscara de coco (natural o prensada). Las mezclas finales han de ser esponjosas, permeables, resistentes a la humedad y pobres en nutrientes, y además deben permitir que las plantas echen raíces bien. Es importante en todo caso que la mezcla se mantenga húmeda durante algún tiempo después del riego, pero no que retenga una humedad excesiva. Así pues, necesitamos garantizar un buen drenaje, por ejemplo, recortando un agujero de buen tamaño en el fondo de la maceta y cubriéndolo por la parte interior de la maceta con un pequeño cestillo de plástico, o colocando en el fondo de la maceta piezas de mayor tamaño de corcho, espuma de poliuretano, etc. Si transportamos una orquídea que ha echado buenas raíces en un cierto tipo de mez-

cla, en un entorno distinto, a veces pierde muy pronto sus raíces debido al moho. Con menos frecuencia, puede padecer debido a la insuficiente humedad.

En cualquier caso, cuando adquiramos especímenes nuevos, siempre será mejor replantarlos en un sustrato que contenga una mezcla de calidad probada (de esta forma también quedaremos libres del riesgo de expandir ciertas enfermedades entre nuestra colección).

Régimen de riego y temperaturas
Hemos tratado la relación entre la humedad óptima y la temperatura; ambas operan en común y no debemos olvidarlo. La regla general es: cuanto más caluroso sea el entorno, más debemos regar y humedecer la planta. También tiene interés la intensidad de la ventilación, que podría secar la planta en un período corto de tiempo durante los meses calurosos. Por esa razón, en ese período se hace necesario humedecer las plantas varias veces al día. Además, cobran mucha importancia las circunstancias del lugar, como la posición espacial del invernadero, la sombra, las posibilidades de ventilación, el espacio disponible, etc. Es preciso usar agua calentada hasta alcanzar la temperatura ambiente y humedecer las plantas. En verano, resulta recomendable humedecerlas por lo menos dos veces al día, por las mañanas temprano y al comienzo de la tarde. Tras el riego de la tarde, será conveniente encender el ven-

La *Nanodes megalospatha* de Ecuador es un ejemplo de orquídea muy dependiente de la humedad. Sus racimos florales crecen entre el musgo de los troncos del bosque tropical, permanentemente húmedo y, por consiguiente, no debemos tolerar que se sequen por completo.

tilador interior. Las plantas tendrán así tiempo suficiente y condiciones favorables para absorber el agua en sus tejidos. En invierno es preciso reducir el riego debido a la cantidad insuficiente de sol, haciendo descender la temperatura hasta los 16-18 °C. Si las plantas están excesivamente deshidratadas, elevaremos la temperatura y les proporcionaremos riego. La mejor herramienta para regar las plantas es una pistola manual, que nos capacita para regular el flujo mediante el ajuste del chorro; estará conectada a la fontanería de la casa, lo que garantizará un nivel constante de agua durante el riego discontinuo, dándonos así la oportunidad de concentrarnos en cada planta o grupo de plantas de forma individual.

El único tipo de agua recomendada para el riego es el agua de lluvia. El uso de agua destilada es demasiado caro y pone a las plantas ante la dura tesitura de extraer algunos elementos de sus propios tejidos. Si queremos evitarlo, deberemos añadir una solución de fertilizante al agua destilada. El agua de pozo o de río no es recomendable por su alto contenido de sal y la del grifo es demasiado dura y, si está fresca, contiene mucho cloro, perjudicial para las plantas. Dejarla en reposo no es suficiente, porque aunque nos libremos de una parte del cloro, el agua conservará sus sales disueltas. Tras hervirla, se condensan el magnesio y los carbonatos, pero no los fosfatos ni los ácidos clorados. Naturalmente, la salinidad del agua varía con las regiones. Las aguas duras utilizan prematuramente los sustratos, lo que da como resultado la necesidad de replantaciones frecuentes.

Régimen de luz

Debido a su origen tropical, las necesidades de luz de las orquídeas son especiales, sobre todo en invierno, cuando se hace necesario dar a las plantas toda la luz que nos sea posible. Las cajas epifíticas de cristal deben situarse tan cerca de una ventana como sea posible y estar equipadas a ser posible con tubos fluorescentes u otras fuentes potentes de luz. Por otra parte, en verano es importante proteger a las plantas de la luz solar directa tras los cristales, así como del calor excesivo del ambiente, dentro del cubículo de cristal. El más eficiente, y a la vez caro, de los sistemas es el de sombras del tipo de las provocadas por las persianas: un sensor responde a la intensidad de la luz del sol, regulando la inclinación de las lamas para garantizar que las flores reciban la luz con una intensidad adecuada.

Los aficionados menos pudientes se valen por lo común de entramados de cañizo, o aún mejor, de redes militares de camuflaje. No se recomienda pintar los vidrios con una capa de cal apagada.

Fertilización

Gracias a su metabolismo contenido y lento, los requerimientos de las orquídeas en materia de nutrición mineral son relativamente bajas. Necesitan ser

El grupo de orquídeas con la menor necesidad de luz incluye especies de *Phalaenopsis* (la foto muestra un híbrido con flor blanca).

cultivadas con elementos adicionales durante la época de crecimiento. La opción más idónea es una solución de un fertilizante completo que contenga, junto a los elementos de crecimiento de nitrógeno, magnesio, potasio y fósforo, una mezcla de otros microelementos. Hay agentes más o menos adecuados, así como preparados disponibles en el mercado, cuya idoneidad necesita ser comprobada en cada caso individual. La intensidad de la fertilización depende de la estación del año y de la fisiología y salud de las plantas. Durante el período de máximo crecimiento se puede fertilizar dos veces al mes. Hacia el final de la estación, cuando maduran los brotes nuevos y empiezan a formarse las flores, limitaremos el aporte de nitrógeno y lo cambiaremos por fósforo y potasio. La concentración de fertilizante debe igualar el límite inferior recomendado por el cultivador de plantas de interior. Podemos alternar el uso de agentes artificiales con la aplicación de fertilizantes naturales. Se pone un trozo fresco o seco de excremento de vaca cogido en pastos saludables en un contenedor con agua de lluvia. Se deja fermentar y después se rocía la planta con la mezcla. Es necesario, por supuesto, ser diluido antes de su utilización, hasta el punto de parecer como el té cuando está muy diluido. Este fertilizante poco común no sólo da a las plantas nutrientes, sino también con sustancias húmedas importantes. Hacia el final de la temporada hay que limitar al mínimo el uso de esta mezcla, hasta suspenderla por completo. También los intervalos entre los períodos de fertilización asistida deben ampliarse progresivamente, hasta aplicar sólo una cantidad mínima durante el período de reposo vegetativo.

Es preciso utilizar un sedal de pesca para unir los racimos florales de las orquídeas a un soporte de madera, como pueda ser un trozo de saúco. Tan pronto las plantas echen raíces, se recomienda retirar el sedal (*Nidema boothii*).

Replantación

Hablando con rigor, no podemos decir que replantamos cuando nos referimos a las plantas que han crecido sobre soportes suspendidos. Un término más preciso para su utilización en este caso sería la sustitución de los soportes antiguos por otros nuevos. De vez en cuando, cada año, los soportes se caen debido al proceso natural de envejecimiento. A veces, está causado por el uso de agua inadecuada para el riego, el peso creciente de las plantas y la intervención de las raíces. Las plantas necesitan por lo tanto ser reubicadas. Lo haremos en una temporada en la que no echen raíces o brotes. Quitaremos con cuidado las orquídeas de los viejos soportes y cortaremos una parte sustancial de las raíces viejas. Al mismo tiempo, partiremos las plantas arbustivas en partes más pequeñas, no demasiado, para que no lleve mucho tiempo su recuperación y comiencen a crecer a ritmos normales. Tras retirar las plantas de sus viejos soportes, las dejaremos en un sitio seco y umbrío en el invernadero sin regarlas, para proteger

las heridas de cualquier infección. Los brotes nuevos deben ser cubiertos con carbonilla vegetal. Sólo entonces fijaremos a las plantas a soportes nuevos y las colgaremos. Las plantas cultivadas en cestas epífíticas y en tiestos florales deben replantarse con mayor frecuencia. El intervalo entre cada nueva replantación varía de acuerdo a la velocidad de crecimiento de cada orquídea, la calidad del sustrato y el agua de riego. Una recomendación general sería, no obstante, no dejar la planta en un sustrato concreto más de dos o tres años.

Reproducción de las orquídeas

El objetivo de todo cultivador no es sólo mantener en buena forma sus plantas y llevarlas hasta la floración, sino también propagarlas. Las plantas nuevas pueden enriquecer de esa forma cualquier colección, servir como reserva en caso de que un ejemplar muera o ser utilizadas en los intercambios con otros aficionados. Hay dos maneras de conseguir esto: la vía generativa o sexual y la vegetativa o asexual. Cada una tiene sus ventajas e inconvenientes.

Reproducción generativa

Como ya hemos dicho, la reproducción generativa de las orquídeas es muy complicada y requiere la cooperación activa de ciertos tipos de hongos sobre sus semillas para germinar. Estos hongos son de imposible cultivo, por lo que se tratan en condiciones artificiales mediante lo que se conoce como «siembra aséptica in vitro». El principio básico de este método es un esfuerzo para dar a las semillas germinativas de las orquídeas, a través de suelos nutricionales, llamados media, las sustancias que obtienen de los hongos en el medio natural. Estos suelos nutricionales contienen materiales orgánicos e inorgánicos, siendo los más importantes los minerales, los carbohidratos, las hormonas y las vitaminas. Debido a que el suelo ha de ser duro, se refuerza con agar, que es una gelatina obtenida de las algas. Resulta fundamental la presencia de carbohidratos y sustancias orgánicas que provocan que el medio nu-

Desarrollo en etapa temprana –protobulbo– de una orquídea terrestre, la *Orchis morio,* cultivada «in vitro».

tricional se pudra por la acción del moho, las levaduras y las bacterias.

Por esta razón los suelos necesitan ser esterilizados a altas temperaturas inmediatamente después de mezclarse, y también se debe a ello que cualquier manipulación posterior con las semillas y plantas germinativas deba hacerse en condiciones de asepsia, fuera de cualquier posibilidad de infección, utilizando para ello tecnología de laboratorio. Como quiera que las plantas germinativas se cultivan en utensilios de laboratorio, de cristal, el método se denomina «in vitro».

El procedimiento de siembra aséptica es complicado, pudiendo llevarse a cabo con éxito sólo por medio del uso de laboratorios bien equipados. Antes de la invención de la siembra «in vitro», al comienzo del siglo xx, los cultivadores de orquídeas tenían que fiarse de la siembra de las semillas en tiestos con plantas madre, que proveen la imprescindible infección con filamentos de hongos. Este método era poco fiable y raramente obtenía resultados satisfactorios. Incluso hoy apenas no es muy alto el éxito en germinaciones espontáneas de semillas en invernaderos, con el subsiguiente desarrollo de alguna especie de orquídea. La fotografía de la página 10 muestra una especie de diez años del tipo *Maxillaria*, que fue cultivada según este método.

La propagación vegetativa

Una de las ventajas de este tipo de propagación, llevada a cabo según la manera tradicional, es la velocidad relativamente alta a la que se producen plantas nuevas. Una desventaja es el número limitado de especies de nueva producción, junto con el hecho de que son genéticamente idénticas y por consiguiente inútiles a la hora de la hibridización mutua. Otro inconveniente es que se extiendan infecciones y hongos durante la división de las plantas.

La propagación vegetativa se puede utilizar especialmente en el caso de las orquídeas simpodiales. Si queremos propagar una planta cuyo rizoma todavía no ha echado brotes, se corta en la parte frontal con una extremidad de desarrollo activa. La parte posterior brotará de nuevo de las yemas. Muchas orquídeas forman diminutas plantas hermanas en la parte superior de los pseudobulbos, por ejemplo, de la especie *Dendrobium*.

Las orquídeas monopodiales se pueden multiplicar y propagar sólo hasta cierto punto. Resulta difícil en especies con tallos muy cortos, como las del género *Phalaenopsis*. Sólo algunas especies de este género tienen la capacidad de reproducción espontánea de plantas jóvenes en las terminaciones florales. En orquídeas de la especie *Phalaenopsis*, *Vanda* y algunas otras, la propagación vegetativa tiene lugar incluso cuando sus terminaciones crecimiento han quedado destruidas por alguna razón. Las plantas, entonces, brotan de nuevo a partir de las yemas en estado de latencia.

Algunas orquídeas producen «plantas hermanas» en las terminaciones florales (en la foto, una especie de Ecuador).

Las plantas representativas de las especies monopodiales con tallos largos (*Vanda*, *Holcoglossum*, *Ascocentrum*, etc.) pueden ser propagadas vegetativamente mediante plantación. Se corta la parte superior de la planta y se deja que eche raíces en un sustrato estándar. La parte inferior, entonces, formará nuevos brotes de forma espontánea.

Clonación

Existe otra forma de propagación altamente efectiva, conocida como franco-plantación. Se trata de una forma de plantación clónica que funciona cultivando los tejidos escindidos, denominada «cultivo meristémico in vitro». Se trata de una versión simplificada de la clonación de especies animales. El método completo fue dominado hace mucho tiempo, en la década de los cincuenta del siglo pasado. Esta técnica altamente efectiva se basa en quitar y transferir el meristema –el tejido escindido– desde una planta individual a unas condiciones ambientales estériles, de técnica «in vitro», su posterior multiplicación y la transferencia final de las nuevas plantas pequeñas a su entorno natural. Tras ser separada de la planta, el meristema se cultiva en una solución nutricional líquida y se ve afectada por ciertas sustancias hormonales. Muy pronto comienza un proceso de partición exponencial e indiferenciado y las probetas con los tejidos se sitúan en un cilindro de rotación lenta para evitar la formación de raíces y yemas. Tan pronto como el callus (un conjunto especial de células) crece lo suficiente como para ser capaz de dividirse, se puede cortar en varios trozos que posteriormente se pueden cultivar.

Este sistema puede volverse a llevar a cabo cuantas veces se desee. Resulta fácil conseguir las plantas hermanas desde el tejido cultivado. En primer lugar, se altera el medio de cultivo y se finaliza la rotación. Al poco tiempo, comienzan a formarse nuevas orquídeas, que posteriormente se pueden traspasar a un entorno no estéril y cultivarse de una manera tradicional. La técnica de cultivo del meristema es muy útil, especialmente para los productores de orquídeas como flor cortada, ya que un buen ejemplar puede dar lugar a un número enorme de versiones idénticas, en un tiempo relativamente corto. La franco-plantación todavía no ha tenido éxito con el género *Paphiopedilum*, pero ha sido utilizado con buenos resultados con el género *Cattleya*, con el *Cymbidium*, el *Dendrobium*, el *Oncidium*, el *Odontoglossum*, la *Miltonia*, la *Vanda* y con muchos híbridos de orquídea.

Enfermedades y plagas

Un invernadero es muy adecuado para cultivar orquídeas aunque también es propicio que se den en él muchas enfermedades y plagas. En general, la mejor forma de combatir a los agentes dañinos es manteniendo las plantas en buena salud. Las enfermedades y las plagas normalmente comienzan a tener lugar en ámbitos poco cuidados o como consecuencia de un riego incorrecto, mala ventilación, hábitos de fertilización inadecuados u otros errores de cultivo. A pesar de que una intervención química sólo se activará en casos extremos, un prerrequisito de tratamiento químico efectivo es un diagnóstico de la plaga. En función de su origen, hay cuatro tipos de enfermedades: las provocadas por hongos, bacterias o virus, y las de origen fisiológico.

Hay muchos pesticidas efectivos disponibles hoy en día para destruir plagas de origen animal y enfermedades infecciosas por hongos. Usándolos bien podemos mantener a los patógenos dentro de límites razonables. Cuando temamos algo más que una infecciones por hongos, que se pueden destruir fácilmente mediante los fungicidas, puede que estemos ante invasiones de plagas de origen animal. Las plagas más dañinas para las plantas son: babosas, ácaros, áfidos, tisanópteros, aleurodios, gorgojos y cochinillas. Cuando apliquemos el pesticida, resulta recomendable seguir las instrucciones de uso y repetir el rociado varias veces en intervalos cortos de tiempo para destruir todas las generaciones de plagas. También merece la pena utilizar varios agentes de forma alternativa, pues usando sólo uno, podemos dar lugar a poblaciones resistentes de organismos patógenos.

Merece especial mención un tipo de protección llamado biológica, que consiste en la plantación de liberada de agentes infecciosos en los invernaderos: pasado un tiempo, se llega a un equilibrio natural y las plagas no se dispararán. Pero si un patógeno que no encuentra un enemigo natural en un cultivo concreto invade un invernadero, tendremos que recurrir de nuevo a los pesticidas.

Las infecciones por bacterias se ven provocadas por fríos húmedos de larga duración. La estación en la que se debe vigilar más es el otoño, cuando los invernaderos aún no están sometidos a calefacción y las temperaturas pueden caer rápidamente. Una solución puede ser intensificar la ventilación y limitar el riego temporalmente. Una fuente de infección por bacterias puede ser un agua estancada, biológicamente malsana, un sustrato no esterilizado, etc.

Hasta ahora no hay ninguna medicina disponible para las enfermedades virales de las orquídeas. La única manera de combatirlas es un examen cuidadoso para evitar una extensión de la infección. Si detectamos un ejemplar infectado, debemos destruirlo para evitar la extensión de la enfermedad. A veces, sin embargo, la infección viral sólo está en forma latente y no resulta observable. No obstante, debemos ser cuidadosos, especialmente si cortamos en tejidos de orquídeas vivas, por ejemplo, durante la cosecha de las flores o la propagación vegetativa. Los cuchillos y las tijeras deberán ser desinfectados después de cada uso para evitar que el jugo de la planta con virus se extienda a otro ejemplar. Los virus también se pueden extender por las babosas y los pulgones. Los personas fumadoras pueden también pasar el virus del tabaco.

Síntomas de una infección viral son deformaciones del follaje y las flores, manchas en la coloración, líneas de cloro, puntos y crecimiento lento.

Las últimas de la lista son enfermedades de origen fisiológico, que provocan desórdenes en el metabolismo y en el desarrollo de las orquídeas, y que vienen determinadas por los malos hábitos de cultivo, lejos de las condiciones óptimas y de los requerimientos ecológicos de las plantas. La falta de algún elemento biogénico provoca irregularidades en la producción de clorofila y una luz insuficiente también provoca que las orquídeas reduzcan su clorofila, mientras que una luz excesiva afecta a la naturaleza de la misma, volviéndose las hojas amarillas o rojas y chamuscándose. Un frío excesivo da como resultado la deformación del centro de crecimiento, los capullos florales, etc. La única cura para tales enfermedades es mantener unas condiciones de crecimiento óptimas.

Hibridización y cruces de orquídeas

Los ejemplares viables de orquídeas pueden originarse no sólo a través de la reproducción de diversas especies dentro de un mismo género, sino a tra-

Un plano de un híbrido intergenérico primario excelente, la *Brassocattleya Binosa* (*Cattleya bicolor x Brassavola nodosa*).

vés también de la hibridización de miembros de géneros diferentes, distintos y distantes. Claramente, cuanto más próximo esté el género de las plantas, más fácil será la hibridización. La hibridización es posible incluso entre géneros que tienen una morfología totalmente distinta, por ejemplo, entre orquídeas simpodiales y monopodiales. Un híbrido clásico, la *Epiphronitis Veitchii,* es un caso que viene muy a cuento. De forma muy interesante, las orquídeas que son más antiguas en su desarrollo pueden hibridarse mutuamente sólo muy rara vez: por ejemplo, todo el esfuerzo puesto en hibridar la *Paphiopedilum* y la *Phragmipedilum*, dos géneros muy parecidos de Sandalia de Venus, ha sido fútil hasta ahora. Un asunto importante en la hibridación de las orquídeas es que las plantas parentales que asumen el papel de madre (por ejemplo, aceptan polen y crean semillas en cápsulas o vainas) son dominantes respecto a las que asumen el papel de padre. Si hibridamos la misma especie al revés, esto es, si cambiamos el papel de la planta madre y padre, el híbrido resultante tendrá un aspecto totalmente distinto. Se aconseja a los cultivadores *amateurs* que centren sus intentos de reproducción en la formación de híbridos de dos especies botánicas. El resultado de tales combinaciones tiende a ser más uniforme y estable. Para lograr especímenes que sean de verdad interesantes, necesitamos cultivar un número grande de plantones hasta que lleguen a un tamaño capaz de dar flor y después escoger entre ellos los mejores. Se trata, por lo tanto, de una actividad exigente en lo que se refiere al espacio necesario. Como casi todos los híbridos de origen primario

son capaces de reproducciones sexuales posteriores. La intervención humana puede, de forma gradual, abrir paso a híbridos bigenéricos o multigenéricos, como es el caso de la *Brassolaeliocattleya* o *Sophrolaeliocattleya*.

Muchos híbridos que se han transformado en clásicos tienen genealogías muy precisas y largas. Fueron creados por una combinación gradual de diez, veinte o más generaciones de ancestros de varios orígenes. Además de especies botánicas cada vez más raras, las floristerías ofrecen ahora un surtido muy amplio, especialmente de multihíbridos de orquídeas cultivadas en los laboratorios de todo el mundo por las mayores compañías y reproducidos para dar flores maravillosas y poco exigentes en asunto de cuidados. Docenas de especies originales e híbridos pueden contribuir a su creación.

La historia de la hibridización es tan vieja como el cultivo de las orquídeas. Los primeros híbridos en crecer en invernaderos europeos eran miembros del género *Cattleya*, ya en 1852. Una difusión más amplia de orquídeas híbridas fue evitada por problemas relacionados con la siembra de sus semillas. Era muy raro lograr el estado de plantón. Tras el descubrimiento de la siembra antiséptica por Knudson en 1922, la calidad de la hibridización artificial de las *Orchidaceae* alcanzó un nivel superlativo. Una contribución al progreso en materia de hibridización fue logrado por el método de los cultivos meristémicos, que aseguraban una velocidad y volumen suficientes de propagación de los mejores clones de orquídeas. Hasta la fecha, el número de todos los híbridos de la familia, con una pequeña contribución de los híbridos naturales, se estima en una cifra no menor de 25.000.

No obstante, el hombre no sólo hacen híbridos a partir de géneros y especies distintos. También es necesario hibridar plantas de la misma especie y género, en ejemplares jóvenes y, por consiguiente, genéticamente inestables, que son las que tienden a constituir mutaciones con mayor facilidad. Mien-

Los híbridos primarios de especies muy interrelacionadas no son de aspecto muy distinto del de sus progenitores, aunque tienden a tomar un tamaño mayor (un híbrido de *Lycaste lanipes x L. ciliata*).

tras permanecen en el medio natural, estas desviaciones desaparecen y son suprimidas gradualmente. Los cultivadores de orquídeas son capaces de estabilizarlas mediante hibridaciones sucesivas, manteniendo las nuevas características positivas. Algunos cultivadores pueden especializarse así, por ejemplo, en coleccionar distintos tipos y formas, o bien en un solo tipo de orquídea. Algunas de estas formas son lo suficientemente típicas como para obtener una denominación propia, como los híbridos interespecie o los híbridos intergénero.

Gracias a F. K. Sander, un famoso hombre de negocios y botánico inglés, todos los híbridos de nueva formación han sido registrados y hay lista denominada «Lista de Sander de híbridos de orquídeas» desde los comienzos del cultivo de estas hibridaciones, allá en 1869. Cada nueva entrada tiene el nombre del híbrido, los de las plantas madre y padre, y el nombre del cultivador. Las recién llegadas son evaluadas y una vez al año la mejor recibe un premio. Una desventaja de esta lista es el hecho de que no menciona el sexo de las plantas madre y padre.

Aunque se ha conseguido avanzar mucho en el terreno de la hibridización de las orquídeas, el trabajo está lejos de haber terminado. No importa cómo sea de científica y organizada la técnica de hibridación. Queda aún campo suficiente para todo tipo de experiencias.

Pudiera suceder que nuevos secretos aún no desvelados del mundo de las orquídeas estén todavía esperando su momento...

Grupos significativos de híbridos de orquídeas

Casi todos los miembros de la familia de las *Orchidaceae* pueden hibridarse. Sin embargo, alguno de los más significativos grupos de estas flores destacan sobre los otros en este campo, debido al servicio que han prestado al mundo de la ornamentación y la decoración, así como al negocio de la jardinería.

Entre los híbridos más populares y apreciados se cuentan los del género *Cymbidium*. Estas plantas cuentan con una tradición ya larga, con su escaso nivel de exigencia en materia de temperatura y el hecho de que florezcan en invierno, han hecho de ellas, hasta hace bien poco, la única fuente importante de orquídeas para su uso como flor cortada. Incluso después de que el mercado de flor cortada se hiciese global, gracias a las mejores oportunidades para el comercio y especialmente para el transporte, pasó tiempo antes de que llegasen competidoras capaces de sustituirlas en las floristerías. Una de las ventajas de los híbridos del género *Cymbidium* es su robustez, con flores erectas o semierectas, grandes, con gran variedad de tonos pastel. Las flores son muy rígidas y duraderas. Una desventaja de estas flores es su tamaño, con hojas que pueden llegar a alcanzar una longitud de un metro, lo que impide que los cultivadores aficionados tengan más cantidad de ejemplares de *Cymbidium* en sus colecciones. Los mercados de gran tamaño sólo cultivan los mejores clones multihíbridos de *Cymbidium*, reproducidos con técnicas meristémicas.

Sobre todo en la estación invernal podemos encontrar híbridos llenos de color del género *Cymbidium*.

Híbridos del género *Paphiopedilum*, que se presentan en formas y colores muy variados. La fotografía muestra un híbrido *Paphiopedilum Harrisianum* cultivado desde hace ya 130 años, y que hoy es un clásico.

Hay también una gran tradición de cultivo del muy apreciado género *Paphiopedilum*. Existe todo un grupo de cultivadores interesados en hibridar y describir una corriente prácticamente infinita de nuevas variantes de este género, del que ya hay muchos ejemplares que les aportan grandes satisfacciones. Además, señalar que especies nuevas, es decir, fuentes nuevas de información genética, están sien-

do descubiertas constantemente en el medio natural. Hasta la fecha, se han cultivado más de 13.000 híbridos del género *Paphiopedilum*. El híbrido Sandalia de Venus se cuenta entre las orquídeas más distinguidas, con sus grandes hojas cerúleas de color y forma muy bellos, y de larga duración también. Sus cualidades positivas incluyen unas exigencias de cultivo bajas y un tiempo intermedio corto

La belleza manifiesta del *Paphiopedilum Maudiae* es ya un clásico entre los híbridos.

La Sandalia de Venus más productiva y menos exigente es la *Paphopedilum Lathamianum*.

Los híbridos de *Phalaenopsis* aparecen moteados con puntitos muy apreciados por los cultivadores.

embargo, han ido apareciendo en los ramos y *bouquets* con cada vez menos frecuencia, a causa de su fragilidad, para dar paso a híbridos más baratos e igualmente bellos del género *Vanda* y de la especie *Dendrobium phalaenopsis*. Los híbridos del género *Phalaenopsis* son quizá las orquídeas más idóneas para tener en pisos. Su carnosidad las hace tolerantes ante la sequedad ambiental, sin grandes problemas, lo que explica su idoneidad para ese lugar. Son termofílicas y, por tanto, no importa que estén a altas temperaturas en invierno. Al contrario, están mejor así que en ambientes fríos. Sus bajas exigencias en materia de luz también son destacables. Desde el punto de vista de los productores profesionales, lo que también importa es el poco tiempo que pasa entre la siembra y la flor, que ha sido reducido hasta 2-3 años. La mayoría de las variedades originales tienen flores de colores entre el blanco y el rosa, con alguna presencia del púrpura, pero recientemente han aparecido variedades con colores amarillos, con forma de estrella, con rayas y moteadas, que han ocupado el centro de la escena. Los híbridos de flor pequeña con origen, por ejemplo, en el género *P. Equestris*, también han vuelto a los mercados.

Quizá el grupo más grande de híbridos es el formado por la subespecie *Laeliinae*, un grupo asociado a sus parientes cercanos del género *Cattleya*,

Las flores con rayas de este híbrido *Phalaenopsis* están entre las más hermosas.

entre la siembra de las semillas y la primera flor. Una desventaja: algunos racimos florales no son precisamente fuertes y de cada grupo de hojas sólo brota una flor. Este género parece estar experimentando hoy en día algo parecido a un «sobrecultivo», en el que algunas genealogías multihíbridas se hacen excesivamente complejas, no pudiendo apenas competir en aspecto con los híbridos con poca historia, de genealogía más modesta, muchos de los cuales se han mantenido sin competidores dignos de mención y gozan de la predilección de los cultivadores. Uno de ellos es una Sandalia de Venus de nombre *P. Harrisianum*, híbrido del género *P. Barbatum x P. Villosinum*, que fue cultivada por vez primera en 1869 como el primer híbrido intergénero del género *Paphiopedilum*. Otra variedad similar al *P. Harrisianum* es la notable variedad híbrida *P. Maudiae*, de color verde y blanco, y también la *P. Lathamianum*, fácil de cultivar y de flor muy rápida. Los híbridos de Sandalia de Venus son empleados hoy día como fuente de flor cortada, plantas en maceta adecuadas para pisos y, no menos importante, como joyas espectaculares y no muy exigentes en las colecciones de los especialistas en estas plantas.

En el siglo XX, las plantas del género *Phalaenopsis* se cultivaron fundamentalmente por la espectacularidad de su flor cortada. Más recientemente, sin

Brassocattleya Pernosa, un híbrido primario de cien años, es popular entre los cultivadores de pequeñas orquídeas epifíticas.

Todos los admiradores de esta especie conocen muchos híbridos de *Cattleya*.

Laelia, Schomburgkia, Brassavola, Rhyncholaelia, Sophronitis y otras. Los miembros de todos los géneros listados se caracterizan por tener flores extraordinarias y una fácil hibridación. Los primeros híbridos fueron cultivados cruzando orquídeas *Cattleya* entre sí y con otras orquídeas del género *Laelia*. A lo largo del tiempo, las especies del género *Brassavola* y *Rhyncholaelia* «se unieron al club». La cifra completa de híbridos creados mediante hibridación múltiple de las especies originales del grupo completo se estima entre 12.000 y 13.000. Por lo general, los híbridos de flor grande se han creado para dar flores vistosas de formas extravagantes en colores púrpura, blanco, blanco con pétalo labial en color de contraste, rojo, amarillo y naranja, azulado, verdoso y otros. Suelen utilizarse como una inagotable fuente de flores cortadas exquisitas, y sólo su cantidad relativamente modesta de flores por tallo ha evitado un progreso comercial aún mayor. Su espiga floral, normalmente muy corta, la hace inadecuada para los ramos de flores clásicos. Tampoco ha favorecido la explosión de su producción el enorme tamaño de las plantas. Hoy día, los híbridos del subgrupo *Laeliinae* son muy apreciados por los cultivadores aficionados. Junto a las ventajas ya mencionadas, también es importante el hecho de que no tengan muchas exigencias en materia de cul-

Las flores maravillosas y extraordinariamente duraderas de este híbrido primario de *Miltonia* (*M. Spectabilis* var. *Moreliana* x *M. Clowesii*) llenará de glamour cualquier colección de orquídeas epifíticas.

tivo. No obstante, no suelen estar en oferta en las floristerías y el único tipo de establecimiento en el que las encontraremos lo constituyen las empresas especializadas de orquídeas.

El cultivo del género *Dendrobium* aún no ha ganado suficiente estima y desarrollo. En él se pueden observar dos direcciones de desarrollo. La primera la constituye el cultivo de especies individuales de *D. Phalaenopsis*, que se está convirtiendo en una fuente inagotable de flor cortada en todo el mundo. Se ha obtenido un gran número de variedades distintas con colores y formas exclusivos. Las plantas comerciales no prosperan en Europa, y por consiguiente, sólo se obtienen en el viejo continente flo-

res cortadas de importación. Los híbridos de la especie *D. Nobile* y similares se utilizan sobre todo como especies de gran belleza para las colecciones de los aficionados y para las exhibiciones y muestras de orquídeas.

Los híbridos del género *Vanda* son también muy hermosos y gozan de gran aceptación entre los aficionados. Pero los cultivadores *amateurs* se muestran estremecidos y asombrados con ellos. No hay problema: la inmensa mayoría de las variedades relativamente caras no van a florecer en ningún caso en cualquier latitud o país y su crecimiento es realmente lento. La mayor parte de los híbridos genéricos e intergenéricos se dan en Tailandia, Hawai y

otros países y lugares tropicales, y sus maravillosas floraciones se cultivan para flor cortada.

Hay unos 1.500 híbridos registrados dentro del género *Vanda*. Pero las orquídeas de este género se hibridan con facilidad con especies de los géneros relacionados con el suyo. Híbridos como los *Ascocenda* (*Ascocentrum* x *Vanda*), *Renantanda* (*Renanther* x *Vanda*) y *Rhynchovanda* (*Rhynchostylis* x *Vanda*) son los que los exportadores de orquídeas con destino a Europa han comenzado a incluir en sus ofertas. El género *Renanthera* ha alcanzado una difusión tan amplia en hibridaciones de todo tipo que da ya resultados en forma de especies para flor cortada en todo tipo de colores. Al margen de híbridos intergenéricos, las hibridaciones especiales conocidas bajo la denominación *Renanthopsis* (*Renanthera* x *Phalaenopsis*) merecen una mención: ayudan (aunque sin demasiado éxito) a presentar flores de color rojo en la comunidad de híbridos del género *Phalaenopsis*. Su cultivo y su uso son parecidos a los híbridos del género *Vanda*.

Los híbridos del género *Oncidium* han jugado hasta ahora un papel secundario debido al hecho de que las flores de las especies originales son más bien pequeñas y no ganan en tamaño o cambian su forma al hibridarse. Si nos encontramos con híbridos de *Oncidium*, lo más probable es que sean hibridaciones primarias de especies básicas. Para los cultivadores *amateurs* resultarán más atractivos los híbridos epifíticos del género *Tolumnia*, llenos de color, que recientemente han sido excluidos del género *Oncidium*. Son las especies como la *T. Variegata*, que ha sido utilizada para crear diminutas plantas carnosas. Las floristerías ofrecen con frecuencia plantas en maceta con el nombre de *Vuylstekeara*. Son hibridaciones creadas entre los géneros *Cochlioda*, *Miltonia* y *Odontoglossum*, los cuales se caracterizan por los rojos intensos y el follaje plano. Su gran ventaja es la gran duración de sus flores cortadas. El género paterno *Miltonia* se utiliza para producir flores de macetero, muy parecidas a los pensamientos. Hay unos 350 híbridos intergenéricos registrados dentro del género, con los mejores de la especie cultivados para su uso como flor cortada. A las plantas no les favorece el cultivo epifítico y se dan mejor en tiestos.

La gama de orquídeas de maceta incluye híbridos del género *Odontoglossum* (*Lemboglossum*), cuyo número sobrepasa los 1.800. El género *Odontoglossum* ha servido como base para los muy vendidos *Odontioda* (*Odontoglossum* x *Cochlioda*) y *Odontonia* (*Odontoglossum* x *Miltonia*).

La conservación de las orquídeas en el mundo

Las orquídeas son un grupo en peligro de extinción, a las cuales les resulta muy duro resistir las inter-venciones humanas, radicales y drásticas en el medio natural. La razón de sus muchas exigencias en relación con la inmutabilidad de las condiciones del medio es su relación con los hongos, y el complicado proceso de germinación de sus semillas. Cualquier cambio ligero en el entorno puede dañar o destruir por completo las condiciones del entorno de los hongos de las que depende la vida de las plantas. Por esa razón, las orquídeas pueden llegar a morir en un medio con toda la apariencia de salubridad a primera vista. Además, un proceso conocido como cultivo o preparación de la tierra se está extendiendo en las regiones tropicales. Miles de hectáreas de bosque tropical y de bosque de montaña están siendo taladas y transformadas en semiestepas cultivadas y secas o en monocultivos de especies no autóctonas de rápido crecimiento, de manera que las organizaciones autóctonas del mundo vegetal desaparecen irrecuperablemente junto a ecosistemas completos. Sólo un número pequeño de orquídeas tiene la ocasión de enraizar en emplazamientos secundarios, por ejemplo, en frutales, parques, trozos de madera o bosques de repoblación con una combinación de maderas diseñada ar-

Ciertas orquídeas cambian de casa desde los bosques talados hacia emplazamientos secundarios, como los árboles frutales en la vertiente occidental de los Andes en Ecuador. Las especies resultantes no pueden compararse con la riqueza de las comunidades vegetales originales.

tificialmente. Pero la gente también pone en peligro las orquídeas de forma directa: las *Orchidaceae* son mártires del deseo de los humanos de rodearse a sí mismos de cosas excepcionales, atractivas y maravillosas. Los «cazadores» de plantas ornamentales han puesto sus ojos en las *Orchidaceae* desde hace muchos años, y el comercio de orquídeas es muy grande. El interés de numerosos coleccionistas *amateurs* que recolectan orquídeas raras, resulta también dañino para ellas. Considerando la situación desesperada del Tercer Mundo, los lugares en los que ocurren la mayor parte de las recolecciones de orquídeas, no hay duda de que las especies de valor raras se extinguen pronto. Las plantas sólo sobreviven después en los invernaderos. Cuanto más limitado es el espacio geográfico óptimo, cuánto más raras son, peor.

Para mitigar al menos de forma parcial los efectos negativos, a veces devastadores, de la actividad humana sobre la población mundial de orquídeas, la familia de las *Orchidaceae* ha ingresado en las listas de la CITES. Las siglas responden a la denominación en inglés de la Convención de Comercio Internacional de Especies en Peligro. Mediante su ratificación, una país se compromete a introducir ciertas normas y medidas para controlar, limitar e incluso prohibir el comercio interno e internacional de algunas plantas y animales en peligro. Teniendo en cuenta el alto grado de riesgo de estas plantas, todas las especies botánicas de orquídeas, sin excepción, han sido incluidas en el «Apéndice 2», una categoría de especies vegetales y animales que «no están amenazadas de extinción, pero que pueden llegar a estarlo a no ser que el comercio sea regulado para evitar la sobrexplotación». Las especies incluidas en el «Apéndice 1» están incluso mucho más en peligro, incluidas las pura sangre representativas del género *Paphiopedilum, Phragmipedilum* y algunas especies, como la *Dendrobium cruentum*, la *Cattleya trianae*, la *Laelia jongheana*, la *L. Lobata*, la *Renanthera imschootana* y la *Vanda coerulea*.

Resulta prácticamente imposible para un entusiasta de la naturaleza recolectar por su cuenta en el medio natural y transportar orquídeas a través de las fronteras. A no ser que obtengamos los permisos de exportación e importación oportunos, o también, si resultare preciso, un certificado fitopatológico, está prohibido transportar incluso las plantas cultivadas en medios artificiales. Los controles regulan la actividad de los empleados de los jardines botánicos e imponen un rosario largo de permisos. Desgraciadamente, aunque este intervencionismo internacional ha obtenido algunos resultados, no se ha cumplido toda la normativa. Muchas medidas han tenido poco éxito o incluso han provocado un resultado opuesto al esperado. Por ejemplo, algunas especies se hicieron tan atractivas para los recolectores tras su inclusión en el «Apéndice 1», que los

restos de sus poblaciones sufrieron ataques devastadores de contrabandistas. En países en los que las orquídeas se dan en el medio natural, empresas conocidas como «granjas de cultivo» han prosperado mucho y a menudo trafican con especies botánicas recolectadas ilegalmente bajo el disfraz de especies híbridas de orquídeas. Muchas personas, incluyendo los empleados de los jardines botánicos, expenden documentos para exportar orquídeas, que después recogerán en el medio salvaje de un país en concreto, para después exportarlas como si fueran especies híbridas. Quizá las especies en una situación más comprometida sean las Sandalias de Venus del género *Paphiopedilum*, fundamentalmente especies nuevas halladas en pequeñas localidades de China y Vietnam, hasta hace poco inaccesibles, y algunas orquídeas cultivadas en pequeñas poblaciones de las montañas de Brasil a lo largo de la costa atlántica. Parece que los humanos no aprenderán nunca, y no sólo en el mundo de las orquídeas...

Vías para la obtención de plantas

Incluso aunque las recolecciones «salvajes» de ejemplares de la familia de las *Orchidaceae* por individuos y empresas están prohibidas por estrictas medidas conservacionistas, todavía hay muchas formas legales de obtener orquídeas para la propia satisfacción. Podemos comprar orquídeas de diversas formas en distintos lugares (todas las plantas en oferta deben provenir de cultivos artificiales). Incluso el comercio de orquídeas se controla por la mano firme de la economía de mercado y todo es una cuestión de oferta y demanda. La gente que no quiere rascarse los bolsillos para comprar una orquídea tiene que optar por híbridos en macetas. Están disponibles tanto en floristerías como en supermercados. Aunque la mayor parte de estos híbridos múltiples pueden transformarse a través de las vías epifíticas de cultivo, puede resultar difícil poseer algunas debido a su gran tamaño y, de modo algo paradójico, debido también a su excesiva vitalidad, que pronto demostrará que no encaja dentro de los equipamientos de cultivo al uso. Hacerse con especies botánicas y con híbridos con pedigrí es más complicado y a menudo más caro. Las plantas «puras» se ofrecen por parte de diversas empresas privadas. Las direcciones de los vendedores están disponibles en revistas especializadas. Mucha más información de contacto obtendremos en Internet, pero un cierto grado de paciencia resulta muy recomendable cuando se trata de buscarlas, ya que hay decenas de miles de enlaces disponibles en la Red, haciendo que la situación sea más bien caótica. Muchas especies de orquídea pueden encargarse en el extranjero. Los costes de transporte pueden ser un obstáculo y es recomendable hacer pedidos grandes. Otras vías incluyen intercambios de especies con cultivadores. La plantas se pueden obtener también en ferias especializadas en orquídeas, organi-

Lugares como este, con apenas presencia o intervención humana, están desapareciendo rápidamente de la faz de la Tierra. Se trata de Río Pastaza, en las colinas de la vertiente oriental de los Andes ecuatorianos.

zadas en grandes ciudades en primavera y en otoño. Los organizadores de estos eventos normalmente hacen también la venta de elementos extra. Los vendedores son los propios cultivadores de orquídeas, que también pueden aportar a los potenciales compradores asesoramiento y consejo. Las orquídeas están también disponibles para su compra en las cada vez más apreciadas ferias de viveros.

Orquídeas tropicales

Este capítulo trata de más de 500 orquídeas tropicales, tanto epifíticas, que constituyen una abrumadora mayoría, como terrestres. Todos los hechos importantes en relación con estas plantas han sido comentados en los capítulos previos, y la única cosa que no se ha mencionado es una nota sobre los aspectos terminológicos de la gigantesca familia de las *Orchidaceae*. La inestabilidad genética y el increíble número de especies provoca problemas por la taxonomía de aquellas ya bien conocidas desde hace mucho tiempo. Situar de modo correcto a algunos miembros de la familia de las *Orchidaceae* en el sistema taxonómico supone a menudo un hueso duro de roer no sólo para los *amateurs*, sino también para los expertos, quienes sí pueden hallar diferencias, por ejemplo, en la estructura de las flores y en otros órganos, en su equipamiento genético, en la ecología, etc., que se nos escaparían. Muchas especies se vuelven a denominar y se transfieren de un género a otro. Incluso dentro de una misma especie hallaremos con muchas desviaciones y variaciones, que pueden ascender por métodos taxonómicos contemporáneos a nuevas especies «puras». Sin embargo, su viabilidad es en muchos casos muy discutible y sólo depende de la evaluación subjetiva y la opinión de un experto. Un amante común y corriente de las orquídeas no debería preocuparse demasiado de estos problemas, y afirmarse a la vieja nomenclatura y disfrutar especialmente la belleza y las formas exóticas de las diversas especies de orquídeas, cualquiera que sea el nombre que se le dé en un momento determinado.

Izquierda: *Ada aurantiaca*.

Acacallis cyanea.

Acacallis cyanea ⊡ ◼ ☺

INTERMEDIA

Una orquídea muy elegante, aunque difícil de encontrar en las colecciones. Sus pseudobulbos unifoliados son reducidos y están cubiertos con brácteas. La espiga floral está arqueada y tiene entre 3 y 7 flores ornamentales. El pétalo labial tiene forma de concha y es marrón y rojo, con tépalos azulados afilados en los extremos. Su cultivo es sencillo. La especie se cultiva epifíticamente en semisombra sobre una rama o trozo de corcho. Florece a principios de verano y proviene de la zona de Río Negro, Brasil.

Ada aurantiaca ◼ ☺

CRIOFÍLICA INTERMEDIA

El género *Ada* incluye sólo dos especies, que se parecen a los representantes del género *Odontoglossum* en aspecto. Desde la perspectiva del cultivador, lo que tiene verdadero valor son sus flores, muy coloreadas. Sus pseudobulbos miden más de 10 cm de alto, con hojas acampanadas de entre 2-3 y 20 cm de largo. La espiga floral no es más alta que las hojas y es arqueada, con más de 15 flores extraordinarias desplegadas a lo largo. Todos los tépalos son estrechos y afilados. Su color rojo anaranjado llama la atención. El cultivo no es fácil. Una estancia de verano en invernaderos sobrecalentados es una forma segura de destruir la orquídea. La especie sólo se recomienda, por lo tanto, a los cultivadores experimentados. Las plantas se dan bien en semisombra, siempre que consigan una ventilación adecuada y humidificación frecuente. La temporada de flor llega entre el invierno y el inicio de la primavera, y el hábitat original de la orquídea está en los Andes colombianos, en tierras de altura media y alta.

Aerangis carnea.

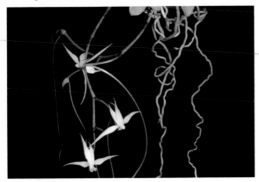

Aerangis carnea ⊡ ☺

INTERMEDIA TERMOFÍLICA

Todos los aproximadamente 70 miembros del género *Aerangis* provienen de las regiones tropicales de África, incluyendo Madagascar. Son orquídeas pequeñas, epífiticas en su mayoría, con flores grandes y hermosas, dispuestas en racimos de varias flores cada uno. Por lo general son blancas y muy abiertas. El pétalo labial es plano. A pesar de su belleza, estas orquídeas no suelen incluirse en las colecciones. Su cultivo no es muy complejo. Se cultivan epifíticamente sobre un trozo de madera o corcho, o en tiestos con un sustrato muy permeable. Las plantas necesitan un ambiente húmedo y cálido. Una vez que las flores desaparecen, también en invierno, resulta recomendable «levantarlas» un poco poniéndolas

en un entorno templado y reduciendo el riego. Tiene flores blancas con una espuela notoria y florece en otoño e invierno.

Aerangis citrata ⊡ ☺

INTERMEDIA TERMOFÍLICA

Esta especie difiere algo de sus parientes por el color de las flores, cerúleas y amarillo pálido. En el cultivo y la temporada de floración invernal, el amarillo se difumina. La *A. citrata* tiene el tallo grueso, largo, de unos 10 cm, con entre 6 y 10 hojas en forma de huevo de unos 15 cm de largo y 3 cm de ancho. Los extremos de las hojas son casi simétricos, con una punta en el extremo. Un gran número de flores pequeñas (unas 30) crece en una espiga colgante de más de 20 cm. Las flores cerúleas, de color amarillo pálido, se ven embellecidas por una espuela de unos 3 cm. Las exigencias de cultivo son las mismas que con los otros miembros del género. Florece pronto durante la primavera y su hábitat originario es Madagascar.

Aerangis kirkii ⊡ ☺

INTERMEDIA TERMOFÍLICA

Una característica de las flores de todas las representantes del género *Aerangis* es su larga espuela con néctar para atraer a los polinizadores. Las flores

Aerangis citrata.

Aerangis kirkii.

Aerangis kirkii.

me y resistente. Las flores son pequeñas y crecen en racimos cilíndricos, gruesos, múltiples y arqueados, de coloración muy viva. El labio floral tiene una protuberancia cónica, de forma de espuela, por lo general inclinada hacia delante. El cultivo de especies botánicas, y también de algunos híbridos, del género *Aerides* es tradicional en Estados Unidos; en las colecciones europeas, se encuentran rara vez. Se cultivan de forma parecida a las del género *Vanda*. Necesitan un entorno entre cálido y muy cálido, con el máximo posible de luz difusa, humidificación poco frecuente y buena ventilación. Lo ideal sería su cultivo en pequeñas cestas de madera con un poco de sustrato epifítico dentro. La estructura carnosa de la *Aerides* nos habla de su capacidad para resistir períodos y ambientes secos, por lo que pueden prosperar en pisos bien iluminados. El género *Aerides* incluye más de 60 especies de orquídeas (la especie *A. houlletiana* de la foto es un ejemplo) cultivadas epifíticamente o en las rocas. Estas orquídeas tienen un área grande de propagación. Llega desde el sur de China hasta Nueva Guinea en el noroeste, aunque en su mayoría se pueden encontrar en el Himalaya, Mianmar, Filipinas e Indonesia.

blancas de la especie *A. kirkii* están equipadas con espuelas arqueadas, de más de 4 cm de largo. Las hojas de la *A. kirkii* son asimétricas en sus extremos (en relación con un eje horizontal), con la punta de cada hoja con formas de lóbulo redondeado de distintos tamaños, divididos por un nervio central. Las hojas están dispuestas de forma muy característica en dos filas. La planta florece en invierno y primavera. Procede de Madagascar.

Aeranthes ramosa ⊡ ◼ ☺

INTERMEDIA TERMOFÍLICA

Las representantes de este género proceden del sur del continente africano, con más de 40 especies originarias de Madagascar. Todos los miembros del género tienen tallos monopodiales cortos y sus tépalos son con frecuencia transparentes, terminando en unos extremos puntiagudos. El corto tallo de la *A. ramosa* soporta un total de 5-7 hojas de unos 25 cm de largo y dispuestas en dos filas. La espiga floral alcanza una longitud de 30 cm y sostiene una o dos flores de color verde y amarillo, de un aspecto muy curioso, casi como el de la hierba. Sus tépalos y su pétalo labial son puntiagudos en los extremos. Una parte de las flores, de entre 3 y 4 cm es una espuela con la terminación roma. Las normas de cultivo son las mismas que en el caso del género *Aerangis* (ver *A. carnea*). La planta florece en otoño y procede del centro y del este de Madagascar, como su pariente la *A. grandiflora*.

Aerides houlletiana.

Aerides ◼ ☹ ☺

TERMOFÍLICA

El género *Aerides* está muy próximo al género *Vanda* y comparte los mismos requerimientos ecológicos y la estructura de las partes verdes de la planta. Un tallo alargado se mantiene creciendo y en el extremo lleva dos filas gruesas de follaje carnoso, fir-

Alamania punicea.

apenas podamos encontrar un aficionado a las orquídeas que no quisiera cultivar esta, su cultivo es muy raro. El problema radica en que para salir adelante, necesita un entorno muy específico de bosque tropical de montaña, una brisa constante no muy cálida, una niebla casi constante, lluvia y mucha luz. Estas condiciones apenas se pueden dar en condiciones artificiales de cultivo. La *A. punicea* es una planta que florece durante la primavera y procede de México.

Amesiella philippinensis   □ ▪ ☺ ☺

INTERMEDIA TERMOFÍLICA

Una epifítica diminuta con un tallo muy corto y flores singulares, ¡que más necesita una flor para crecer! El tallo corto está cubierto por hojas de más de 5,5 cm, espesas y en dos filas, y las cortas espigas florales con de una a tres flores excepcionalmente grandes, de más de 5 cm de diámetro. Los tépalos son blancos y el interior del labio trilabiado es de color miel. El cultivo es el mismo que el del género *Angraecum* (el monotipo *Amesiella* se excluyó en 1972). La planta florece en primavera y procede de Filipinas.

Ancistrochilus rothschildianus.

Alamania punicea   ▪ ☹

CRIOFÍLICA INTERMEDIA

Un paseo a través de un espeso bosque de robles puede ser desde luego una experiencia muy agradable. Y lo será aún más si allá donde miremos veamos racimos de orquídeas de color ladrillo colgando de las copas de los árboles. La especie *A. punicea* parece un poco en su aspecto a la *Sophronitis*. Su pseudobulbo es muy reducido, con su mitad inferior muy apretada contra el soporte y rematado con 1-2 hojas rojizas, verde oscuro y algo robustas. Las flores anaranjadas crecen en racimos con varias cabezas en cada uno. Pueden alcanzar como mucho los 2 cm, y literalmente brillan en el espacio. Aunque

Amesiella philippinensis.

Angraecum distichum.

Ancistrochilus rothschildianus ▫ ◾ ☺

INTERMEDIA TERMOFÍLICA

Una característica del género *Ancistrochilus* son los pseudobulbos cónicos, de más de 3 cm de alto, con 2-3 hojas. Las cortas espigas florales tienen 3-4 grandes y vistosas flores. El labio púrpura es trilobulado y se extiende en una protuberancia estrecha y curva. Los tépalos son estrechos y puntiagudos y de un blanco purpúreo. La *A. rothschildianus* es una orquídea epífita que requiere condiciones similares a las de la *Dendrobia* no caduca: semisombra cálida, riego abundante y fertilización en verano y un entorno templado con la máxima luz y una cuidadosa reducción en invierno de la humedad. Las flores aparecen en la planta en el verano. La especie procede del oeste tropical africano.

Angraecum distichum ☐ ▫ ☺

TERMOFÍLICA

Una orquídea cuyos parámetros físicos y su forma la distinguen radicalmente del resto del género. La *A. distichum* tiene tallos arqueados y rastreros, de 10 a 15 cm de longitud, con hojas gruesas ordenadas en dos filas. Las flores son individuales y blancas y brotan en las axilas de las hojas, con forma de capuchón y una espuela apuntando hacia atrás. La especie es muy apreciada entre los aficionados. El cultivo no es complicado. La planta se establecerá en un trozo de corcho o en una rama con un poco de musgo, con humedad ocasional y en semisombra. En invierno hay que dar a la planta algo más de frescor, templar el entorno y reducir la humedad. La orquídea florece generalmente a finales de verano, pero las flores también pueden aparecer en otras estaciones. La *A. distichum* proviene del oeste tropical africano.

Angraecum germynianum ▫ ◾ ☺

TERMOFÍLICA

En contraste con la especie previamente mencionada, la *A. germynianum* tiene la típica apariencia de todo el género: los miembros del género *Angraecum* cuentan con frecuencia con una estructura muy sólida, con un tallo más o menos alargado cubierto con dos gruesas filas de hojas. Las flores brotan una a una o, más a menudo, en racimos, y son blancas. La característica más hermosa de la flor que aparece en la fotografía es un pétalo labial con forma de concha y una espuela muy alargada. Son también los rasgos más sobresalientes de dicho género. El cultivo de todos los miembros de este género es bastante sencillo. Las plantas más robustas necesitan plantarse en macetas junto con una mezcla epífita tosca. Por su parte, las especies más pequeñas están muy a gusto fijadas a un trozo de madera o de corcho. Así mismo, hay que dotarlas con grandes soportes para las especies trepadoras. Otras normas de cultivo son idénticas a las que son necesarias para especies como la *A. distichum*. La especie *A. germynianum* florece durante el otoño y a principios de la primavera, y proviene del oeste tropical africano.

Angraecum germynianum.

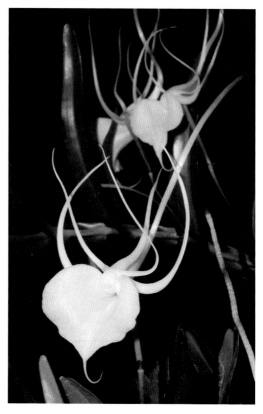

Angraecum scottianum.

de hojas, y crece hasta un tamaño de un metro. Las hojas son duras, con la forma de un cinturón estrecho y de más de 30 cm de largo. Las espigas florales son arqueadas y llevan 2-4 flores en forma de estrella. Su tamaño es casi sorprendentemente grande para una orquídea africana, ya que las flores tienen con frecuencia hasta 12 cm de diámetro. Todos los tépalos, incluido el labio, son blancos, ensanchándose en la base y estrechándose en la parte superior hasta terminar en punta. Otra característica notable es su espuela verdosa gigante, que puede alcanzar una longitud de 30 cm. La *A. sesquipedale* debe cultivarse de la misma forma que las especies emparentadas con ella. Su tamaño la hace adecuada sólo para cultivadores con equipo de cultivo espacioso. Florece en invierno y su origen está en Madagascar.

Anguloa uniflora　　　　

CRIOFÍLICA INTERMEDIA

El pequeño género *Anguloa* incluye no menos de 10 especies «buenas», fácilmente distinguibles de las orquídeas muy relacionadas por sus flores, parcialmente abiertas. Los miembros de este género se conocen también como orquídeas «tulipanes», aparentemente por su parecido. La especie *A. uniflora* tiene pseudobulbos más bien robustos con 2-4 hojas finas y caídas, con fibras dispuestas longitudinalmente. Las flores individuales aparecen sobre largas

Angraecum sesquipedale.

Angraecum scottianum　　　　

TERMOFÍLICA

Esta especie tiene un tallo delgado y arqueado que mide más de 30 cm de largo y está cubierto de hojas de unos 10 cm de largo. Las flores son blancas y grandes, de más de 6 cm, colgando individualmente o en pares. Tienen un blanco de nieve y un labio en forma de concha con una espuela apuntando hacia atrás. Los otros pétalos son amarillentos. La especie es más bien fácil de cultivar (ver anteriores representantes de este género), florece a finales del verano y en otoño. Fue descubierta en las islas Comoro.

Angraecum sesquipedale

INTERMEDIA TERMOFÍLICA

El género *Angraecum* es uno de los grupos más grandes de orquídeas africanas. Incluye 200 especies epifíticas, litofíticas e incluso terrestres. La más típica, mejor conocida y más a menudo cultivada es la *A. sesquipedale*, incluso aunque no sea muy adecuada para las colecciones *amateurs* donde el espacio está limitado debido a que es grande. La especie tiene un tallo leñoso y grueso densamente cubierto

Anguloa uniflora.

razón por la que se usan varios sinónimos para describir esta orquídea (por ejemplo, *A. africana, A. congoensis, A. gigantea, A. humilis*). Los pseudobulbos hendidos son enormes, alcanzando tamaños de más de 60 cm, estando embellecidos con un penacho de 4-7 hojas lanceoladas, curtidas y largas. Los conjuntos de flores crecen en los extremos, por ejemplo entre las hojas. La inflorescencia tiene más de 30 cm de largo y consta de 10-15 flores de aproximadamente unos 3 cm. El labio trilobulado tiene una forma característica de quilla amarilla. Los tépalos son amarillentos y están cubiertos de puntos marrones. El cultivo es bastante fácil; sale adelante cuando se pone a una temperatura ambiente y se le da un riego estándar, fertilización y buena ventilación. La *A. nilotica* florece a principios de la primavera y proviene de áreas extensas del oeste, el este y el sur de África.

Ansellia nilotica.

espigas florales, formadas en la base de los pseudobulbos; son verdosas o blanco purpúreo, cubiertas con finas motas púrpura y con un punto amarillento en el centro. Los tépalos asumen una forma típica amarillenta en la parte superior de la flor y en la parte baja forman una protuberancia. El cultivo no es muy complicado. Hay que cultivar la planta epifíticamente en un ambiente templado y en invierno dejarla en un período de descanso en un medio algo más fresco. Florece a finales de primavera y en verano y tiene su origen en los Andes, en América del Sur, entre Colombia y Perú.

Ansellia nilotica   ■ ☺

INTERMEDIA

La variante *A. nilotica* tiene una historia taxonómica interesante: las seis especies originales del género quedaron finalmente reducidas a una. Esta es la

Arachnis flos-aeris.

son muy finos y de poco follaje. Del mismo modo, las flores no son muy abundantes. Las orquídeas *Arachnis* cuentan con unas flores con tépalos falcados y una espuela en forma de barbilla en la base del pétalo labial. Las plantas de este género son abundantemente cultivadas, tanto en su uso botánico, como para su utilización como plantas madre en procesos de hibridación o para su utilización en la industria de la flor cortada. La especie *A. flos-aeris* puede llegar a ser bastante difícil de manejar debido a sus tallos, los cuales crecen sin parar, hasta alcanzar alturas de incluso más de 4 metros, con grupos florales que pueden llegar a medir nada menos que un metro y medio. Las flores, muy vistosas, aparecen gradualmente y miden unos 9 cm de diámetros, siendo de color verde y amarillo con puntos marrones. La especie de la foto florece del verano al otoño y también se da en zonas como Malasia, Sumatra y Java.

Arachnis flos-aeris ▣ ■ ☺

TERMOFÍLICA

El género *Arachnis* tiene un nombre muy adecuado, debido a que sus flores tienen un parecido obvio con las arañas. Las plantas están estrechamente relacionadas a las del género *Vandopsis*, con la excepción de los tallos de las orquídeas *Arachnis*, que

Ascocentrum ampullaceum.

Ascocentrum ampullaceum ▣ ▣ ☹

TERMOFÍLICA

Esta especie es otra orquídea de tallo en rápido y gran crecimiento. Su parecido con las pequeñas representantes del género *Vanda* hace de ellas unas flores muy apreciadas por parte de los aficionados. Sus necesidades de cultivo más bien exigentes e im-

Ascocentrum miniatum.

previsibles han conseguido escasos resultados a la hora de hacer descender su fama. La *A. ampullaceum* es una planta pequeña, con un tallo que apenas llega a los 15-18 cm, con dos filas gruesas de follaje. Las hojas pueden alcanzar los 10 cm de longitud, siendo firmes y duras, resistentes incluso ante el sol directo de los trópicos. Las flores crecen en inflorescencias densas y erectas, que pueden superar los 10 cm. Tienen más de 2 cm de largo y un color rosa cereza brillante. La *A. ampullaceum* es una planta ávida de sol, ahora bien, las plantas languidecen hasta la muerte en invierno y en verano parecen sufrir también cuando se les expone a un exceso de luz directa, lo que puede ser consecuencia de un crecimiento lento y de escasos deseos de florecer. Debemos tratar a estas plantas como si fuesen del género *Vanda*. Florece a finales de la primavera y la especie se aclimata en las elevaciones de cota baja del Himalaya, Mianmar y Tailandia.

Ascocentrum miniatum   ⊡ ▣ ☺

TERMOFÍLICA

Las orquídeas *Ascocentrum* son muy difíciles de cultivar. Los plantones obtenidos en los laboratorios europeos crecen de modo extremadamente lento tras ser trasplantadas a un entorno normal, sien-

do las flores importadas de esta especie bastante difíciles de adaptar. Ante el efecto del sol, se detiene su desarrollo, no echan raíces y con frecuencia no dan flores durante años. La *A. minatum* es parecida a la *A. ampullaceum* en lo que se refiere a sus costumbres, pero las hojas son más estrechas y las flores amarillas, amarillo anaranjado y rojo anaranjado. Para su cultivo hay que dar a las plantas un máximo de calor y luz solar, sin mucha humedad. Hay que asegurarse de que las hojas no se estropeen bajo los efectos de la luz solar directa si crecen en un entorno acristalado y mal ventilado. El régimen de riego ha de acoplarse al estado de las raíces y a su actividad, debiendo reducirse en invierno. Cultivaremos las plantas en cestas epífitas con una mezcla de sustrato bastante fuerte o atándola a soportes de madera. Pueden reproducirse vegetativamente quitando la cantidad suficiente de brotes laterales en su punto de madurez. Florece en primavera y se puede encontrar en Malasia, Java y Borneo.

Ascocentrum semiteretifolium   ⊡ ▣ ☹ ☺

TERMOFÍLICA

La *A. semiteretifolium* es una de esas plantas epifíticas de flor pequeña sólo adecuada para los entusiastas más fervientes de las orquídeas termofílicas de estilo *Vanda* y origen asiático. Además de no ser especialmente llamativas, son muy difíciles de cultivar. La *A. semiteretifolium* también se diferencia de sus parientes cercanas por sus hojas, escasas y carnosas, casi orbiculares en sección cruzada. A veces, las flores son parcialmente abiertas, con un tamaño de un centímetro, brotadas en florescencias escasas y cortas, de color rojo púrpura con un fleco blanco en el exterior. Se cuidan como las especies mencionadas anteriormente. La *A. semiteretifolium* florece entre el invierno y la primavera y procede de Tailandia.

Ascocentrum semiteretifolium.

Aspasia variegata ▣ ☺

INTERMEDIA

Esta especie tiene unos pseudobulbos ligeramente grandes y hojas de unos 15 cm de largo. Las flores son vistosas, de más de 5 cm, con un pétalo labial trilobulado y rizado adornado con tonos púrpura y dos motas amarillas en el centro. Los tépalos son verdosos, con unas rayas alargadas en marrón. Las necesidades ecológicas de la planta son casi idénticas a las de la *A. lunata*, excepto por ser quizá algo más termofílicas. Deben cultivarse epifíticamente sobre una pieza de corcho o una ramita de tamaño adecuado. Florece a principios de primavera, fue descubierta en el norte de Brasil y también se da en Guayana y en Trinidad.

Aspasia lunata ▣ ☺

INTERMEDIA

El género *Aspasia* se desarrolla epifíticamente o litofíticamente, pareciéndose a las plantas del género *Odontoglossum*. La especie *A. lunata* es bastante apreciada por sus flores de tonos vistosos. Produce un rizoma rastrero con pseudobulbos distantes entre sí, de unos 5 cm de alto con dos hojas en la parte superior y varias más pequeñas en la base. Las flores miden más de 4 cm y se dan individualmente en pares sobre espigas florales cortas. El pétalo labial es plano y blanco con venaduras de color rosa purpúreo y puntos en el centro. Los tépalos verdes con motas marrones combinan con el pétalo labial. El cultivo es asequible y fácil. La planta sale adelante atada a un soporte de madera y siendo ubicada en un lugar a media sombra, con una dosis media de humidificación y una ventilación normal. Puede reducirse algo la temperatura en invierno. A principios de primavera, esta especie, procedente de Brasil, florece.

Baptistonia echinata ▣ ☺

INTERMEDIA

Se trata de una epifita rara, próxima a las del género *Oncidium*. Los pseudobulbos son cilíndricos, de unos 10 cm con una o dos hojas en la parte superior. Las hojas son alargadas, de unos 15 cm de largo. Los racimos florales a menudo sobresalen y tienen muchas flores, muchas más en el medio natural que cuando se cultivan (obsérvese el ejemplar de la foto). Las flores, de tamaño pequeño, son parcialmente abiertas, por lo general amarillas, con un pétalo labial púrpura oscuro. El método epifítico de cultivo es más recomendable que el cultivo en tiestos. Las plantas prosperan en un ambiente parcialmente umbrío, sobre un corcho o algo de musgo.

Baptistonia echinata.

Tras la maduración de los pseudobulbos, hay que darle un pequeño período de descanso. Florece en invierno y primavera y se descubrió en Brasil.

Barkeria lindleyana ☺

INTERMEDIA

Las *Barkeria* son orquídeas muy atractivas cuando florecen. La especie *B. lindleyana*, no obstante, no resulta recomendable para las colecciones de los *amateurs*, ya que es muy voluminosa. Las plantas de esta especie no forman pseudobulbos y su follaje se desarrolla a lo largo de un tallo leñoso bien grueso. Los brotes de la *B. lindleyana* alcanzan longitudes superiores a veces a los 96 cm y con una espiga floral adicional de unos 90 cm, la planta resultante es una verdadera orquídea gigante. Da entre 20 y 50

Barkeria lindleyana.

flores distribuidas sobre una florescencia en racimo. Las flores miden más de 5 cm cada una, con un punto blanco sobre el grueso pétalo labial. La especie se cultiva epifíticamente. La mejor manera de cultivarla es fijarla a un gran trozo de corcho. La planta requiere una abundante luz difusa y un período breve de descanso tras desvanecerse en invierno. La *B. lindleyana* florece en otoño y se da con frecuencia en alturas de México y Costa Rica.

Barkeria skinneri ▣ ☺

INTERMEDIA

Esta planta se comenzó a cultivar gracias a la labor de numerosos emprendedores del campo de la botánica, que exploraron México en el siglo XIX. Esta especie es más bien pequeña, en comparación con las especies anteriores, atractiva y de cultivo fácil. Sus tallos miden más de 40 cm y sus hojas son estrechas y lanceoladas. La parte superior de un tallo maduro constituye una perfecta base para unas florescencias nervudas y delgadas con entre 5 y 20 flores purpúreas de unos 4 cm. Sus tépalos son más bien estrechos y el ancho pétalo labial con puntos amarillos se extiende hacia un final estrecho. La especie puede cultivarse epifíticamente o en tiestos; sin embargo, si se cultivan en macetas, tiende a adquirir proporciones demasiado grandes. Las reglas de cultivo son iguales que en las especies anteriores. La *B. skinneri* florece en invierno y procede de las zonas de altura de México.

Barkeria skinneri.

Batemannia colleyi.

Batemannia colleyi   ▣ ☺

INTERMEDIA TERMOFÍLICA

Todas las especies del género *Batemania* se dan en las selvas húmedas de la cuenca del Amazonas. La epifita de talla media *B. colleyi* es muy rara de encontrar en un medio de cultivo. Sus pseudobulbos ovoides miden más de 5 cm de largo y son cuadrangulares en sección cruzada. En la parte superior hay dos hojas lanceoladas y alargadas. A veces hay varias florescencias con 2-6 flores, de más de 15 cm, brotadas a partir de la base del pseudobulbo. Las hojas son carnosas y de color blanco crema, con

Bifrenaria aureofulva.

una franja marrón. Su cultivo es epifíticamente o en macetas, con una mezcla epifítica en tiestos, para un drenaje adecuado. Las flores aparecen en primavera. Su presencia geográfica es amplia, desde Colombia, la Guayana y Bolivia, hasta Brasil.

Bifrenaria aureofulva   ⊡ ▣ ☺

INTERMEDIA

La *B. aureofulva* no difiere mucho de las especies que vamos a describir a continuación y de los otros miembros del género. Sin embargo, sus flores doradas y amarillo-anaranjado, ubicadas en florescencias erectas y escasas son mucho más pequeñas (2 cm) y ligeramente abiertas. Hay que cultivarlas epifíticamente sobre un trozo de corcho o una rama, a media sombra. Necesita buena ventilación y la dosis habitual de humedad y fertilizante. La planta agradece un período corto de riego escaso y temperatura baja en invierno. La *B. aureofulva* florece en invierno o en la primavera temprana y es originaria de Brasil.

Bifrenaria harrisoniae   ▣ ☺

INTERMEDIA

Las orquídeas de este género se parecen a las *Lycaste* en su morfología y en el tipo de flor. La diferencia entre ellas está en el tamaño más pequeño de las flores y en que su pétalo labial es velloso. La *B. harrisoniae* es la especie más conocida del género y la que se cultiva con más frecuencia. La planta genera pseudobulbos cuadrangulares que alcanzan una altura de más de 8 cm y soportan una hoja perenne oval, dura, que puede superar los 30 cm de longitud. En la base de los pseudobulbos brotan 2-3 flores amarillentas. Son bastante grandes (7 cm), con una «barbilla» vistosa en forma de espuela. El pétalo labial es púrpura y está cubierto por una capa espesa

Bifrenaria harrisoniae.

Bletia sp., México.

de vellos. Su cultivo es fácil. Las especies de *B. harrisoniae* florecen en primavera y crecen en Brasil.

Bletia   ▣ ☺

INTERMEDIA

El género *Bletia* incluye unas 50 especies terrestres de orquídea. Sus hojas elípticas (2-4) son apuntadas y brotan de los bulbos enterrados o de superficie, y mueren durante la estación seca. La espiga floral es erecta y crece durante el período de reposo, sosteniendo 3-15 flores de tamaño medio. No son difíci-

les de cultivar. Necesitan crecer en un medio arenoso enriquecido con turba, estar en semipenumbra y contar con un período de reposo tras la caída de las hojas. La *Bletia* se confunde con orquídeas del género *Bletilla*, parecidas en aspecto y parcialmente resistentes a las heladas. No obstante se diferencia porque la *Bletia* brota de pseudobulbos viejos y sin hojas y no durante el crecimiento de nuevos tallos. Florece a principios de primavera. Este género se puede ver en México y toda la América tropical.

Bollea coronaria   ▣ ☺

INTERMEDIA TERMOFÍLICA

Las siete especies conocidas del género *Bollea* han sido descubiertas en las regiones cálidas templadas de América del Sur. Las plantas se parecen y están relacionadas con las del género *Huntleya* o *Pescatorea*. Tienen pseudobulbos pequeños, cubiertos con dos filas de hojas robustas, correosas y alargadas. Las flores son realmente hermosas y brotan en espigas cortas, individualmente, desde el punto de unión de las hojas a los tallos. Tienen un tallo floral notorio y un pétalo labial romo. Los pétalos de la *B. coronaria* son rojo burdeos y el labio está lleno de protuberancias rizadas. Hay que cultivarla del mismo modo que las especies que se recogen a continuación. La estación floral suele ser el otoño.

Bollea coronaria.

Bollea hemixantha ◼ ☺

INTERMEDIA TERMOFÍLICA

Las flores de la especie *B. hemixantha* son de un blanco níveo, con el pétalo labial carnoso y de color amarillo intenso y el borde ligeramente rizado. El cultivo es bastante fácil. Las plantas crecen en el medio natural en las partes más profundas del bosque húmedo y deben protegerse del impacto solar directo. Las finas raíces, tanto de las especies epifíticas como de las terrestres, están habituadas a una capa gruesa de materia orgánica y han de cultivarse en macetas con un medio rico en humus que debe mantenerse siempre algo húmedo. Florece desde el otoño hasta la primavera y lo más probable es que sea originaria de Colombia y Ecuador.

Brassavola cucullata ◼ ☺ ☺

INTERMEDIA TERMOFÍLICA

El género *Brassavola* incluye algunas orquídeas que atraen la atención incluso fuera del período de floración con sus estrechas y carnosas hojas cilíndricas, que crecen a partir de unos pseudobulbos diminutos y finos, con forma de pequeñas estacas. Y cuando aparecen las espléndidas flores, la planta presenta un aspecto insuperable. Las plantas de la *B. cucullata* son las más largas y más arqueadas de

Bollea hemixantha.

Brassavola cucullata.

todas las orquídeas *Brassavola*. Esta característica vale tanto para las hojas como para las flores: las hojas son estrechas, con una sección cruzada orbicular y de más de 35 cm de largo. Las flores son de color blanco amarillento con tépalos arqueados que alcanzan los 11 cm. El pétalo labial es alargado. Cada flor está sostenida por un ovario que supera los 15 cm de longitud. La *B. cucullata* es muy apreciada en cualquier colección de orquídeas. En el medio natural crece casi verticalmente en la corteza desnuda de los árboles, por lo que debe cultivarse fijada a un trozo de corcho o a un leño grueso. El cultivo de esta especie arriesgado. En verano, podemos colgar los soportes con las orquídeas en el exterior, en semisombra. Tras unas pocas semanas de crecimiento, la planta puede incluso dar dos períodos de flor al año, si se riega y fertiliza regularmente en el transcurso del año. Es originaria de México, otros países de América Central y también Venezuela.

Brassevola martiana ▪ ◼ ☺

INTERMEDIA

Es una apreciada orquídea de colección, más bien pequeña. La planta crece en forma arqueada o col-

Brassavola martiana.

gante. Sus hojas, de más de 30 cm de longitud, son delgadas y redondeadas en una sección cruzada. La espiga floral es corta y sostiene 3-8 flores de 5-6 cm de largo. Es de destacar su borde rizado blanco en el pétalo labial. Hay que cultivar esta planta igual que las anteriores. Florece en verano y procede de las tierras bajas amazónicas de Brasil y la Guayana.

Brassavola nodosa ⊡ ◼ ☺

INTERMEDIA TERMOFÍLICA

Comparada con otras plantas del género, esta especie es más pequeña y florece más. Además es muy poco exigente y muy resistente ante los períodos secos y frente a los errores en su cultivo. Los pseudobulbos no son llamativos, tienen hojas gruesas semicirculares en sección cruzada y no superan los 15 cm de largo. Cuanto más seco y luminoso sea el hábitat en el que viva, más cortas y regordetas serán sus hojas. Las flores son de color blanco verdoso, y crecen en espigas florales cortas a partir de los pseudobulbos. El cultivo es fácil. Aunque la *B. nodosa* no es una especie colgante, recomendamos su fijación a trozos de corcho o a ramas, ya que sus raíces son sensibles a los excesos de riego. Cuando no se

estén formando hojas, han de tener un período de reposo de varias semanas; así la floración será más abundante. Se encuentra en América Central.

Brassavola nodosa.

Brassavola subulifolia.

Brassavola subulifolia ⬚ ◻ ☺

INTERMEDIA

Las flores de todas las especies del género *Brassavola* son muy fragantes. La *B. subulifolia* es una orquídea erecta o semierecta, con hojas de más de

20 cm de longitud, tallo floral corto, de unos 6 cm, con 2-4 flores por tallo floral. Las flores tienen la forma de una estrella simétrica y son pequeñas, con una sección de 3-4 cm. Pequeña y poco exigente como es, la especie puede ocupar dignamente un lugar en cualquier colección. Sin embargo, no es demasiado conocida y se cultiva poco. Las reglas de cultivo son las mismas que para la *B. cucullata*. La *B. subulifolia* procede de Brasil y Bolivia.

Brassia bidens ◼ ☺

INTERMEDIA TERMOFÍLICA

Las plantas del género *Brassia* tienen una belleza singular, con flores de proporciones extraordinarias y de gran belleza. Si a esto le añadimos la belleza de colores y el aroma clásico en este género, el resultado será de lo más atractivo. La especie *B. bidens* es litofítica o también epífítica con pseudobulbos amarillentos, alargados, con forma de huevo, de más de 8 cm de largo. En cada espiga floral, que son delgadas y erectas, crecen 3-8 flores. Los tépalos amarillentos, cubiertos con pálidas motas de color marrón, son amplios y de revestimiento grueso, como los del resto de las especies del género. El labio es blanquecino y resulta más bien anodino si se compara con otras partes de la flor. Su cultivo es similar al de las otras especies. La planta da flor en invierno y en primavera y se da en Venezuela y en Colombia.

Brassia bidens.

Brassia longissima.

Brassia maculata.

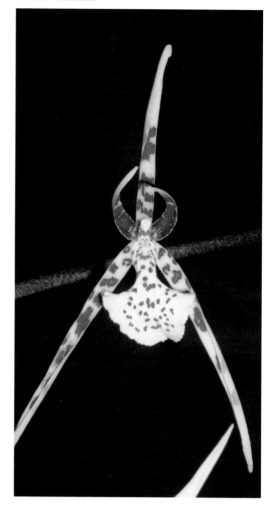

Brassia longissima ▣ ☺

INTERMEDIA TERMOFÍLICA

Esta especie cuenta con los tépalos más largos de su género, es decir, los sépalos laterales, que cuelgan hacia abajo y pueden medir más de 20 cm de largo. El resto de las partes de la flor tiene una apariencia más modesta, con el labio blanquecino alargado y los otros tépalos la mitad de largos que el descrito anteriormente, que es un récord de longitud. Las motas marrones están elegantemente distribuidas y lucen con elegancia contra el fondo amarillo. La florescencia erecta da 10-15 flores, que salen de la base del pseudobulbo plano y puede superar los 60 cm. Las hojas son más bien largas, lo que hace de la *B. longissima* una planta poco adecuada para espacios reducidos. Su cultivo no presenta grandes dificultades. Pide mucha luz y, para conseguir floración regular en primavera y en verano, se le debe dar un período de reposo. Su ámbito geográfico está muy disperso. La especie procede de Costa Rica, Panamá, Ecuador y Perú.

Brassia maculata ▣ ☺

INTERMEDIA TERMOFÍLICA

Esta especie merece también destacarse aunque sus flores no sean tan grandes como las de la anterior. Sus exigencias de cultivo y el aspecto de sus partes verdes hacen que las dos especies sean casi idénticas, pero esta tiene bulbos más grandes. La espiga floral puede tener más de 20 flores verdosas, cada una con una labio blanquecino y con motas marrones brillantes. La longitud de los sépalos extendidos no supera los 10 cm. La *B. maculata* florece desde finales del verano hasta finales del otoño. Fue descubierta en Cuba, Jamaica, Guatemala y Honduras.

49

Brassia mexicana.

Bulbophyllum sessile.

Bulbophyllum □ · ☺

TERMOFÍLICA

El género *Bulbophyllum* es el más grande de toda la familia de las *Orchidaceae*. No es de extrañar si cuenta al menos (el número total no ha sido aún fijado) con más de 1.100 especies. Debido a la gran variación y heterogeneidad de formas, no hay una lista disponible de características distintivas. Un común denominador de todas las orquídeas *Bulbophyllum* son sus pseudobulbos planos, con forma de huevo, pequeños y redondeados, con dos correosas hojas en los extremos, de donde proviene el nombre latino del género. Los pseudobulbos crecen muy alejados unos de otros, a partir de un brote rastrero firme, creando florescencias arracimadas o umbeladas. La abrumadora mayoría de flores son pequeñas, con un labio en forma de lengua. Este gé-

Bulbophyllum sp., Tailandia.

Brassia mexicana ▣ ☺

INTERMEDIA

La única característica que distingue de forma significativa a la *B. mexicana* del resto del género son los marcados puntos de color marrón purpúreo en la base de los tépalos, además de unos cuantos puntos púrpura oscuro reunidos en el centro del pétalo labial blanquecino. El aspecto de las partes verdes, junto a las necesidades ecológicas y de cultivo de la especie, la hace una representante típica de su género, que florece en primavera y proviene de México.

Bulbophyllum vaginatum.

Bulbophyllum falcatum.

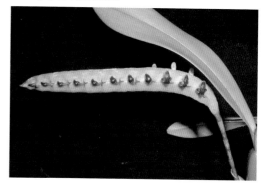

nero suele incluir muchas especies con flores en miniatura organizadas en torno en florescencias umbeladas, pero la inmensa mayoría de ellas se transfirieron al género denominado *Cirrhopetallum*. Varias especies del género *Bulbophyllum* tienen sus diminutas flores ordenadas en dos filas en torno a una espiga floral en espiral arqueada, o en un eje floral alargado, como en la *B. falcatum*. Otras tienen pétalos labiales adornados con colgantes. Para incluir incluso más variedad, unas pocas orquídeas *Bulbophyllum* llevan flores de crecimiento individual, más bien grandes y de aspecto llamativo, siendo la más conocida y cultivada la *B. lobbii*. La gran cantidad de especies dentro del género no permiten una relación universal de instrucciones de cultivo, pero las especies disponibles, la mayor parte de ellas procedentes de granjas de orquídeas del sureste asiático, no resultan excepcionales en este aspecto. Su cultivo es asequible incluso si lo intenta un cultivador inexperto que disponga un fanal acristalado de interior, moderadamente luminoso. Como las *Bulbophyllum* son epifíticas casi sin excepción, las plantas se dan mejor fijadas a un trozo de corcho o una rama, incluso en una jardinera, ya que sus raíces se escaparían muy rápidamente de una maceta.

Bulbophyllum gadgarrense.

Hay que atarlas a un trozo de madera desnuda o ponerla sobre una capa delgada de musgo *Sphagnum*. Estas plantas pueden tolerar incluso un régimen de semipenumbra y un lugar escasamente ventilado, pero en un entorno de este tipo florecen menos y adquieren dimensiones que son poco recomendables. Su principal hábitat es sin duda el Sureste asiático, pero algunas especies proceden también de las regiones tropicales de América, África y Australia.

Bulbophyllum auriculatum.

51

Calanthe híbrido.

Calanthe vestita.

Calanthe

INTERMEDIA TERMOFÍLICA

El género *Calanthe* incluye un «refugiado» enormemente interesante: las 150 representantes de este género proceden de Asia, Australia y África, y sólo una de ellas se perdió en América. Los botánicos dividen este género en dos grupos ecológicamente diferentes. Las especies del primer grupo (*Eucalanthe*) sólo tiene pseudobulbos de pequeño tamaño con racimos de grandes hojas perennes. Su robustez impide que sean muy apreciadas entre los amantes de las orquídeas. Las orquídeas *Eucalanthes* son epifíticas y vegetan durante todo el año. Necesitan un suelo rico en humus, semisombra, riego continuo y calor para templar el ambiente. La *C. arcuata* de la foto representa a este grupo. El otro grupo (*Prepanthe*) tiene más especies y es más significativo y delicado en relación con su cultivo. Las *Prepanthe* forman pseudobulbos grandes, caducos con periodicidad anual, y la especie más apreciada y cultivada es la *C. vestita*, que no constituye una excepción a esta regla. Hay tres períodos en la vida de la orquídea *Prepanthe*: vegetación, floración y descanso. Este ciclo de vida es bastante exclusivo: la espiga floral, que alcanza una altura de más de 70 cm, crece en los laterales de un pseudobulbo desnudo y porta un gran número de flores. Su característica dominante es un pétalo labial cuatrilobulado. La planta florece en otoño e invierno, siempre después

de que las hojas se hayan caído. A este período le sigue otro de reposo y nuevos brotes. La mayoría de estas orquídeas son terrestres y viven en grietas con humus en las rocas calizas, cuando se dan en el medio natural. El cultivo tiene algunas especificaciones: después de la floración, hay que almacenar los bulbos hasta la primavera en un lugar seco y umbrío y comenzar a regarlo con cuidado sólo cuando empieza a dar brotes. Se cultivan de forma atípica en tierra corriente de jardín, tras añadir humus y gravilla de piedra caliza. Cuando la planta alcanza su pleno crecimiento, se mantendrá en semipenumbra

Calanthe rubens.

con mucho riego y fertilizante. Al humedecer la planta, apartemos las hojas, pues les perjudica mucha humedad. Una vez que se forme el pseudobulbo y las hojas amarilleen, reduciremos el riego.

Calanthe arcuata.

Catasetum macrocarpum.

Catasetum pileatum.

Catasetum macrocarpum

CRIOFÍLICA TERMOFÍLICA

Las orquídeas del género *Catasetum* son plantas muy poco comunes ya que las flores de una misma planta pueden asumir aspectos diferentes. La *C. macrocarpum* es una orquídea robusta que forma pseudobulbos con forma de huso, de los que brotan verias hojas lanceoladas caducas durante el proceso de crecimiento. Un racimo de flores brota de la base macropulbo, con una longitud de más de 45 cm, con 3-10 flores que se disponen en direcciones opuestas. Su labio, de color verde amarillento está encerrado como un casco, convexo y oscuro en su interior. Las flores masculinas están decoradas con colgantes como antenas y las femeninas son amarillas en el interior del pétalo labial. El cultivo, no muy complicado, debe incluir suficiente alimento y riego durante el período de crecimiento, así como un período de reposo. La *C. macrocarpum* puede ser cultivada epifíticamente o en cestos y macetas. Las flores aparecen a finales de verano o en otoño. La especie crece en grandes áreas tropicales de América Central y del Sur.

Catasetum pileatum

INTERMEDIA

La *Catasetum* es una orquídea de llamativas flores, dominadas por un labio que puede estar muy abierto o bien encerrado en una especie de casco, en cuyo caso, las flores están también giradas en la dirección opuesta. En muchas especies, las flores lucen protuberancias peculiares, parecidas a las antenas. La especie *C. pileatum* es, gracias a sus flores blanco-amarillentas de formas caprichosas, la especie más hermosa del género. Tiene entre 3-6 flores, de más de 10 cm de lado a lado, que se dan en grandes espigas. El labio está ampliado y tiene un hueco oscuro en la parte inferior. Se debe cultivar la especie como se hizo en las flores descritas anteriormen-

te. La *C. pileatum* puede dar flores en verano y principios de otoño. Es originaria de las cotas bajas de Venezuela y Ecuador.

Catasetum sp.

INTERMEDIA

Se trata de una planta imposible de determinar con exactitud, pues sólo los muy expertos son capaces de hacerlo. Como las plantas no pueden cogerse en su medio, ya que está prohibido, la planta suele quedarse sin denominar. Este es el caso de la planta de la foto, encontrada en México. Si somo lo suficientemente afortunados como para contar con una *Catasetum*, ésta no es difícil de cultivar. El cultivo debe incluir suficientes nutrientes y riego durante el tiempo de formación de los pseudobulbos, además

Catasetum sp., México.

Catasetum sp., Bolivia.

Cattleya aclandiae.

Cattleya amethystoglossa ■ ☺

INTERMEDIA

Las flores de esta especie tienen un color poco frecuente pero muy bello. Es una lástima que la *C. amethystoglossa* sea tan poco propicia a florecer bajo condiciones de cultivo. Los pseudobulbos alcanzan una altura de más de 80 cm y tienen 2-3 hojas en la parte superior. Entre las hojas de los tallos maduros se forma una especie de funda floral que pugna por brotar durante un tiempo y da lugar a la espiga floral. La florescencia es abundante, con 5-10 flores. Las flores son duras, de 8 cm de diámetro. El labio es más bien pequeño y malva, con lóbulos laterales con matiz blanco. Los tépalos son blancos y rosas, con puntos burdeos. El cultivo se hace igual que en la *C. bicolor.* Florecen en invierno y al inicio de la primavera. Se descubrió en Bahía, Brasil.

Cattleya amethystoglossa.

de un período de reposo en condiciones más frescas y con mucha menos humedad y riego. Puede cultivarse tanto epifíticamente como en cestas o tiestos. Las plantas de la foto florecen pronto, a principios de año, y proceden de Bolivia y México.

Cattleya aclandiae ⊡ ◼ ☹

TERMOFÍLICA

Esta orquídea tiene una posición exclusiva entre sus pares, ya que es la más pequeña de todas, lo que no disminuye su belleza. Los pseudobulbos son estrechos, con entre una y tres hojas amplias y ovales, de unos 15 cm de longitud. En agudo contraste con su tamaño están las flores, de color llamativo, que pueden alcanzar los 10 cm de diámetro. Cada flor aparece coronada por un pétalo labial de color púrpura. Los otros tépalos son de color verde amarillento, tachonados con motas grandes de color bermejo. Sus proporciones hacen de la *Cattleya aclandiae* una rareza muy apreciada entre los cultivadores de orquídeas. Sin embargo, es la más difícil de cultivar de todas las especies botánicas de *Cattleya.* Florece entre el verano y el otoño, y es originaria de Bahía, en Brasil.

Cattleya aurantiaca   ☺

INTERMEDIA

Esta orquídea es atractiva fundamentalmente por el color amarillo de sus flores. Por lo tanto es muy importante para la obtención de nuevas variedades, aunque el pequeño tamaño de las flores es una desventaja. La especie forma unos pseudobulbos en forma de garrote algo gruesos, de más de 35 cm de alto, con dos hojas. Una espiga floral corta que surge de la funda floral situada entre las hojas, al final del pseudobulbo, sostiene un racimo de más de 15 flores. Las flores tienen unos 3,5 cm de diámetro, y duran no más de 6-9 días. En su lugar de origen, la planta surge con frecuencia sobre árboles viejos en las plantaciones de café. En el medio natural se ve en América Central, entre México y Costa Rica.

Cattleya bicolor   ☺

INTERMEDIA

Se trata de una orquídea epifítica o litofítica, amante del aire fresco y húmedo, por lo que en la naturaleza se da en cañones con ríos y en elevaciones medias. Las plantas forman un pseudobulbo elegante de unos 60 cm de alto, no grueso, típico de las or-

quídeas *Cattleya*. La espiga floral lleva más de 5 flores que pueden tener un diámetro de incluso más de 12 cm con un pétalo labial rosa carmesí y tépalos de color oliváceo. La flor aparece aparece a finales del verano y dura tres o cuatro semanas como máximo. El cultivo no resulta complicado. La mejor cosa que podemos hacer es poner la planta en una cesta epifítica y suspenderla en un sitio bien ventilado y más bien húmedo y fresco. Durante los meses de verano, podemos suspender la planta de la copa de un árbol frutal, pero deberemos garantizar que recibe agua con frecuencia cuando el clima se vuelva excesivamente bochornoso y calusroso. La *Cattleya bicolor* proviene de Brasil, donde fue descubierta hacia 1836.

Cattleya bicolor.

Cattleya dowiana var. *aurea.*

Cattleya elongata.

Cattleya dowiana var. aurea

TERMOFÍLICA

La *C. dowiana* es la más espectacular y la más fragrante entre las *Cattleya*. Las flores son gigantes, de más de 16 cm. Lo que más llama la atención es el pétalo labial, de color púrpura, intercalado con rayas amarillo dorado. Los otros tépalos son anchos, rizados y amarillo intenso. La especie requiere un entorno más cálido comparado al de otras *Cattleyas*, debiendo cultivarse en macetas. Es originaria de Panamá, Costa Rica y Colombia, donde se da la «aurea», una rara variedad, descubierta en un valle montañoso de Antigua. La *C. aurea* tiene un pétalo labial que contrasta con las manchas de un intenso dorado y los tépalos son rojizos en la parte inferior. Ésta se utiliza mucho en la creación de nuevas orquídeas, debido a sus maravillosas características.

Cattleya elongata

INTERMEDIA

Esta *Cattleya* se parece a la *C. amethystoglossa* tanto en tamaño como en aspecto, lo que significa que resulta poco adecuada para ser cultivada por inexpertos. Es portadora de una cualidad genética (los pseudobulbos alargados), apreciada entre los aficionados a la especie. La espiga floral alargada tiene 3-8 flores grandes de más de 8 cm de diámetro. El labio trilobulado de color púrpura está rodeado de tépalos de color marrón purpúreo con bordes ondulados. En el medio natural, se da en emplazamientos secos, por lo que necesita mucha luz y aire. Florece en primavera y se descubrió en Brasil, en los estados de Minas Gerais y Bahía.

Cattleya forbesii

INTERMEDIA

La *C. forbesii* es una de las orquídeas *Cattleya* bifoliadas de pequeñas proporciones. Los pseudobulbos no miden más de 25 cm y tienen 1-5 flores muy resistentes (de 10 cm de diámetro) sobre unas espigas florales muy erectas. El labio es blanco y ondulado en los bordes, amarillo en la parte externa y con venaduras rojas en el interior. Los tépalos son amarillo oliváceo. Su cultivo no es fácil, florece en el verano y el inicio del otoño y es nativa de Brasil.

Cattleya forbesii.

Cattleya guttata.

Cattleya iricolor.

Cattleya guttata ■ ☺

INTERMEDIA

Es otra *Cattleya* robusta y fuerte. La «inmanejabilidad» de la planta se compensa por su resistencia a los errores de cultivo y su floración. Los pseudobulbos alcanzan una altura superior a los 70 cm y llevan normalmente 2-3 hojas correosas. El racimo floral es erecto y tiene más de 15 flores duras. El lóbulo central circular, entre los tres lóbulos del labio se resalta con el color púrpura. Los tépalos son verdes y se embellecen con puntos marrón rojizo. Las plantas llegan a resultar poco atractivas si se cultivan en lugares excesivamente umbríos. De otro modo, la especie no guarda en la recámara otras dificultades de cultivo. La *C. guttata* florece entre el otoño y el invierno, dándose en el medio natural en Brasil, sólo muy rara vez.

Cattleya intermedia ■ ☺

INTERMEDIA

Junto a la especie *C. bowringiana*, esta es la más cultivada entre las *Cattleya* bifoliadas y se trata de una especie muy apreciada. Los pseudobulbos, que son más bien grandes, miden unos 40 cm de largo.

Cattleya intermedia.

La florescencia está formada por 3-7 flores púrpura rosáceo pálido con venaduras púrpura y un punto amarillo en la garganta. Aparte de su forma típica, la especie tiene diversas variedades y desviaciones que son significativas tanto genéticamente como por su cultivo. Las apreciadas variedades albinas merecen un subrayado, tanto como una flor anómalamente denominada *aquini*. Sus pétalos son del mismo color que el labio y han sido utilizados para producir un gran número de híbridos muy atractivos (conocidos como de tipo *aquini*). Florece entre la primavera y el verano y procede de Brasil.

Cattleya iricolor ▣ ☺

INTERMEDIA

La *C. iricolor* no es la más hermosa, pero merece un poco de atención, aunque sólo sea por la historia de su descubrimiento y redescubrimiento. La especie se encontró por primera vez en Ecuador hace alrededor de un siglo. Después, desapareció durante décadas, para ser redescubierta en la década de 1980, compitiendo hoy día los cultivadores y jardines botánicos por hacerse con ella. Su morfología es la misma que la de otras bifoliales. Las flores son de pequeño tamaño y la planta suele tener 3-7 flores. Los tépalos son de tono amarillo con un bellos borde color morado; a veces parece como si fuera un arco irir. Los cuidados no son complicados; las plantas precisan un periodo de descanso después d ela floración.

Cattleya leopoldii   ◨ ☺

TERMOFÍLICA

Se trata de una especie muy apreciada, pero difícil de conseguir, así como no muy propicia a prosperar en condiciones de cultivo. La *C. leopoldii* está muy relacionada a la especie *C. guttata*, pero se distingue por su tamaño más pequeño y racimos florales gigantes que puede tener no menos de 20 flores. El labio de las flores es caoba con un matiz púrpura y con puntos rojos irregularmente distribuidos. Existe incluso una variedad descolorida (apocromática) muy valiosa, cuyo labio blanco se complementa con el color verde mirto de los otros tépalos. Las normas de cultivo son las mismas que las que sirven para todas las *Cattleyas*. La especie florece entre el verano y el inicio del otoño. Su hábitat originario es Brasil.

Cattleya loddigesii   ◨ ☺

INTERMEDIA

Esta planta es bastante pequeña y fácil de cultivar. Además florece mucho y maravillosamente. Los pseudobulbos bifoliados tienen más de 35 cm de

Cattleya leopoldii.

alto, con 2-5 flores situadas sobre una espiga floral corta. Miden más de 10 cm de diámetro y cuentan con un labio trilobulado, muy rizado y de color púrpura, amarillento en el interior. Los otros tépalos son rosa brillante y púrpura. La *C. stanleyi*, es una variedad albina de la *C. loddigesii* descubierta en el medio salvaje, que está situada en un lugar de honor en las listas de popularidad de los híbridos. Las flores de las dos variedades son resistentes y muy duraderas, cultivándose por lo tanto como flor cortada. El cultivo es parecido al de las otras *Cattleyas* intermedias. Hay especímenes de la especie que florecen en verano, mientras otros lo hacen entre el inicio del verano y el otoño. La *C. loddigesii* es originaria de Brasil.

Cattleya loddigesii.

Cattleya luteola.

Cattleya maxima.

Cattleya luteola

TERMOFÍLICA

Una especie unifoliada en miniatura, adecuada incluso para aficionados con pequeños equipos de cultivo. Las flores son muy pequeñas, pero su color es muy bello y apreciado, ya que el amarillo sulfúreo es muy raro entre las *Cattleya*. Los pseudobulbos de este género alcanzan los 15 cm de largo y en su corta espiga floral se apiñan 2-5 flores. El labio es amarillo con el borde blanco y una marca roja y anaranjada en el interior de la llamativa garganta tubular. La *C. luteola* exige un entorno cálido y húmedo para su cultivo. La especie florece en otoño e invierno. Es una epífita y se da en la Amazonia, al norte y oeste de Manaos.

Cattleya mossiae var. *wageneri.*

Cattleya maxima

INTERMEDIA

Esta especie se incluye en las colecciones con mucha menos frecuencia de la que merecería. Los pseudobulbos tienen forma de bastón, planos de unos 25 cm de largo y terminan en una hoja estrecha que puede medir más de 20 cm de longitud. Las flores cuadran con el nombre genérico (ya que no hay muchas *Cattleya* que puedan competir con esta en altura) y miden más de 15 cm de longitud. Cada espiga puede tener más de 8 flores. El labio es largo y tubular, con el borde ondulado, y es de color amarillo con venaduras de color púrpura intenso o naranja en el interior. Los otros tépalos son púrpura claro, con los bordes rizados. El cultivo no es difícil. La estación de flor llega en un tiempo favorable para los cultivadores europeos. Las flores aparecen entre otoño e invierno, un tiempo con poca luz. La *C. maxima* procede de la base de las montañas de los Andes en Perú, Ecuador y Colombia.

Cattleya percivaliana.

Cattleya percivaliana

INTERMEDIA

Se trata de una especie muy hermosa, cuya única imperfección es el olor de las flores, con un matiz de humedad. Los pseudobulbos unifoliados no superan los 15 cm. Las hojas son 10 cm más largas que los pseudobulbos. La espiga floral mide 25 cm y tiene 3-4 flores de más de 12 cm. El color de los tépalos va desde el rosa al púrpura. El labio tubular es púrpura y rojo por dentro, entre amarillo y amarillo anaranjado en la garganta, con los bordes rizados. Su cultivo es fácil. Las flores aparecen en invierno. *La C. percivaliana* crece exclusivamente en Venezuela, en regiones con un nivel alto de humedad.

Cattleya schilleriana

INTERMEDIA

Es una pequeña *Cattleya* de flores grandes, cuyos pseudobulbos bifoliados apenas llegan a los 15 cm. Las flores, de más de 10 cm, aparecen individualmente o en pares en una espiga floral corta. Tienen un pétalo labial trilobulado de color púrpura pálido con un motivo marrón. Los tépalos son verdes, con un poco de rojo, cubiertos de motas púrpuras y marrones. El cultivo es fácil y se recomienda el epifítico. Florecen entre invierno y verano y son de Brasil.

Cattleya schilleriana.

Cattleya mossiae var. *wageneri*

INTERMEDIA

Esta variedad llena de color no es tan apreciada como la versión albina *C. mossiae* var. *wageneri* con flores de un blanco puro, con un labio amarillento, y apenas resiste la comparación con los híbridos de flor blanca de la *Cattleya*. Los pseudobulbos son unifoliados, bastante gruesos, con forma de bastón y coronados por una hoja dura y gruesa. La espiga floral sostiene más de cinco flores de buen tamaño. Un ejemplar típico de la especie se caracterizará por un labio muy especial, ondulado, con la garganta amarilla y venaduras púrpura. Los otros tépalos son rosa pálido y púrpura. La especie no es muy exigente en materia de cultivo, floreciendo en verano. Su hábitat natural se da en Venezuela.

61

Cattleya skinneri   ▣ ■ ☺

INTERMEDIA

Esta orquídea es la flor nacional de Costa Rica y es muy rara en cultivo. Es una especie bastante representativa del género, muy robusta (su pseudobulbo bifoliado alcanza una longitud de 25 cm). La base del pseudobulbo es más estrecha y se distingue de los de las especies similares, como la *C. bowringiana*. Su espiga floral, que es corta, sostiene 3-7 flores de color púrpura, con un tamaño superior a los 10 cm, con un labio plano, largo y de forma tubular, de color amarillo en su interior. La variedad albina de esta especie, var. *alba*, se da en la naturaleza, con flores de un blanco puro, verdosas en el interior del pétalo labial. Para su cultivo, lo mejor es tenerla en una maceta llena de un sustrato mixto con gran preponderancia de corteza de pino. Florece en primavera y procede de México, Costa Rica y Guatemala.

Cattleya sp.   ▣ ☺

INTERMEDIA

Pudiera parecer que no hay ya espacio para las sorpresas en la taxonomía de las *Cattleya*; sin embargo, podemos encontrar especies interesantes en la natu-

raleza. La planta de la fotografía ha sido tema de disputa entre los expertos: ¿es un híbrido genérico o intergenérico, o incluso una especie nueva? Una orquídea bifoliada con pseudobulbos delgados, con más de 35 cm de altura es epífita y sus necesidades ecológicas son similares a las de las otras *Cattleya* brasileñas. Se descubrió en 1999 cerca de Río de Janeiro, Brasil.

Cattleya velutina   ▣ ☺

TERMOFÍLICA

Esta especie se descubrió en el valle de Parahiba, entre Río de Janeiro y Sao Paulo, Brasil. Es una es-

Cattleya sp., Brasil.

Cattleya velutina.

pecie que lo más probable es que ya esté extinguida, debido a su recolección indiscriminada en la naturaleza en los ochenta del siglo xx. Esta circunstancia hace de ella una joya muy preciada en cualquier colección de orquídeas. Además de ser una especie rara, también es muy atractiva y especial por la belleza de sus flores. Su pétalo labial tiene un lóbulo central muy abierto y venaduras de color púrpura. Los otros pétalos son bermejos con motas oscuras. Cuando no está en flor, se parece a la *C. bicolor*, excepto en que sus pseudobulbos son más cortos y gruesos. Hay que cultivar esta especie como a las demás *Cattleya*. La *C. velutina* florece en verano.

Cattleya violacea var. *superba*

INTERMEDIA

Esta atractiva y pequeña especie se da rara vez en cultivo. La razón es su lento crecimiento y su pereza a la hora de dar flor. Los pseudobulbos bifoliados pueden alcanzar los 20 cm, y las florescencias, muy cortas, tienen 3-7 flores. Las hojas, planas y duras, tienen más de 14 cm de diámetro. Los tépalos, color púrpura brillante, se complementan con un pétalo labial trilobulado rojo y púrpura. Se cultivan epifíticamente o en un sustrato para macetas con mucho corcho. Las flores aparecen en pseudobulbos maduros en verano. Se da en la cuenca del Amazonas, incluyendo Colombia, Venezuela, Brasil y Bolivia.

Cattleya violacea var. *superba.*

Cattleya walkeriana   ▫ ☺

INTERMEDIA

Esta especie destaca por su extraordinaria manera de florecer. Las flores no emergen del brote floral situado en la parte superior del pseudobulbo, sino desde un tallo especial, desprovisto de hojas. Los pseudobulbos unifoliados miden sólo 10 cm de alto y la florescencia es de 2-3 flores. Las flores son bastante grandes, de unos 10 cm de diámetro, y de color purpúreo. Se sabe que existe una variedad (var. *alba*) de color blanco. El pétalo labial es plano y trilobulado, muy estrecho en la base. Sus dimensiones hacen de esta planta una joya muy apreciada para pequeños invernaderos y fanales de cristal. Es difícil de obtener. Debe cultivarse epifíticamente sobre un trozo de corcho o una rama, ya que las raíces propenden a pudrirse. La *C. walkeriana* florece entre el invierno y la primavera. Se da en Brasil.

Cattleya walkeriana.

Cattleyopsis lindenii.

Cattleyopsis lindenii   ▫ ☺

TERMOFÍLICA

La *C. lindenii* es una especie que se ve poco en cultivo, debido a su crecimiento lento. La especie da lugar a una maraña espesa y dura de diminutos pseudobulbos ovales que da un follaje de hojas serradas muy espeso. La planta exhibe sus vistosas flores rosa pálido que nunca se abren del todo, sobre una espiga floral nervuda y alargada, a menudo con ramificaciones. La flor es muy duradera y está dominada por un labio tubular colgante, con los bordes rizados, que en ocasiones se parece a los del género *Cattleya*. El cultivo es algo complicado, ya que la especie ama la luz y sufre bastante en invierno. Por lo tanto, debemos mantenerla en un entorno templado durante la estación fría. Florece a finales de verano y en otoño, y procede de Cuba y otras islas del Caribe.

Caularthron bicornutum   ▣ ■ ☺ ☺

INTERMEDIA TERMOFÍLICA

Las representantes de este género pequeño (dos especies) suelen considerarse miembros del género *Epidendrum*, pero se excluyeron debido a la diferente posición de su pétalo labial. Sus pseudobulbos cilíndricos, fuertes y prolongados son huecos y,

Caularthron bicornutum.

tos por una funda membranosa. Las flores son color ladrillo brillante, tienen un pétalo labial casi invisible de color blanco y miden unos 2 cm. Aparecen solas o en grupos en las axilas de las hojas. Se cultiva epifíticamente en un medio de media sombra relativamente húmedo. Sus raíces necesitan una capa de musgo y son propensas a pudrirse, por lo que no se recomienda el cultivo en maceta. Florece varias veces al año y su hábitat natural es Filipinas.

Ceratostylis rubra.

en el caso de la *C. bilamellatum*, aporta un alojamiento para las hormigas. Los pseudobulbos de la *C. bicornutum* más conocida alcanzan longitudes superiores a los 25 cm y están cubiertos con 3-4 hojas de más de 35 cm de largo en la parte superior. La florescencia arracimada y erecta brota en el ápice del pseudobulbo y sostiene más de 20 flores, de unos 6 cm de ancho. Esta especie epifítica es muy rara de ver y muy apreciada. Crece en suspensión sobre soportes o en un sustrato permeable dentro de una maceta. Tras un descanso en invierno, necesita un período más seco de reposo. Procede de Brasil, Colombia, Guayana, Trinidad, Tobago y Venezuela.

Ceratostylis rubra   □ ▣ ☹ ☺

INTERMEDIA TERMOFÍLICA

Esta pequeña orquídea epifítica del género *Cera-tostylis* forma racimos muy atractivos. Su popularidad se ve reforzada por sus flores pequeñas de colores vivos, con frecuencia en agrupaciones grandes sobre la espiga floral. La especie *C. rubra* tiene tallos de un solo miembro o con pocas ramas, cubier-

Chiloschista sp.

Chiloschista sp.

Chiloschista sp., Tailandia.

Chiloschista □ ▣ ☺

TERMOFÍLICA

Su morfología y manera de vivir hace de esta planta del género *Chiloschista* algo excepcional, y no sólo dentro de la familia de las *Orchidaceae*. Y si, además de resultar excepcional, es tan bella y además es una planta muy pequeña, podemos entender que estemos ante una de las plantas más codiciadas. Las orquídeas *Chiloschista* han perdido la capacidad de formar hojas, que sólo aparecen raramente y en una forma reducida, y la función de asimilación ha sido asumida totalmente por las raíces planas. El tallo también se ha acortado y sólo crece unos milímetros cada año. Las nuevas raíces verdosas, típicas de las orquídeas, hacen brotar desde abajo su ápice. Las hojas se toman años para aumentar su tamaño. La maraña de raíces crece espesamente sobre el soporte o se extiende en el espacio. Los tallos florales llevan florescencias con flores bastante grandes y vistosas y se forman en el mismo sitio que las nuevas raíces, con colores de varias combinaciones de amarillo intenso, anaranjado y marrón café. El cultivo no es muy complicado. Es preciso montar las plantas sobre corcho desnudo o un soporte de madera. Se recomiendan trozos de madera de saúco, ya que su corcho blando permite a las raíces crecer bien sobre él. Las plantas, pequeñas, necesitan un aire bastante húmedo, mucha humedad y un emplazamiento ventilado con luz indirecta. Los primeros dos años tras la instalación resultan críticos para las

Chiloschista sp.

Christensonia vietnamica.

plantas. Una vez que se agarran bien al soporte, el riesgo de que se echen a perder disminuye. Hay que tener cuidado en no dañar las raíces mientras se maneja la planta o se fija al soporte. Hay muchas áreas poco conocidas en la taxonomía del género *Chiloschista*, de unas diez especies. Florece hacia el final del invierno y en primavera. Es originaria de las regiones cálidas de Asia, incluyendo el sur de la India, Tailandia, Mianmar y la península malaya y Java.

Chiloschista sp.

Christensonia vietnamica ▫ ▪ ☺

INTERMEDIA TERMOFÍLICA

Esta especie se parece al género *Vanda*, con florescencias escasas portando grandes flores verdes y amarillas y un ancho pétalo labial de un blanco puro que brota en los puntos de intersección de las hojas, dispuestas en doble fila. Esta epifita es amante de la luz, de tamaño pequeño y con la mismas exigencias de las orquídeas del género *Vanda*. Es preciso recortar el riego un poco en invierno y hacer descender la temperatura: es la única forma de que pueda sobrevivir a la falta de luz. Las flores aparecen entre invierno y verano. La especie no fue descrita hasta 1993, al recoger unos ejemplares en el sur de Vietnam, aunque es muy común en la región.

Chysis bractescens.

Cirrhopetalum pseudopicturatum.

Chysis bractescens

INTERMEDIA TERMOFÍLICA

Las orquídeas pertenecientes al pequeño género *Chysis* tienen una morfología singular, un ciclo de vida muy intrigante y flores muy hermosas. La especie *C. bractescens* se caracteriza por pseudobulbos partidos, en forma de huso, largos, que sobresalen de la planta y que, en el tiempo de crecimiento, tienen 5-7 hojas que más tarde se caen. Las espigas laterales crecen a la vez que los brotes nuevos y son cortas. Cada florescencia sostiene 10 flores amarillas y carnosas de unos 7 cm. El labio es amarillo, con motivos rojos. No es difícil de cultivar. Crece epifíticamente sobre trozos de corcho, en un ambiente cálido de media penumbra. Tras la plena maduración de los pseudobulbos, necesita un período de reposo en un ambiente seco y fresco. Florece al final de la primavera y es de México y Guatemala.

Cirrhopetalum sikkimense.

Cirrhopetalum

INTERMEDIA TERMOFÍLICA

Los representantes de este género fueron excluidos del amplio y diverso género de las *Bulbophyllum*. Las razones fueron del orden del método de cultivo y sus cuidados. La única característica significativa de esta especie del género *Cirrhopetalum* la consti-

Cirrhopetalum pachybulbum.

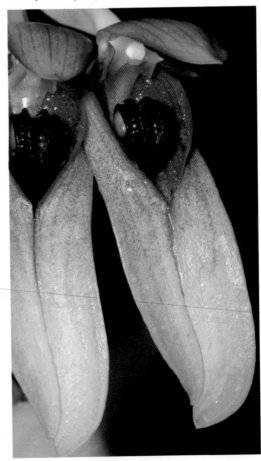

Cirrhopetalum umbellatum.

Cirrhopetalum longissimum.

tuye la apariencia de su florescencia. Las flores son muy pequeñas y están dispuestas sobre umbelas que sobresalen. Se han descrito más de 60 especies y la mayoría están entre las atractivas orquídeas pequeñas o miniaturas tan apreciadas por los cultivadores. Los pseudobulbos son pequeños y con forma de huevo, crecen a cierta distancia unos de otros sobre rizomas rastreros y dan una hoja cada uno. La morfología de las flores es muy diversa. Los tépalos asumen diferentes tamaños y formas. El pétalo labial es a veces móvil, gracias a una delgada conexión con la base de la flor. Su cultivo no es exigente, ya que estas plantas, amantes de la luz, pueden crecer con un pequeño equipamiento de cultivo. Tener humedad a lo largo del año y también calor son una garantía de buen desarrollo de los nuevos pseudobulbos. Las plantas florecen entre la primavera y el otoño, pero como crecen de forma ininterrumpida,

pueden hacerlo en otras épocas. La más cultivada y conocida es la especie *C. medusae*. El género tiene un rango geográfico muy extenso: África, Madagascar, Asia, Nueva Guinea y Nueva Caledonia.

Cirrhopetalum curtisii var. *purpureum.*

Cleisostoma simondii.

Cleisostoma simondii ▣ ☺

INTERMEDIA TERMOFÍLICA

Estamos ante una delicada representante de las orquídeas epifíticas asiáticas enanas, con tallos extendidos. La *C. sismondii* tiene brotes que raramente presentan ramificaciones, poco leñosos, que alcanzan longitudes de más de 30 cm. Portan dos filas escasamente pobladas de hojas carnosas de 5-8 cm de largo y casi redondas en sección cruzada. Tiene abundantes raíces aéreas que brotan de los tallos. La florescencia, que sobresale, sostiene más de 15 flores de casi 1,5 cm de diámetro. Los tépalos

son marrones y amarillos, con rayas alargadas y oscuras, y el pétalo labial es púrpura con una protuberancia roma en la parte inferior. Las orquídeas *Cleistosoma* están entre las más conocidas de las especies botánicas de colección y se producen en granjas tailandesas especializadas. No está justificado el temor a su cultivo. Las plantas deben instalarse sobre un soporte de corcho y hay que darles luz, calor y riego frecuente durante su crecimiento. Hay que reducir la temperatura y la intensidad del riego en invierno. Florece en otoño y es originaria de Tailandia y otros países del sureste asiático.

Cochleanthes discolor ▣ ☺

INTERMEDIA

El género *Cochleanthes* tiene unas 15 especies. Los pseudobulbos de la *C. discolor* son bastante grandes y sostienen hojas de buen tamaño, que alcanzan longitudes de más 25 cm, dispuestas como las palas de un ventilador. Las flores, individuales, crecen en espigas florales cortas, situadas en la base del pseudobulbo. Miden 8 cm y tienen cierto parecido con las del género *Lycaste*. Son entre blanquecinas y verdosas, con un matiz violeta. El pétalo labial es robusto y tubular, púrpura intenso en el interior y amarillento en el fondo. La *C. discolor* es una epifítica que pide un entorno a media sombra y un nivel alto de humedad. Si la plantamos en una maceta con una mezcla epifítica gruesa y le un descanso breve, obtendremos una cantidad mayor de flores, que brotarán en primavera. Fue descubierta en Cuba, Panamá, Costa Rica y Honduras.

Cochleanthes discolor.

Coelogyne asperata.

Coelogyne cristata.

Coelogyne asperata

INTERMEDIA TERMOFÍLICA

La *C. asperata* es una representante algo oscura de las orquídeas *Coelogyne*, un género muy significativo con vistas al cultivo. El número total de especies, que por lo general dan flores muy hermosas, oscila en torno a 100, en función del punto de vista de los autores. Los pseudobulbos de esta especie más bien fuerte miden más de 15 cm de largo. La longitud de las hojas a veces supera los 50 cm. La florescencia sobresale y alcanza una longitud de 30 cm y consta de 10-15 flores muy bellas y fragantes. Los tépalos son blancos y el labio es ondulado, con una forma muy atractiva, decorado con formas complejas de color amarillo y marrón. Hay que cultivarla de la misma manera que se hace el cultivo de la especie *C. dayana*. La planta florece en otoño e invierno, procediendo de la península malaya, de Borneo y de Sumatra.

Coelogyne cristata

CRIOFÍLICA

Su querencia hacia los entornos frescos y su necesidad de reposo invernal hacen de la *C. cristata* un habitante frecuente de los invernaderos de cactus, si bien ha perdido su significativa posición como orquídea de cultivo. Esta especie forma pseudobulbos lisos con forma de esfera, que alcanzan una longitud de más de 6 cm. Cada uno de ellos tiene un par de hojas resistentes, estrechas y lanceoladas. En primavera, en la base de cada pseudobulbo, emerge un racimo floral de 6-9 flores con pétalos labiales con protuberancias amarillas. Su apariencia desaliñada y flacidez excesiva son sus cualidades negativas. Hay que cultivarlas en macetas con un sustrato permeable y húmedo. En invierno, se darán bien en un entorno calentado ligeramente. Su condición criofílica se debe a su región de origen: alturas superiores a los 2.000 metros del macizo del Himalaya.

Coelogyne dayana.

una cuerda de más de un metro con muchas y muy bellas flores de duración efímera. La especie tiene dos pseudobulbos estrechos y con forma de huevo, que sostienen dos hojas lanceoladas y estrechas, onduladas a lo largo. El labio es blanco con motivos de color marrón y crestas blancas. Los otros tépalos son blanco crema. Las florescencias brotan de la parte superior de los tallos recién formados. Al contrario de lo que sucede con la *C. massangeana*, estos brotes se transforman luego en pseudobulbos corrientes. No es muy difícil de cultivar. Requiere temperaturas medias, media sombra y un entorno humedecido para sus raíces. No hay que transportarlas o trasplantarlas. La especie no tiene un período de reposo definido. Si la planta comienza a dar flores, hay que colgarla de forma que pueda crecer sin obstáculos hacia abajo. Es originaria de Tailandia, la península malaya, Borneo, Java y Sumatra.

Coelogyne fimbriata ☐ ☺

CRIOFÍLICA INTERMEDIA

Esta orquídea, desde el punto de vista de sus necesidades de cultivo, es una de las especies más pequeñas. Es una planta muy apreciada, cultivada con frecuencia por los aficionados. Sus pseudobulbos alcanzan un tamaño máximo de 3 cm y crecen a una distancia de entre 3 y 5 cm uno de otro sobre un rizoma rastrero. Las hojas son estrechas y lanceoladas. El tallo floral brota de las intersecciones de las hojas y tiene una o dos flores. El color de las flores es un tono poco común de marrón crema. Son algo transparentes, con un elemento bermejo en el pétalo labial. La planta es muy decorativa, especialmente si crece en grupos grandes. El cultivo es asequible incluso para novatos, que aportarán a la planta un entorno fresco, húmedo y umbrío. En verano podemos ponerla en la copa de un árbol en el jardín. El cultivo en tiestos es preferible al epifítico. La planta florece entre el verano y el otoño, y procede de una amplia zona de Asia, que abarca China, el norte de la India, Malasia, Tailandia, Vietnam y otros países.

Coelogyne fimbriata.

Coelogyne dayana ■ ☺

INTERMEDIA

Estas plantas resistentes no llaman la atención fuera del período de floración. Cuando entre los grupos de fuertes pseudobulbos emerge un curioso tallo serrado, todo cambia. En cuestión de días, esta forma se convierte en una florescencia parecida a

Coelogyne dayana.

Coelogyne lactea

INTERMEDIA

Se trata de una representante del género *Coelogyne*. Crece en los bosques dispersos y más bien secos, en compañía de la orquídea caduca *Dendrobium*. Los pseudobulbos tienen forma de huevo y miden 12 cm, con un par de hojas con la típica hendidura de la *Coelogyne*, que alcanzan los 20 cm. El racimo floral, horizontalmente proyectado, tiene 5-10 flores de color blanco crema, muy hermosas, con unos 4 cm de diámetro. El pétalo labial es muy bello y todavía resulta más atractivo con la mancha de color entre amarillo y marrón claro que lo adorna. Hay que cultivar la planta como igual que con las termofílicas del género.Facilitaremos su floración reduciendo la temperatura y riego en el invierno. Florece entre el invierno y el inicio de la primavera; procede de Mianmar, Laos, Tailandia y Vietnam.

Coelogyne lactea.

Coelogyne massangeana

INTERMEDIA

Esta orquídea se parece a la especie *C. dayana*. Tiene aproximadamente 80 cm de largo, una espiga floral que sobresale y 15-20 flores de un color blanco amarillento, muy abiertas, con una elegante marca marrón en el pétalo labial. A primera vista, la florescencia parece brotar de los pseudobulbos maduros, pero las apariencias engañan. El tallo floral está formado a partir del ápice de un peculiar brote sin hojas, con un pseudobulbo diminuto en un extremo (una florescencia latente). El tallo sin hojas deja de desarrollarse tras la caída de la flor, pero permanecerá vivo varios años, escondido en un grupo de pseudobulbos corrientes. Las normas de cultivo son las mismas que las de la *C. dayana*. Esta especie se originó en Tailandia, Java, Sumatra y Borneo.

Coelogyne massangeana.

Coelogyne nitida

INTERMEDIA

Esta especie de dimensiones reducidas (descrita por primera vez en 1822), pocas exigencias y flores muy hermosas, resulta ideal para el cultivo. Los pseudobulbos elípticos de esta epifítica miden 8 cm de alto, las hojas son de 25 cm. La espiga floral está proyectada horizontalmente, con una longitud de 20 cm, tiene 3-6 flores blancas muy bellas, que no pasan de 4,5 cm de diámetro. El labio, de color blanco níveo, es plano y tiene decorada la garganta con una mancha de un impresionante color entre amarillo y anaranjado. La especie es ecológicamente muy adaptable. Se debe cultivar como la *C. lactea*. La planta florece entre invierno y primavera y habita en una zona muy extensa, que incluye el Himalaya, Nepal, Mianmar, Laos y Tailandia.

Coelogyne nitida.

Coelogyne ovalis.

Coelogyne speciosa.

Coelogyne ovalis

CRIOFÍLICA INTERMEDIA

Esta planta es una versión ampliada de la *C. fimbriata*, excepto que sus flores son un 50% más grandes y crecen solas en los extremos de los pseudobulbos. Las reglas de cultivo de esta orquídea son las mismas que las de sus «hermanas» más pequeñas, excepto que la *C. ovalis* es un poco más criofílica. Florece en verano. Su hábitat originario está en altitudes medias y bajas del Himalaya, por encima de los 2.000 metros, lo que explica que la especie prospere en entornos frescos y bien ventilados.

Coelogyne speciosa

INTERMEDIA

Esta especie tiene flores bastante poco comunes en color y en tamaño. Los pseudobulbos alcanzan longitudes de más de 8 cm y tienen hojas lanceoladas y estrechas de 30 cm de largo. La florescencia es de 2-3 flores de un tamaño de más de 12 cm. El pétalo labial tiene motivos bermejos además de una superficie rizada. El color de los otros tépalos es entre el amarillento y el marrón. También se conoce una forma albina (var. *alba*). Las exigencias de supervivencia de la planta se parecen a las de la *C. dayana*, aunque necesita menos calor. La mejor forma de cultivarla es en un tiesto con un sustrato fino y ligero, si bien resistirá un cultivo epífito. Florece entre el invierno y el inicio de la primavera. Procede de zonas de altura media de Malasia, Java y Sumatra, a unos 1.500 metros por encima del nivel del mar.

Comparettia falcata

INTERMEDIA

Esta especie es gracias a sus pequeñas proporciones y a sus vistosas flores, una pieza muy especial en las pequeñas colecciones de orquídeas. Sus pseudobulbos son pequeños, de unos 2,5 cm de largo y están cubiertos por brácteas membranosas. Su única hoja es dura, con forma de lengua y de unos 13 cm de largo. El tallo floral puede alcanzar los 40 cm y tener 5-15 flores purpúreas rosadas, con una espuela muy destacada y llamativa. El tamaño de las flores no pasa de los 4 cm de diámetro. Se cultiva en forma epífita en invierno, por lo que las flores a veces muestran un color desvaído. Se da en América Central, las Indias Occidentales y en el norte de América del Sur.

Comparettia falcata.

Comparettia speciosa.

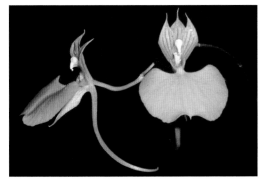

Comparettia speciosa ⊡ ◻ ☺

INTERMEDIA TERMOFÍLICA

Este género pequeño originario de América, tiene 12 especies descritas hasta ahora. La *C. speciosa* da unos pseudobulbos de pequeño tamaño con una única hoja gruesa con forma de campana que mide 18 cm. La florescencia se forma en la base de los pseudobulbos, alcanza una longitud de 50 cm y tiene 6-25 flores verdaderamente espectaculares. Sus tépalos, de un naranja brillante, están dispuestos de la misma forma que los de las otras especies del género *Comparettia*, dominados por un pétalo labial muy ancho. La especie no resulta demasiado difícil de cultivar. Sólo hay que estar atentos a no excederse en el riego demasiado, ya que las raíces, muy finas, tienden a pudrirse. Las raíces son sensibles también a un exceso de sal en los sustratos. Florecen en otoño y fue descubierta en las cotas bajas de Ecuador.

Coryanthes alborosa.

Coryanthes alborosa ⊡ ◻ ☹

TERMOFÍLICA

El pequeño género de las *Coryanthes* cuenta con 20 especies y se conoce porque crece exclusivamente en los nidos de la hormiga *Azteca*. Este fenómeno está relacionado con el hecho de que las plantas necesitan alimentarse, sistema de nutrición que hace que su cultivo sea difícil. Los pseudobulbos en forma de huevo de la especie *C. alborosa* tienen un par de hojas delgadas. Las flores están situadas en espigas florales que sobresalen en tamaño, de forma parecida a las del género *Stanhopea*. Tienen una morfología compleja y son blancas con motas rojas. El cultivo epifítico es el recomendado, pero la floración es esporádica y normalmente tiene lugar en verano. Proviene de América Central y del Sur.

Coryanthes macrantha ⊡ ◻ ☹

TERMOFÍLICA

La polinización de las flores del género *Corianthes* sigue un proceso complejo. Primero, unas glándulas especiales llenan con un líquido el reverso del pétalo labial. Después, los polinizadores se ven atraídos por la peculiar fragancia de la flor y con frecuencia terminan hundidos en el líquido, siendo incapaces de volar y viéndose condenados a reptar por un pequeño túnel en la parte superior del pétalo labial, pegando el polen a sus cuerpos mientras se arrastran. Cuando consiguen liberarse el proceso se repite en el estigma de la siguiente flor, donde liberan el polen. Sorprendentemente, cada especie tiene su propia fragancia y de esa manera atrae sólo a su «propia» especie de polinizadores, y así se evita la hibridación. La *C. macrantha* tiene flores amarillas y blancas con puntos rojos de morfología complicada y hay que cultivarla como la especie anterior. Es originaria de Perú, Venezuela, Trinidad y Guayana.

Coryanthes macrantha.

Cryptoceras sp., México.

les que surgen en la base de de las hojas. Una característica notable de las orquídeas *Cryptoceras* es la morfología especial de sus flores, las cuales no pueden abrirse del todo debido a que los tépalos están unidos por los extremos. Hasta la fecha, se han dado a conocer más de 20 especies. La *Cryptoceras* de México florece en primavera. La variedad miniatura, de unos 8 cm de largo, que podemos ver en la foto, se encontró en las laderas de una bosque húmedo cercano a Palenque, en el sur de México.

Cycnoches chlorochilon   ▣ ☺ ☺

INTERMEDIA TERMOFÍLICA

Las orquídeas del género *Cycnoches* son notables por su forma de crecer y vivir así como por sus grandes flores. No se diferencia mucho del género *Catasetum* y del *Mormodes*, en cuanto a aspecto y necesidades. La especie *C. chlorochilon* es considerada a veces como una subespecie de la *C. ventricosum*. Los pseudobulbos miden más de 35 cm, siendo las hojas incluso más grandes. El tallo floral, corto, tiene 3-10 flores de color verde y amarillo con un diámetro de 8-10 cm. Como en las otras orquídeas *Cycnoches*, las flores tienen el pétalo labial apuntando hacia arriba. La especie florece en verano y procede de Panama, Colombia, Venezuela y Guayana.

Cycnoches chlorochilon.

Cryptoceras   ☐ ☺

TERMOFÍLICA

Las plantas de este género se parecen a las *Masdevalias*. Sus pequeñas hojas ovaladas crecen a partir de un rizoma rastrero corto, reunidas en tallos también cortos. Las flores aparecen en los brotes flora-

Cycnoches chlorochilon.

Cycnoches loddigesii ☺

TERMOFÍLICA

Las flores vueltas del género *Cycnoches* son muy características por su columna larga, delgada y arqueada en forma de cuello de cisne. La especie *C. loddigesii* tiene un pseudobulbo extendido, con forma de huso de 8-15 cm de diámetro. Las flores son púrpura con un matiz verdoso, con el pétalo labial vuelto, de color blanquecino y cubierto con puntos púrpura. La bella y muy decorativa columna floral es rojo profundo en la base, con rayas verdes y rojas en el extremo. No tiene especiales exigencias de cultivo, que se ha de hacer de la misma manera que con las plantas que tienen relación con ella (ver *Catasetum macrocarpum*). La planta florece en verano y se cultiva en Venezuela, Colombia y Brasil.

Cycnoches maculatum ▣ ☺

INTERMEDIA TERMOFÍLICA

Dentro del género *Cycnoches*, la capacidad de constituir en una misma planta flores masculinas y femeninas ha llegado tan lejos que tanto las flores como sus disposiciones, son muy diferentes. En muchos casos, las florescencias femeninas son más pequeñas, de poca flor y más o menos erectas, mientras que las flores masculinas están dispuestas en racimos florales que sobresalen, con una gran cantidad de flor. Este tipo de orquídeas, pertenecientes a la sección *Heteranthe*, se ve representada por la *C. maculatum*. La foto muestra una florescencia masculina suspendida. Las flores femeninas son algo más grandes, dispuestas en racimos más escasos y semierectos, amarillentos y con puntos marrones. Los pseudobulbos miden sólo 15 cm de largo. Es difícil de cultivar. Las flores aparecerán entre verano y otoño y proviene de Venezuela.

Cycnoches maculatum.

Cycnoches sp.   ◳ ☺

INTERMEDIA TERMOFÍLICA

Algunas especies del género *Cycnoches* tienen lugar en regiones en las que los períodos de lluvia y sequía se alternan. Las plantas están adaptadas a ello y sobreviven a las sequías con la ayuda de pseudobulbos grandes, duros y estriados, cubiertos con una funda membranosa. Con la llegada de la estación húmeda, los órganos aparentemente muertos reviven de nuevo y producen brotes foliados con espigas florales laterales. En consecuencia, los tallos dan lugar a una nueva generación de pseudobulbos, algo más grandes cada vez. La foto, de una planta sin especificar, fue tomada en el sur de México, cerca de las cascadas de Agua Azul.

Cymbidium híbrido.

Cymbidium híbrido.

rón, alcanzando una longitud de 40 cm. La florescencia, que sobresale, mide 50 cm de largo y tiene flores dispersas y escasas de color marrón y rojo. La *C. aloifolium* es semiepifítica (crece por ejemplo en los detritus de las hendiduras de los árboles, en cotas bajas). El cultivo es fácil y necesita un período de reposo breve para dar mucha flor. Sale mejor adelante si está montada en un trozo de madera, siendo recomendable añadir un poco de sustrato epifítico envolviendo las raíces en musgo. La *C. aloifolium* florece entre la primavera y el inicio del otoño, siendo originaria de las selvas de Ceilán, Sumatra, Mianmar, Vietnam, el sur de China y otros países.

Cymbidium finlaysonianum

INTERMEDIA TERMOFÍLICA

Estamos ante una de las excepciones que confirman la regla: la *C. finlaysonianum* es tan termofílica que definitivamente se moriría si se expusiera a las frescas condiciones utilizadas para los híbridos de *Cymbidium*. La especie tiene pseudobulbos tan pequeños, con hojas múltiples de más de 50 cm de largo, duras y en forma de cinturón. La florescencia sobresale y tiene una docena de flores, de unos 5 cm de diámetro, de color marrón amarillento mezclado con rojo, con el pétalo labial algo más claro. La *C. finlaysonianum* se cultiva epifíticamente y procede de las elevaciones más cálidas y húmedas del sureste asiático. El cultivo es muy parecido al de las especies precedentes, aunque hay que tener extremo cuidado para que la temperatura ambiente no baje nunca de los 20 ºC, ni tan siquiera durante el frío invierno.

Cymbidium finlaysonianum.

Cymbidium aloifolium

INTERMEDIA

Las orquídeas del género *Cymbidium* han estado restringidas a los invernaderos para flor cortada. La hibridización de este género ha alcanzado cotas de práctica perfección, y las plantas de nueva formación son imbatibles por su belleza, duración e intesidad de producción de flor, así como por sus bajas necesidades de energía. Para desarrollarse de una forma adecuada sólo precisan una temperatura de unos 10-12º en invierno (ver el capítulo sobre hibridización y reproducción de orquídeas) e incluso la *C. aloifolium* sale adelante mejor en un entorno templado. Sus pseudobulbos son duros y de tamaño reducido. Las hojas son duras y en forma de cintu-

Cymbidium aloifolium.

Cymbidium lowianum ■ ☺

CRIOFÍLICA

La orquídea *Cymbidium* es la más extendida de las especies botánicas. La abultada *C. lowianum* tiene pseudobulbos ovales con más de 10 hojas apuntadas con forma de correa, que alcanzan una longitud de 75 cm. La espiga floral también mide 75 cm y tiene unas 26 flores muy duraderas, de más de 10 cm de diámetro, con tépalos de color verde oliva o amarillo y un pétalo labial algo amarillento con un lóbulo central de bordes rojos. La florescencia es arqueada. Si queremos utilizarla como flor cortada, necesitaremos enderezar el tallo atándolo a una vara de madera. Así mismo hay que decir que el cultivo de esta especie es muy fácil. El único problema puede surgir de su necesidad de un entorno fresco durante el verano. Deberemos por lo tanto llevarla a un sitio fresco en sombra, bajo el cielo abierto, donde la *Cymbidia* puede puede quedarse hasta la llegada de los primeros fríos invernales. El substrato no debe estar nunca totalmente seco. El período de floración se da entre el invierno y el inicio de la primavera y la planta es originaria de una amplia región, entre Mianmar y el Himalaya.

Cymbidium lowianum.

Cynorkis sp., Madagascar.

Cynorkis ▣ ☺ ☺

INTERMEDIA

Estas orquídeas terrestres forman raíces bulbosas de una forma característica. Las hojas dispersas y escasas crecen cerca del suelo. El tallo floral, con vellosidades, tiene una o más flores dispuestas en un racimo. El tallo con varias flores de la foto, de la planta originaria de *Madagascar*, mide unos 35 cm. Los tépalos son de color verde, el vistoso labio blanco se extiende en cuatro lóbulos y tiene un punto purpúreo en la base estrecha. Para el cultivo de esta especie, debemos respetar: el tiempo de desarrollo, en el que la planta debe mantenerse en un sitio húmedo, umbrío y cálido, mientras que en el período invernal lo que se recomienda es un tiempo de descanso largo y fresco. En Madagascar se han clasificado hasta 125 especies del género *Cynorkis* y 17 especies en el África continental.

Cyrtopodium glutiniferum ■ ☺

INTERMEDIA

Sólo los miembros epifíticos del género *Cyrtopodium* son adecuados para el cultivo, mientras que los bulbos de las especies terrestres son demasiado grandes (de más de 50 cm). Las especies terrestres de la *C. glutiniferum* tienen pseudobulbos más pe-

Cyrtopodium glutiniferum.

Dendrobium aggregatum.

Dendrobium albo-sanguineum ⊡ ▣ ☺

queños, caducos, con forma de huso, de 20 cm de alto. El tallo floral tiene ramificaciones y mide un metro. Tiene también un gran número de flores diminutas, de 1,5 cm. Para cultivar la especie se recomienda el uso de una mezcla de sustrato permeable, con algo de tierra. Para que dé flor abundante y se desarrolle bien, la planta necesita un entorno moderadamente húmedo y a media sombra en verano, además de un período de reposo invernal. La planta da flor en la primavera. La especie se da en Venezuela y los países vecinos de América Latina.

Dendrobium aggregatum ⊡ ▣ ☺ ☺

Esta especie pertenece a una minoría dentro del género *Dendrobium*, con sus pseudobulbos unifoliados de una sola hendidura, cuadrangulares y aparentemente agregados y con forma de huevo. Es una de las razones por la que la especie se clasifica a veces como miembro del género *Callista*. Más de 15 flores intensamente amarillas crecen sobre un racimo floral compacto y sobresaliente en un lateral del pseudobulbo. Durante el período de vegetación, esta epífita necesita calor abundante, sol y agua, en contraposición a lo que sucede en invierno, cuando se pide un entorno más seco y fresco. La planta florece en primavera y proviene del Himalaya, Mianmar, Tailandia y Laos.

Es una especie enana con flores maravillosas. De modo muy específico, tiene unos pseudobulbos en falso tallo, algo grueso, de más de 25 cm de largo. Los racimos florales crecen a partir de los internodos entre las hendiduras. Las flores, de un blanco níveo, tienen dos motas púrpura y rojo en el pétalo labial. Para cultivar esta especie, en invierno, hay que apoyar el crecimiento de los nuevos pseudobulbos regándolos abundantemente, con fertilizantes apropiados, luz y aire fresco. Podemos fomentar la floración reduciendo la temperatura y riego en invierno. Las flores aparecerán entre el final del invierno y el inicio de la primavera. La planta fue descubierta en Tailandia y Mianmar.

Dendrobium albo-sanguineum.

Dendrobium amethystoglossum.

Dendrobium antennatum.

Dendrobium amethystoglossum ▣ ■ ☺

TERMOFÍLICA

Se trata de una especie con pseudobulbos largos y hendidos, espesamente foliada, con más de 80 cm de largo. El racimo sobresale y tiene flores de labio blanco o púrpura de unos 3 cm de diámetro, brotado del ápice del pseudobulbo. La planta no necesitará un período de descanso prolongado. Se cultiva epifíticamente, en un hábitat con mucha luz y sol. Esta orquídea florece entre finales de otoño hasta el inicio de la primavera. Esta especie es originaria de Filipinas.

Dendrobium anosmum ▫ ▣ ☺

INTERMEDIA TERMOFÍLICA

Esta orquídea posee una exótica flor, larga y de color morado. Crece como las especies epifíticas, al igual que otros miembros de la especie (ver *D.*

Dendrobium anosmum.

albo-sanguineum). Esta planta florece al inicio de la estación de lluvias, por la primavera. Crece en bosques abiertos mixtos de árboles de hoja caduca y perenne, a una altura media. Tiene un rango geográfico amplio, que va desde Sri Lanka y la India hasta Filipinas y Nueva Guinea.

Dendrobium antennatum ▣ ☺ ☺

INTERMEDIA TERMOFÍLICA

Interesante orquídea *Dendrobium*, con flores de extraordinaria morfología. Los pseudobulbos del tallo son erectos, de más de 40 cm, y están llenos de hojas. La florescencia tiene 3-7 flores blanquecinas de más de 30 cm de alto y 4 de diámetro. Los sépalos laterales se extienden en la parte de atrás y forman una protuberancia roma. Sus pétalos son erectos, con forma de huso, verdes y amarillos, de más de 4,5 cm de altura y el labio posee unas motas de color rosa purpúreo. La especie pide las mismas condiciones de la *D. Phalaenopsis*, florece entre la primavera y el verano, y es de Nueva Guinea.

Dendrobium bellatulum ☐ ▫ ☺ ☺

INTERMEDIA TERMOFÍLICA

Se trata de una orquídea enana semicaduca dotada con flores grandes. Los pseudobulbos son muy gruesos y con forma de huso, no miden más de 7 cm y los nodos de sus hendiduras dan lugar a flores blancas individuales con un labio sorprendente, de color anaranjado amarillo, que miden más de 4 cm de diámetro. Su cultivo es igual que

Dendrobium bellatulum.

Dendrobium capillipes.

Dendrobium capillipes

INTERMEDIA TERMOFÍLICA

Una maravillosa especie miniatura con flores de un amarillo sulfúreo. Los pseudobulbos gruesos y pequeños miden más de 5 cm de largo y están dispuestos en racimos compactos y gruesos, integrados por varios pseudobulbos. Las flores crecen en espigas florales (una o dos por espiga), en los ápices de los pseudobulbos desnudos. En su cultivo, la falta de luz es capaz de provocar que esta especie se haga más grande y gruesa, siendo de esta manera incapaces de obtener ninguna flor. Con plantas bien tratadas, especialmente en el invierno, podemos esperar flores en primavera. La especie fue descubierta en el noroeste de la India, Mianmar, Tailandia, China y Vietnam.

el de las *Dendrobium* que son de hoja caduca. Esta planta florece entre otoño y primavera, y es nativa de Tailandia, el sur de China, Mianmar e India.

Dendrobium capillipes.

Dendrobium chittimae   · ■ ☺

INTERMEDIA

Se trata de una especie más pequeña, interesante para los coleccionistas de orquídeas enanas con flores. Los pseudobulbos son amplios y se parecen a un bastón. Son delgados y con mucho follaje. Las flores brotan en los internodos, siempre una en cada uno. Miden más de 2,5 cm de diámetro, blanco crema con un remate notablemente rizado del labio amarillo purpúreo en forma de cono. Esta planta semicaduca no requiere un cultivo especial. Florece en invierno e iniciada la primavera, y proviene de Tailandia y otros países del sureste asiático.

Dendrobium chittimae.

Dendrobium christyanum   · ☹ ☺

INTERMEDIA

Especie que produce un pseudobulbo corto y con forma de huso, grueso, con 2-3 hojas gris verdoso en la parte superior. Las flores crecen en pares o solas y son grandes, de unos 4 cm, en proporción al tamaño de la planta. Sus tépalos son blancos, con una protuberancia roma saliendo hacia atrás mientras que el pétalo labial brota hacia delante. La garganta aparece adornada con un punto rojo que gradualmente se vuelve anaranjado y amarillo. Esta especie necesita un período de reposo cálido. Su última floración del año, en verano, complica su cultivo, ya que los nuevos pseudobulbos a menudo no dejan de desarrollarse antes del invierno, y la falta de luz provoca que sean pequeños o deformes. Tailandia y Vietnam son los países de origen de esta especie.

Dendrobium chrysotoxum   ■ ☹ ☺

INTERMEDIA TERMOFÍLICA

Los pseudobulbos, dorados y con forma de huso están estriados a lo largo y rematados por dos hojas ovales amplias, que son bastante correosas. El tallo floral brota de un ápice del pseudobulbo y está cubierto con más de 20 flores. Las flores son amarillas,

Dendrobium chrysotoxum.

con el pétalo labial anaranjado y amarillo, con un borde rizado. Esta orquídea no es difícil de cultivar, sólo es preciso darle un período de reposo largo y cálido en invierno. La florescencia aparece más pronto que la de las especies relacionadas con ella, ya en invierno. Su ámbito geográfico es amplio: sur de China, Himalaya, Mianmar, Tailandia y Laos.

Dendrobium crepidatum.

Dendrobium crepidatum

INTERMEDIO

Orquídea caduca con pseudobulbos estriados, de una longitud que no excede los 20 cm, lo que hace de la *D. crepidatum* una planta sin grandes exigencias de espacio. Sus flores tienen una textura cerúlea, son duras y brotan de las uniones de las hojas. Sus pétalos labiales son muy bellos gracias a un punto amarillo intenso. Los otros tépalos son rosados. La estación de flor va desde la primavera al inicio del verano. Ocupa en el medio natural una extensión muy amplia, a saber, la India, el Himalaya, Mianmar, Tailandia y Laos.

Dendrobium cruentum

INTERMEDIA TERMOFÍLICA

Una de las más raras orquídeas del mundo que apenas se encuentra en el medio natural, y es que la especie *D. cruentum* es una de las que están incluidas en la lista del «Apéndice 1», de la convención internacional CITES. Se trata de una de las *Dendrobium perennes*. Su pseudobulbo mide 40 cm y produce en sus ápices una o dos flores muy hermosas de entre 3,5 y 5 cm de ancho, con tépalos verdes y amarillos. El pétalo labial está cubierto con protuberancias verrugosas de color rojo ladrillo. Hay que cultivar las plantas de esta especie como las otras *Dendrobia termofílicas*. Las flores aparecen de forma irregular en cualquier época del año. La especie *Dendrobium cruentum* proviene de Malasia y Tailandia.

Dendrobium cruentum.

Dendrobium cuthbertsonii.

Dendrobium cuthbertsonii □ ▣ ☺

CRIOFÍLICA INTERMEDIA

Estamos ante una orquídea en miniatura que destaca entre las demás del género no sólo por su aspecto, sino también por la forma de cultivo. Es una rareza muy buscada, con maravillosas flores tubulares de más de 5 cm de diámetro y con pseudobulbos de 2-3 cm, con forma de bastón y hojas así mismo pequeñas, duras y de superficie rugosa. El color de las hojas varía, con ejemplares de tonos pastel en rojo ladrillo, anaranjado, amarillo y púrpura. Las plantas no necesitan un período de reposo y sus raíces no deben dejarse nunca secas. Por consiguiente, es recomendable cultivar esta especie en tiestos. El excesivo calor veraniego también puede resultar dañino. Las flores son muy duraderas y aparecen prácticamente durante todo el año, con más frecuencia en primavera y en verano. La *D. cuthbertsonii* es originaria de las alturas entre 2.250-3.000 metros de Nueva Guinea.

Dendrobium dearei.

Dendrobium dearei ■ ☺ ☺

TERMOFÍLICA

Dentro del género *Dendrobium*, las flores blancas no son muy comunes. Por consiguiente, están entre las características que hacen de la *D. dearei* una especie valiosa. La planta es abultada. Sus pseudobulbos alcanzan una altura de más de 80 cm. Están cubiertas con follaje correoso y duradero. Las flores miden 7 cm de diámetro y son blancas con la garganta verdosa. Están dispuestas en forma de racimo. Esta especie es una de las orquídeas *Dendribium* perennes y tiene gran demanda de humedad y calor, a lo largo de todo el año. La *D. dearei* normalmente florece en primavera. Procede de Filipinas.

Dendrobium densiflorum ▣ ■ ☺ ☺

INTERMEDIA

Estamos ante una orquídea espectacular más bien voluminosa. Sus pseudobulbos delgados y en forma de bastón tienen 4-5 hojas y más de 40 cm de alto. Tras un período de reposo, un racimo sobresaliente y compacto de flores amarillas brota de su ápice. Las flores son anaranjadas y amarillas con un labio aterciopelado. Hay que cultivar epifíticamente la planta, o bien en macetas. La florescencia aparece

Dendrobium densiflorum.

en primavera (o incluso en verano) y el hábitat de la especie está al pie de las montañas del Himalaya, en Mianmar y en Tailandia.

Dendrobium devonianum var. *album* ▣ ☺ ☺

INTERMEDIA

Una especie con pseudobulbos que sobresalen, delgados y con forma de bastón, que miden más de 40 cm. Tras la maduración del pseudobulbo, de los

Dendrobium devonianum var. *album*.

nudos brotan 1-2 grandes flores con el borde rizado y pétalos labiales con forma de corazón. La superficie de cada pétalo labial tiene dos puntos anaranjados y amarillos. Los bordes del pétalo labial son rosa y púrpura. En contraste, la planta presentada en la foto tiene flores blancas, excepto por las indispensables motas amarillas. La mejor manera de cultivarla es epifítica. Florece entre primavera y verano y es originaria del noreste de la India, Mianmar, el suroeste de China y el norte de Tailandia.

Dendrobium exile ☐ ⊡ ☺

INTERMEDIA

Una pequeña y algo oscura especie de orquídea cuyo pseudobulbo tiene un aspecto poco corriente. Sus tallos delgados y extensos están cubiertos por dos filas de unas hojas propias de esta planta, carnosas, dispuestas de forma opuesta. La longitud de las hojas, parcialmente caducas, que son casi redondas en sección cruzada, no pasa de 5-6 cm. Una o dos flores brotan de los nudos formados en la parte superior de los tallos y son bastante grandes. El labio es blanco con una mota naranja y amarilla en la garganta. Hay que cultivar la especie con humedad relativa, sin período de reposo sustancial. Florece en invierno y es de Tailandia, Mianmar y Laos.

Dendrobium farmeri.

Dendrobium findlayanum.

Dendrobium farmeri ■ ☺

INTERMEDIA

Esta especie de orquídea se parece a la *D. densiflo-rum* en aspecto y necesidades de cultivo, aunque es más pequeña. La forma del racimo sosteniendo más de 20 flores y la forma de las flores son también idénticas. Sin embargo, los tépalos son blanqueci-nos, excepto en la base del pétalo labial, aterciope-lado, anaranjado y amarillo. Las flores aparecen en-tre el invierno y la primavera. Es originaria de las altitudes bajas del Himalaya, Mianmar y Tailandia.

Dendrobium farmeri.

Dendrobium findlayanum ▫ ◻ ☺ ☺

INTERMEDIA

Planta con unos pseudobulbos caducos de forma muy curiosa, de unos 25 cm de largo y cuyos esla-bones individuales en forma de pera están solapa-dos en la base y se ensanchan en el ápice. Además, la especie produce flores muy bellas que aparecen en las uniones, una o dos en cada una. El pétalo la-bial es ancho, con un punto en el centro, de color amarillo anaranjado. Esta especie necesita mucha luz. La insuficiencia de luz a menudo provoca que los pseudobulbos asuman una forma tradicional, que provoca deformidades, estiramientos, etc. Flo-rece entre el invierno y la primavera y procede de Tailandia, Laos y Mianmar.

Dendrobium formosum ■ ☺ ☺

CRIOFÍLICA TERMOFÍLICA

Una especie de buen tamaño con flores grandes y doradas. Los pseudobulbos erectos y llenos de folla-je miden más de 45 cm de largo y están típicamente cubiertos con protuberancias negras en la parte su-perior. Las flores de un color blanco de nieve miden 8 cm de diámetro. El pétalo labial tiene una espuela de 2 cm y está embellecido por un motivo amarillo en el interior. La especie es perenne, aunque se debe mantener en condiciones de calor y humedad en ve-

Dendrobium formosum.

Dendrobium friedericksianum.

rano y en condiciones templadas con reducción de riego en invierno. Florece entre otoño y primavera y es originaria de suelos de cota alta, de unos 2.250 metros por encima del nivel del mar, en el Himalaya, Tailandia y Mianmar.

Dendrobium friedericksianum.

Dendrobium fredercksianum

INTERMEDIA

Especie semicaduca con pseudobulbos en forma de garrote, grandes, con un espeso follaje en el tiempo de crecimiento. Las flores son grandes y aparecen en las partes superiores de los pseudobulbos maduros y pelados. Los tépalos, de un amarillo sulfúreo, están dominados por la garganta marrón y rojo del pétalo labial, fuerte y con forma de cono. La planta se reproduce mediante división y montando los manojos separados en trozos de madera. Como los pseudobulbos son pesados, es necesario asegurar sus raíces; así mismo, necesita uno o dos años antes de que se asegure su estabilidad mediante ellas. Florece en invierno y primavera y es de Tailandia.

Dendrobium gratiosissimum.

Dendrobium gregulus.

Dendrobium gratiosissimum

INTERMEDIA

Si conseguimos aportar a estos especímenes las condiciones de cultivo correctas, nos premiará con unas flores asombrosas. En cada punto de unión crecen varias flores blanquecinas con tépalos de bordes púrpura y labio amarillo anaranjado con una línea blanca. Dos tercios de la superficie de un pseudobulbo delgado y amplio, de más de 40 cm, puede verse cubierto de flores. El cultivo no resulta complicado. Durante el período de vegetación, desde la primavera hasta el otoño, la planta exige buena nutrición, agua y calor, al contrario de lo que sucede en invierno, cuando debemos reducir el riego y tenerla a menor temperatura. La *D. gratiosissimum* procede del sureste de la India, suroeste de China, Tailandia, Mianmar y Laos.

Dendrobium gregulus

INTERMEDIA

Esta algo atípica representante del género gustará a los aficionados sobre todo por sus diminutos pseudobulbos en forma de balón de entre 2 y 4 cm, cuyas flores, no muy duraderas, tienen 3 cm de diámetro y son blanquecinas con una venadura violeta en el

Dendrobium gregulus.

pétalo labial. Aparecen en grandes agrupaciones, entre 3 y 6 en cada tallo floral erecto que nace de los pseudobulbos nuevos bifoliados. Florece a principios de primavera y procede de Tailandia y los países del entorno.

Dendrobium harveyanum

INTERMEDIA

Aunque el mundo de las orquídeas es muy diverso, sería muy difícil encontrar muchas plantas cuyas flores superasen en belleza a las de la *D. harveyanum*, con el borde amarillo de los pétalos, y cuyo labio redondeado está forrado con una textura rizada alargada. Además, la garganta del pétalo labial exhibe una preciosa mota amarilla, aunque las flores no duran demasiado. Los pseudobulbos sobresalen y son semicaducos, tienen 30-40 cm de alto, con racimos que sobresalen brotando de sus intersecciones. Se debe cultivar como en el caso de las otras *Dendrobium*, que necesitan un descanso en condicio-

Dendrobium harveyanum.

Dendrobium hercoglossum.

Dendrobium heterocarpium

INTERMEDIA

Esta orquídea *Dendrobium* grande tiene pseudobulbos cilíndricos y caducos que llegan a los 40 cm de largo. Las hojas elípticas apuntadas miden más de 15 cm de largo. Las flores son grandes, de unos 6 cm, brotando del ápice de los pseudobulbos maduros y desprovistos de hojas en la mitad de la estación seca. Sus tépalos de color crema son amplios y apuntados y su labio pequeño y en forma de corazón tiene un punto amarillo y marrón en la garganta. La planta se da en un área geográfica extensa, desde Sri Lanka hasta la India, a través de Mianmar y Tailandia, hasta las Filipinas.

Dendrobium heterocarpum.

nes secas y frescas. La especie florece en primavera y procede de Tailandia, Mianmar y Vietnam.

Dendrobium hercoglossum

INTERMEDIA

Es una especie semicaduca con largos pseudobulbos, con un color de flores inusual según los estándares de las *Dendrobium*. El color púrpura claro (azulado en algunos casos), la simetría de las flores con aspecto cerúleo y con un remate purpúreo en el centro (la parte de los órganos reproductores conocido por su nombre latino de *Anthera*). El labio es blanquecino, con una punta de color púrpura. Se cultiva epifíticamente sobre un trozo de madera o de corcho, en una cesta epifítica. Los pseudobulbos, que sobresalen parcialmente, necesitan un período sustancial de descanso antes de la floración. Las flores aparecen en primavera. La especie se conoce en el medio natural en el suroeste de China, en Tailandia, Indochina y Malasia.

Dendrobium infundibulum.

Dendrobium infundibulum

CRIOFÍLICA TERMOFÍLICA

Esta orquídea se parece mucho a la especie *D. formosum*, tanto en apariencia como en exigencias de cultivo. Las características que la distinguen son sus flores más pequeñas (unos 7 cm) y la forma del pétalo labial. La subespecie ssp. *Jamesianum* se cultiva a menudo y tiene, al contrario que las otras de su especie, unos pseudobulbos más fuertes y rectos y los bordes del pétalo labial vellosos. El cultivo es el mismo que el de la *D. formosum*. Florece en primavera y es de India, Mianmar, Laos y Tailandia.

Dendrobium infundibulum.

Dendrobium jacobosonii

INTERMEDIA

El color rojo no es muy común entre las flores de las orquídeas *Dendrobium*, lo que convierte a una especie dotada con flores rojas en una rara y muy apreciada joya. La especie *D. jacobsonii* cuenta con pseudobulbos muy largos, dotados de hojas, que no florecen hasta que han alcanzado una madurez completa y perdido casi todas sus hojas. Las flores individuales de color rojo ladrillo brotan en los internodos de los pseudobulbos. Las flores aparecen en primavera y la especie es del sureste de Asia.

Dendrobium jacobsonii.

Dendrobium jenkinsii.

Dendrobium jenkinsii □ ☺ ☺

INTERMEDIA TERMOFÍLICA

Esta pequeña especie es popular entre los cultivadores *amateurs* tanto por la forma como por sus diminutos pseudobulbos unifoliados, de 3-4 cm, y por sus grandes flores amarillas y anaranjadas. Su cultivo es difícil. Para desarrollarse bien, la planta necesita un trozo de madera o de corcho y pleno sol. Las quemaduras se pueden evitar poniéndolos al aire libre en un punto protegido de la lluvia. Hay que regar con moderación durante todo el año y reducir el riego incluso más en invierno para evitar que la planta se pudra. Las flores aparecen en la primavera. La planta es originaria de Tailandia, Mianmar y Laos.

Dendrobium kingianum □ ☺

CRIOFÍLICA INTERMEDIA

Es una especie con casi ninguna exigencia de cultivo, de manera que es muy fácil de reproducir por división o mediante pseudobulbos hermanos. Su lentitud para florecer ha evitado una popularidad aún mayor, así como el hecho de que las flores no sean muy vistosas y sean pequeñas. Los pseudobulbos cónicos miden 15 cm de alto y tienen 4-5 hojas. Una racimo erecto de entre 3 y 8 flores pequeñas brota del ápice. El color de las flores va del púrpura al blanco, con un matiz rosado. La *D. kingianum* es una especie muy criofílica que puede cultivarse, por ejemplo, junto a las orquídeas *Cymbidium*. La estación de flor llega en primavera. La especie es nativa del este de Australia.

Dendrobium kingianum.

93

Dendrobium lamellatulum.

Dendrobium lamellatulum ▣ ☺ ☺

INTERMEDIA TERMOFÍLICA

Esta especie presenta unos pseudobulbos extensos, achatados por los dos lados. Las flores son diminutas, de entre 1,5 y 2 cm, y no muy atractivas, aunque con una notable espuela en cada una, formada por pétalos extendidos hacia detrás. Las flores brotan, a veces incluso varias veces, en manojos sobre el ápice del los pseudobulbos. Son blancas, verdosas o amarillas, con una mota de color miel en la garganta de cada pétalo labial. Es preciso cultivarlas de manera parecida a la de las otras especies caducas de este género. Florece en primavera y se da en las áreas rurales de Tailandia, Mianmar, Malasia, Indonesia, Filipinas y otros países de la zona.

Dendrobium lanyiae ☐ ▫ ☺ ☺

INTERMEDIA TERMOFÍLICA

Sus flores resultan casi gigantescas comparadas con el tamaño pequeño de las plantas. Además, para los estándares del género, la planta tiene un color en los tépalos sin precedentes. Los pseudobulbos son caducos, gruesos y cilíndricos, no miden más de 5-6 cm de longitud y, en la temporada de flor, aparecen cubiertos con unas flores de color anaranjado y rojo, con el pétalo labial blanco y venaduras rojas. En la mitad de la estación seca brotan dos o tres flores de los nudos de los pseudobulbos sin hojas. Las flores aparecen a comienzos de primavera y la especie es originaria de Tailandia, Mianmar y Laos.

Dendrobium linguiforme ☐ ☺ ☺

INTERMEDIA

Una especie curiosa de orquídea, apreciada sobre todo por su aspecto tan peculiar, gracias al cual fue descrita ya en 1800. Una característica básica de esta orquídea epifítica o litofítica es su rizoma ras-

Dendrobium lanyiae.

Dendrobium linguiforme.

Dendrobium loddigesii.

trero con ramificaciones, que sostiene unas hojas gruesas y duras, estriadas en los laterales, con una longitud de 4 cm y dispuestas sobre el rizoma a poca distancia unas de otras. Las flores crecen en un racimo erecto y tienen una posición girada, con el pequeño pétalo labial apuntando hacia arriba, miden unos 2 cm de lado a lado, de color blanco o crema, con marcas rojizas sobre los bordes de los tépalos. En su cultivo hay que ser muy pacientes. Se cultiva epifíticamente sobre un trozo de madera o de corcho. No se debe dividir demasiado a menudo, debiendo añadir algo de musgo *Sphagnum* debajo de las plantas recién montadas. La planta procede de las partes tropicales de Australia.

Dendrobium lituiflorum   ▣ ■ ☺

INTERMEDIA

Es una orquídea con flores maravillosas y pseudobulbos pequeños y destacados que superan una longitud de 60 cm. Las hojas miden unos 10 cm y la planta acaba perdiéndolas todas. En los internodos situados en las intersecciones brotan una o dos flores bastante voluminosas, de unos 5 cm. El labio, que es de color blanco, tiene la garganta púrpura, forma de cono y está rodeado por otros tépalos de color violeta. Las exigencias de cultivo son las mismas que las de las otras orquídeas *Dendrobium*. La especie florece en primavera, en bosques semicaducos de la India, Mianmar y Tailandia.

Dendrobium loddigesii   ▣ ☺

CRIOFÍLICA INTERMEDIA

Es una orquídea muy conocida y apreciada de pequeño tamaño. Los pseudobulbos sobresalen, son parecidos a tallos, semicaducos, de más de 20 cm de longitud. Las hojas son diminutas y parcialmente caducas. Tiene una o dos espectaculares flores púrpura con pétalos labiales de color anaranjado y amarillo, que brotan en la parte superior de los

pseudobulbos, cuando éstos han tenido un período de reposo adecuado. Las plantas que se mantengan en cubículos de vidrio con calefacción durante todo el año podrán crecer salvajemente pero nunca darán flor. No, mientras su crecimiento no sea interrumpido poniéndolas en un entorno frío y seco. Esta especie no produce flores antes de que se termine el período de descanso. Florece entre el invierno y el inicio de la primavera. La planta procede de las elevaciones medias del sur de China y de Laos.

Dendrobium lituiflorum.

Dendrobium macrophyllum.

Dendrobium macrophyllum ▣ ☺ ☺

INTERMEDIA TERMOFÍLICA

Los pseudobulbos de esta especie tienen forma de bastón, de más de 30 cm de largo y con un par de hojas grandes, correosas y alargadas, de forma oval. Las flores son entre verdosas, blancas y amarillentas, y crecen en racimos poco densos a partir del ápice del pseudobulbo. Las partes externas de sus sépalos son muy vellosas y cada uno de los robustos labios se ve embellecido con una marca marrón. La planta procede de áreas geográficas relativamente húmedas y cálidas, por lo que las normas para su cultivo epifítico o en macetas han de adaptarse a estas condiciones. Las flores aparecen en primavera y la planta procede de Java, Sumatra y Nueva Guinea.

Dendrobium nobile.

Dendrobium nobile ▣ ■ ☺

CRIOFÍLICA INTERMEDIA

Hoy en día, la especie original ha sido casi totalmente sustituida por híbridos llenos de colorido, más vivos y propensos a dar flor. El único inconveniente de esta orquídea es el gran tamaño de su pseudobulbo grueso, irregularmente hinchado y grande. El color de las flores va desde el púrpura ligero al rosa y aparecen en los puntos de intersección de las partes altas de los pseudobulbos. El pétalo labial tiene en la garganta una mota de color púrpura oscuro. La especie se ve con frecuencia en las colecciones de los aficionados, en parte por su capacidad para crear pequeñas plantas hijas en los ápices de sus viejos pseudobulbos. Las flores crecen sólo en entornos suficientemente secos, luminosos y frescos. La especie se puede cultivar en cestas o en macetas, así como epifíticamente. La *D. nobile* florece en primavera y es originaria de una zona asiática muy extensa que incluye el sur de China, el Himalaya, Nepal, Tailandia, Laos, Vietnam y Taiwan.

Dendrobium parishii ▪ ☺

INTERMEDIA

Es una especie enana vendida hasta recientemente en grandes cantidades en el mercado negro de Bangkok. Sus pseudobulbos están hinchados de forma irregular, son grandes y miden entre 15 y

Dendrobium parishii.

20 cm de largo. Las hojas alcanzan una longitud de unos 10 cm y se caen durante el período invernal. Las flores individuales son púrpura intenso y crecen en las partes superiores de los pseudobulbos, alcanzando proporciones a veces de más de 5 cm. La superficie del labio blanquecino, más bien pequeño, es lisa y aterciopelada y la garganta está decorada con una mota púrpura oscuro. Las plantas necesitan ser fijadas a un soporte epifítico debido al gran peso de sus pseudobulbos. Como en otras plantas caducas, esta necesita condiciones muy distintas durante su período de descanso. Florece en primavera y procede del noroeste de la India, Mianmar, Laos, Tailandia, Vietnam y el sur de China.

Dendrobium peguanum   □ ⊡ ☺ ☺

INTERMEDIA

Se trata de una orquídea enana. Los pseudobulbos de esta especie tienen la forma de barril. Están muy hinchados y sólo miden 3-4 cm de largo. Durante el período vegetativo, entre la primavera y el otoño, están cubiertos con 4-5 hojas que después se caen. La flores son blanquecinas, con un labio marrón y verde y una mota púrpura en el centro, creciendo en racimos no muy densos a partir de la parte superior del pseudobulbo entre el invierno y la primavera. En su origen, Tailandia, Mianmar y Laos, crece sobre las ramas más gruesas de árboles semicaducos.

Dendrobium peguanum.

Dendrobium phalaenopsis ▣ ■ ☺

INTERMEDIA TERMOFÍLICA

Se trata de la más importante representante del género: el negocio de muchos productores, especialmente asiáticos, que trabajan en el mercado de la
flor cortada depende en buena parte de su híbridos.
Junto a su apariencia, las florescencias de los híbridos se distinguen por una excepcional duración y
una espiga floral muy firme. La especie biológica se
etiqueta a veces con el término biológico *D. biggi-
bum* ssp. *phalaenopsis*. Pertenece al grupo de las
Dendrobium termofílicas y perennes. Sus pseudobulbos gruesos y amplios, cuya longitud no pasa de
los 60 cm, no pierden el follaje cuando los tejidos
alcanzan su madurez. La espiga floral, mide más de
50 cm y sostiene entre 6 y 15 flores que alcanzan un
tamaño de 8 cm. Las flores de la especie original
son púrpura, con un labio púrpura intenso, pero hay
muchas excepciones de color, incluyendo el muy
apreciado blanco níveo denominada var. *hololeu-
cum*. Se debe cultivar la planta en un lugar bien

Dendrobium phalaenopsis.

98

Dendrobium phalaenopsis.

Dendrobium phalaenopsis.

Dendrobium phalaenopsis.

ventilado y bien iluminado, en cestas suspendidas y en macetas con un sustrato permeable y grueso. Las flores aparecen en las especies biológicas y en sus híbridos durante el período de invierno, comercialmente favorable. La planta procede del norte de Australia y Nueva Guinea, donde se da fundamentalmente en las rocas.

Dendrobium phalaenopsis.

Dendrobium primulinum.

Dendrobium pulchellum.

Dendrobium primulinum

INTERMEDIA TERMOFÍLICA

Otra representante caduca del género, con pseudobulbos erectos, algo gruesos, que alcanzan longitudes de más de 35 cm. En las nudos de los puntos de interesección superiores del pseudobulbos se forman 2-3 flores, de unos 5 cm de ancho. Su color es púrpura con un matiz rosa. El pétalo labial es blanquecino o amarillento y cuenta con una superficie aterciopelada, como de fieltro. El cultivo es el mismo que en el caso de las otras representantes de la sección ecológica del género. La *D. primulinum* florece en primavera y su hábitat incluye China, el Himalaya, Mianmar, Tailandia, Laos y Vietnam.

Dendrobium pulchellum

INTERMEDIA TERMOFÍLICA

Estamos ante una orquídea muy hermosa cuando florece. Fuera del período de floración, no varía en aspecto de las otras orquídeas *Dendrobium* con pseudobulbos alargados y estrechos. Algo fuera de lo habitual: las flores se dan en abundancia en racimos que sobresalen en los extremos de los pseudobulbos. Son blancos y amarillo crema, con un péta-

lo labial aterciopelado con dos puntos carmesí. Florece en invierno y primavera y es de la India, Mianmar, Malasia e Indochina.

Dendrobium sanderae

TERMOFÍLICA

Una especie muy relacionada e idéntica en aspecto a la *D. dearei*. Es una de las representantes perennes del género, con grandes flores que brotan en los

Dendrobium sanderae.

ápices de los pseudobulbos entre unas hojas de un verde muy vívido. Los pseudobulbos son bastante grandes, de entre 50 y 70 cm. Las grandes flores blancas alcanzan longitudes de 9 cm y están decoradas con una espuela alargada y un labio bilobulado ancho con una marca roja. Si deseamos cultivar esta especie, hagámoslo en lugares algo húmedos, en condiciones cálidas, sin un período de descanso sustancial. Las flores se abren durante todo el otoño y la planta proviene de Luzón en Filipinas.

Dendrobium scabrilingue

INTERMEDIA TERMOFÍLICA

Una especie con pseudobulbos semicaducos y pétalos labiales que varían mucho en color. Los pseudobulbos alcanzan longitudes de más de 25 cm y sus ápices dan lugar a unas florescencias no muy densas, con flores diminutas. Los tépalos son siempre de un blanco puro, mientras que el color del pétalo labial va de un amarillo claro a un naranja brillante. Hay que cultivar epifíticamente la planta en condiciones algo húmedas. El descanso invernal no es importante ni necesario. Esta especie florece entre el invierno y el inicio de la primavera y proviene de las altitudes medias de Tailandia, así como de Laos y Mianmar.

Dendrobium scabrilingue.

Dendrobium secundum ■ ☺

INTERMEDIA TERMOFÍLICA

Una de las orquídeas *Dendrobium* más conocidas, apreciada por científicos y cultivadores por medir sus flores en torno a 1 cm, tan diminutas que pueden llegar a reunirse muchas en un solo racimo. Los pseudobulbos son caducos, de más de 50 cm de largo, y estrechos en los extremos. Las flores son rosa purpúreo con un labio amarillo minúsculo. La planta requiere un cultivo epifítico, lleno de sol y aire durante el período de crecimiento, y sólo una pequeña reducción de temperatura durante el invierno. Varias florescencias pueden crecer a la vez de los nudos de los ápices de los pseudobulbos entre otoño y primavera. La planta es originaria de una zona muy extensa que incluye Tailandia, Vietnam, Malasia, Filipinas y las islas del océano Pacífico.

Dendrobium senile □ ☺

INTERMEDIA TERMOFÍLICA

Una planta exótica, espectacular y muy apreciada y buscada. Los pseudobulbos, grasos y caducos y las hojas verdes tienen una capa gruesa de vellosidades blancas. Junto a su senilidad, la especie tiene proporciones idóneas para el cultivo. La longitud de los pseudobulbos no supera los 20 cm. Las espléndidas flores amarillas con una decoración roja y verde en el labio también tienen un tamaño adecuado. Por la falta de luz, la excesiva humedad y ventilación, la planta dará pseudobulbos enanos o deformes, no echará flores e incluso se pudrirá. Hay que montar

Dendrobium senile.

Dendrobium sukhakulii.

la planta sobre un trozo de corcho de pino y reducir el riego pero no la temperatura durante el invierno. Desde comienzos de la primavera hasta el final de la estación, brotan 1-2 flores en los ápices de los pseudobulbos. La especie puede ser encontrada aún en el medio natural en Mianmar, Laos y Tailandia.

Dendrobium sulawesiense.

Dendrobium sukhakulii

INTERMEDIA

Se trata de una pequeña orquídea cuyo tallo del pseudobulbo tiene un grosor medio y una longitud superior a los 20 cm. Los nudos de la parte superior dan lugar a racimos alargados que sobresalen, con flores de un amarillo intenso, con un gran pétalo labial plano. El centro de la flor se ilumina con un punto amarillo pronunciado. Hay que cultivar la especie como a las otras representantes caducas del género. Las flores llegarán entre el invierno y la primavera. Se da en Tailandia, Mianmar y Laos.

Dendrobium sulawesiense

INTERMEDIA TERMOFÍLICA

Un sueño incumplido para muchos admiradores de las orquídeas, la *D. sulawesiense* es muy bella, peron desgraciadamente rara. Sus pseudobulbos no son muy gruesos. Miden más de 35 cm de largo y se caen tras un período de crecimiento, sin que esta circunstancia constituya ni mucho menos una norma. En los nudos de las partes superiores de los pseudobulbos maduros brotan grupos de flores largas y fabulosas. Las flores en forma de cinturón iluminan el espacio que les rodea con sus colores púrpura rosáceos. Los tépalos son amplios y tendidos hacia atrás y la parte inferior de la flor, formando así una protuberancia en forma de espuela. Las flores aparecen en primavera y principios de verano. La especie es originaria de la región de Sulawesi en Indonesia.

Dendrobium sulcatum.

Dendrobium sulcatum   ▫ ◼ ☺ ☺

INTERMEDIA TERMOFÍLICA

Los pseudobulbos de esta especie están hinchados y tienen hendiduras laterales, con los lados planos y con 3-4 hojas en forma de huevo en los ápices, que alcanzan longitudes de 15 cm. Si el verano es seco, la planta pierde todo su follaje. Si es algo húmedo, las florescencias, que sobresalen, pueden aparecer entre las hojas. Las flores son de 3,5 cm, amarillas, con un labio aterciopelado y rizado con motas rojas, y entre 10-20 de ellas poblando un racimo floral denso y compacto. Hay que cultivar la planta de forma epifítica. Se recomienda reducir el riego en invierno. La estación de flor llega en primavera. La planta es originaria de Tailandia.

Dendrobium thyrsiflorum   ◼ ◼ ☺ ☺

INTERMEDIA

Esta especie se clasifica a veces como *D. densiflorum* var. *albo-lutea*. En contraste con la *D. densiflorum*, de flores amarillas, esta planta tiene unas florescencias poco densas, que sobresalen, y unas flores más pequeñas de color blanco, con un labio anaranjado y amarillo. Florece a principios de primavera y es originaria de la zona entre Nepal y Tailandia.

Dendrobium tobaense   ◼ ☺ ☺

INTERMEDIA TERMOFÍLICA

La *D. Tobaense* procede de regiones cálidas sin un período de sequía reseñable, razón por la que sus largos y delgados pseudobulbos tienden a mantener su follaje. Sus características más destacables son unas flores de medio tamaño y forma de estrella que tienen una combinación de color atípica: tépalos amarillos y blancos decorados con venaduras verdes, rematadas por un extremo muy estrecho. El labio es anaranjado y rojo y la base y la punta se extienden hacia una protuberancia blanquecina y estrecha. Las necesidades de cultivo son similares a las de las otras termofílicas del género. Florecen al inicio del verano y crecen en el norte de Sumatra.

Dendrobium thyrsiflorum.

Dendrobium tobaense.

Dendrobium unicum

INTERMEDIA

Los pseudobulbos de la *D. unicum* son como palillos, secos, rojizos, largos y delgados. Tras la terminación del período de descanso, los nudos individuales de los pseudobulbos alcanzarán longitudes de 15 cm, que darán lugar a unas flores de color anaranjado y amarillo parecidas a las de la especie *D. lanyae*. Los tépalos orientados hacia atrás están

Dendrobium unicum.

bien contrabalanceados por un labio blanquecino saliente hacia delante y ornamentado con una venadura púrpura y roja. Para formar nuevos brotes, la planta necesita mucho sol, agua y nutrientes y un largo período de descanso en invierno. Cuando se ofrece por las granjas asiáticas de orquídeas, la especie suele incluirse como *D. arachnites* (que es una especie relacionada pero más rara). La planta florece en primavera y procede de Tailandia y Laos.

Dendrobium victoriae-reginae

INTERMEDIA TERMOFÍLICA

Esta orquídea llamará nuestra atención de forma inmediata con el color de sus tépalos que es raro y exclusivo, no sólo dentro del género *Dendrobium*, sino entre todas las orquídeas del mundo. Los bulbos semicaducos superan los 50 cm de longitud, pero en la mayoría de los casos son mucho más cortos. Las florescencias con entre 1 y 3 flores, crecen en los nudos de las partes superiores de los pseudobulbos maduros. Las flores son color azul purpúreo, con una venadura algo más oscura a lo largo de los tépalos y con un centro blanquecino que destaca. Hay que cultivar la planta en un entorno más bien cálido y húmedo y necesita sólo un período corto de reposo. Las flores aparecen de forma irregular, normalmente al final del verano. La especie procede de Filipinas.

Dendrobium victoriae-reginae.

Dendrobium virgineum

INTERMEDIA TERMOFÍLICA

Es una orquídea semicaduca bien fuerte, con flores grandes. Los pseudobulbos tienen 35 cm de largo. Las flores tienen más de 7,5 cm de ancho y aparecen entre las hojas, anchas y correosas. La flor blanca, con una protuberancia grande está dominada por un pétalo labial fuerte, ondulado y lobulado, con dos motas de color anaranjado y rojo. Hay que cultivar la planta epifíticamente en condiciones de calor y humedad a lo largo del año, sin un período de descanso sustancial. Las flores aparecen sólo de forma esporádica en cultivo. Florecen en el medio natural en Tailandia, la mayoría en verano.

Dendrobium williamsonii.

Dendrobium williamsonii

INTERMEDIA

Los pseudobulbos de la *D. williamsonii* tienen hojas en las partes superiores y miden más de 30 cm de largo. Tras alcanzar la madurez y perder sus hojas, los nudos de la parte superior dan lugar a 1-2 flores entre crema y blanco, de 4,5 cm de largo. El labio es ondulado, con un punto rojo anaranjado y textura rizada. Hay que cultivar las plantas como haríamos con las otras orquídeas caducas. Florecen en primavera y proceden de tierras de elevación media en Tailandia, Laos, Mianmar y Vietnam.

Dendrochilum ianiariense

INTERMEDIA

Lo que hace a la *Dendrochilum* especial es la «arquitectura» de las florescencias. Una multitud de flores diminutas se apiñan en unas espigas arqueadas. La especie *D. ianierense* tiene pseudobulbos reducidos, unifoliados con intervalos de color de 4 cm de largo, rematados con una hoja larga, de más de 20 cm, estrecha y muy dura. La florescencia consta de dos filas opuestas de flores verdes y amarillas muy peculiares. Es una especie epifítica, ocasionalmente terrestre, que quiere decir que puede cultivarse suspendida o en una maceta sobre una

Dendrochilum ianiariense.

Dendrochilum weriselii.

mezcla de grano fino permeable. La florescencia aparece irregularmente, entre la primera primavera y el otoño. La especie proviene del sureste de Asia.

Dendrochilum weriselii

INTERMEDIA

Las flores de las orquídeas del género *Dendrochilum* no están dotadas de particular belleza, pues los tépalos tienden a no tener suficiente color, pero destacan en cuanto al grupo se refiere. Si consideramos sólo las grandes especies como «orquídeas genuinas», lo mejor es olvidar el género *Dendrochilum* al completo. La *D. weriselii* se parece a las especies previamente mencionadas – y a las otras 130 representantes del género– en la morfología de sus partes verdes. Sus flores son de color rojo ladrillo, con las secciones inferiores de color verde amarillento. Hay un total de 40 de ellas ordenadas en dos filas opuestas, y florecen de forma casi simultánea, comenzando por abajo. Las normas de cultivo son prácticamente idénticas a las que hemos comentado en el caso de las especies que hemos citado con anterioridad. Las plantas florecen entre primavera y otoño y se sabe que se dan, entre otros lugares, en las Filipinas.

Diaphananthe pelucida

INTERMEDIA TERMOFÍLICA

Es una especie poco agraciada, de manera que sólo puede encontrarse en las colecciones de los jardines botánicos especializados. La *Diaphananthe pelucida* forma un tallo con hojas parcialmente ascendente, firme y gradualmente lignificado, con dos filas de hojas correosas, en forma de cinturón, con dos puntas en cada una. La florescencia sobresale, creciendo desde las axilas de las hojas y con entre 30 y 50 diminutas flores de color blanco, embellecidas con vistosas espuelas. Hay que cultivar las plantas tal y como lo haríamos con las orquídeas *Angraecum*. Es una especie que tiene su florecimiento en otoño y procede de las selvas húmedas de África occidental.

Diaphananthe pelucida.

Dimerandra emarginata.

Dimerandra emarginata

INTERMEDIA

Las orquídeas *Dimerandra* son epifitas alargadas con aspecto de junco. La especie *D. emarginata* tiene un tallo carnoso alto, de más de 40 cm, cubierto con dos filas de hojas firmes de 10 cm de largo, estrechándose en una punta delgada. Las espigas son cortas y tienen una flor. Aparecen en penachos en los extremos de los tallos, florecen una a una y dan flores rosa y púrpura. Cada flor tiene un labio vuelto hacia atrás de color púrpura oscuro. El centro de la flor está realzado con una base blanca en el labio. Las proporciones de la especie le evitan ser ideal para su cultivo. Las plantas pueden mantenerse tanto como epifíticas como sobre una mezcla permeable en cestas o macetas; necesita un espacio de semisombra, alta humedad y reposo invernal breve. Las flores aparecen irregularmente, más a menudo entre la primavera y el otoño. La planta vive en una gran área geográfica, entre México y Ecuador.

Dinema polybulbon

INTERMEDIA

Se trata de una planta muy bella, en miniatura, muy próxima a las del género *Encyclia*. Los pseudobulbos ovales de esta orquídea alcanzan tamaños de sólo 2 cm. Están distribuidos poco densamente en un rizoma rastrero y tienen un par de hojas con longitudes de unos 5 cm. Las flores amarillas y marrones con un labio blanquecino ancho crecen individualmente sobre espigas florales cortas. Sus proporciones y vitalidad, con varias nuevas generaciones de pseudobulbos cada año, hacen que la

Dinema polybulbon.

Diploprora championi.

planta resulte adecuada para cualquier coleccionista aficionado, y ayuda a que salgan adelante incluso en fanales de cristal. El cultivo no es difícil. Las plantas cultivadas epifíticamente se pueden soportar en un trozo de corcho de pino, en un entorno a media sombra y con fertilización de cuando en cuando. El único problema es que la planta es perezosa a la hora de dar flor y para inducirla debemos darle un breve período de reposo. La planta florece en los meses de invierno y procede de México, Guatemala y las islas adyacentes del Caribe.

Diploprora championi

INTERMEDIA TERMOFÍLICA

Representante de un género pequeño, de sólo 4 especies, no tiene una gran significancia en lo que se refiere al cultivo. Incluye unas orquídeas epífiticas diminutas con un tallo corto y fino. El tallo está cubierto con hojas algo falcadas y de alrededor de 10 cm de largo. La especie *D. championi* forma inflorescencias cortas de entre 3 y 5 flores amarillentas de 1,5 cm de ancho y con un labio blanquecino con marcas bermejas. Se cultiva como una epífita termofílica estándar. La planta florece en primavera y procede de un área muy extensa de Asia. La fotografía se tomó en Tailandia.

Diploprora truncata

INTERMEDIA TERMOFÍLICA

Esta especie no es muy atractiva desde el punto de vista estético o desde el de su cultivo. No difiere mucho en apariencia de la *D. championi*. Los racimos

monopodiales de hojas tienen 3-6 hojas cada uno. El racimo floral erecto y poco denso consta de 5-7 flores blanquecinas que tienen 1,7 cm de diámetro. Su única decoración es el labio arqueado que tienen en el extremo. Su parte interior amarilla posee una marca púrpura. Sus proporciones y necesidades ecológicas hacen de ella una especie adecuada incluso para fanales interiores de cristal con poca ventilación. Florece en primavera y vive en las ramas de los árboles en las cimas del norte de Tailandia, entre los 1.400 y los 1.800 m por encima del nivel del mar.

Diploprora truncata.

Domingoa hymenodes ☐ ⊡ ☺

TERMOFÍLICA

Esta planta forma psedobulbos muy pequeños con hojas lanceoladas carnosas y estrechas. En los ápices de los pseudobulbos emergen unas grandes espigas florales. El número total de flores que brotan de las espigas puede ser muy alto ya que las flores surgen en muchos años sucesivos. La espiga floral es muy alargada y de color rojo carmesí. Los otros tépalos son amarillo verdosos, con una nervadura roja, con relieve y alargada. El período de floración es irregular. Las flores aparecen varias veces en un mismo año. El cultivo no es muy complicado. Hay que cultivar la planta de forma epifítica, en media sombra, en un trozo desnudo de corcho. Las espigas florales antiguas y aparentemente secas no deben quitarse tras el final del período de floración. Además de en Cuba, la planta se da en Haití y otras islas del Caribe.

Doritis pulcherrima ⊡ ▣ ☺

INTERMEDIA TERMOFÍLICA

Esta planta es muy variable en aspecto y ha sido usada para procesos de hibridación durante muchos años. Consigue hibridarse con el género *Phalaenopsis* y dota a los híbridos resultantes, llamados *Doritaenopsis*, con una resistencia muy amplia a bajas temperaturas y de flores color rosa purpúreo. Resulta con frecuencia poco claro si una especie que nos encontramos en una determinada colección es una *Doritis* auténtica o un híbrido. En contraste con las orquídeas *Phalaenopsis*, su tallo se hace más amplio hasta parecerse a un pequeño

tronco de árbol, lo que hace imposible que las hojas carnosas y elípticas, de color verde oscuro con un matiz purpúreo, se solapen unas con otras. Las florescencias son erectas y tienen entre 10 y 15 flores púrpura rosado con el labio de un color púrpura más oscuro. En algunos casos, la espiga floral vuelve a salir cuando las flores se marchitan y no resulta recomendable retirarla de forma inmediata. En el medio natural, la *D. pulcherrima* es una epifítica, debiendo por lo tanto cultivarse montándola en una gruesa capa de musgo en un soporte de madera, o plantarse en una mezcla de corcho muy ligera dentro de una maceta. La especie florece en otoño y en invierno y se da en áreas muy amplias del suroeste de Asia, en Mianmar, Tailandia, Malasia, Vietnam y Sumatra.

Dracula sodiroea.

Dracula bella.

Dracula chimaera.

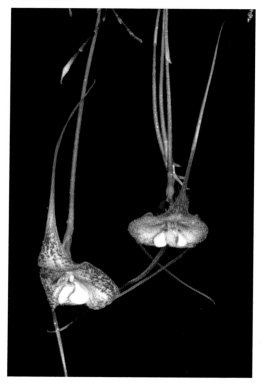

Dracula

□ ☺ ☺

CRIOFÍLICA INTERMEDIA

El género *Dracula* es bastante «joven». No fue creado hasta 1978 a través de la división del género *Masdevalia*. Su enigmático nombre, que en latín significa «dragón pequeño», sugiere el aspecto pintoresco y misterioso de las flores de algunas especies. El nombre genérico, así como los de las especies que lo forman (*D. vampira*, *D. chimaera*) levantaron gran interés por parte de los cultivadores de orquídeas, dando como resultado el hecho de que muchas especies se cultivan hoy en número su-

Dracula benedictii.

ficiente. Hasta el presente, el género *Dracula* incluye aproximadamente 80 especies epífitas o terrestres. Tienen parecido asombroso con otras y especialmente con las orquídeas del género madre, el *Masdevalia*. Las plantas no forman pseudobulbos y su parte fundamental es un rizoma acortado con una agrupación densa de tallos finos y diminutos, cada uno con una hoja alargada. A veces las hojas son carnosas, asumiendo así la función de órganos de almacenaje. Las espigas florales son erectas o parcialmente sobresalientes. En el caso de varias especies epífitas, son capaces de crecer entre las raíces. Las flores aparecen así suspendidas entre las plantas. En la parte superior de las espigas sólo suele aparecer una flor. Si se ven más, se abren de forma gradual una a una en intervalos muy largos. Las flores son efímeras y están dominadas por un trío de sépalos, cuyos extremos se extienden hasta longitudes extremas. El labio es pequeño y poco significativo. Los bordes de los tépalos son rizados. Una mayoría abrumadora de estas orquídeas proceden de las alturas de los Andes. Las plantas necesitan entornos bien ventilados y umbríos, con temperaturas frescas y estables. Las raíces no se deben exponer a una sequedad excesiva. Se recomienda evitar los cultivos epifíticos y seguir las normas de cultivo de las orquídeas criofílicas del género *Masdevalia*. Sus flores aparecen en primavera o de forma irregular y la planta se da alturas de América Central y del Sur.

Drymoda siamensis.

aparecen antes del final de la estación húmeda y crecen solas en espigas florales cortas. Tienen un labio pronunciado y son verde claro con una marca bermeja. Su cultivo es igual al de las orquídeas caducas *Dendrobium*. Se les debe proporcionar ventilación adecuada, un entorno semiumbrío con suficiente riego y fertilización en verano, y un período largo de fresco y reposo en invierno. Florece entre el final del invierno y el inicio de la primavera y se conoce para su cultivo en Mianmar, Laos y Tailandia.

Ellenathus   ■ ☺

INTERMEDIA

Dracula siamensis   □ ☺

INTERMEDIA

Se trata de una de las orquídeas más pequeñas del mundo, tomando sus flores formas inusuales. En el medio salvaje, la especie crece en compañía de orquídeas *Dendrobium* caducas y se desarrollan durante el año de modo parecido a éstas. Sus pequeños pseudobulbos, planos y redondeados, alcanzan un tamaño de 1 cm y, tras el final del período vegetativo, pierden todas sus diminutas hojas. Las flores

Cuando no florecen, las orquídeas *Elleanthus* se parecen algo a las *Sobralia*. Tienen tallos finos y rígidos, cubiertos con dos filas de hojas pergaminosas y con estrías a lo largo. En contraste, las flores son diminutas y aparecen más o menos abigarradas, muchas a la vez. En la zonas tropicales de América se dan unas 70 especies de este género, tanto terrestres como aéreas, siendo en Colombia donde se dan más (unas 50). Las plantas no son muy atractivas para su cultivo. Los interesados en cultivar estas orquídeas

Elleanthus sp., Ecuador.

deberán utilizar maceteros con sustrato ligero, rico en humus. La especie de la foto mide 60 cm y tiene florescencias umbeladas muy bellas, de color púrpura brillante. Florece de forma irregular, con más frecuencia en invierno. Fue descubierta en el cráter Pululahua en Ecuador.

Encyclia alata ■ 😐

TERMOFÍLICA

Las plantas del género *Encyclia* son muy apreciadas entre los cultivadores porque dan flores hermosas y fragantes, tolerando bien algunos errores de cultivo. La *E. alata* no está entre las especies más cultivadas, ya que es demasiado voluminosa. La especie forma pseudobulbos cónicos, de unos 10 cm, rematados con 2-3 hojas duras que alcanzan longitudes de unos 40 cm. La florescencia tiene ramificaciones y puede alcanzar una longitud de 1 m y sostener entre 15 y 20 flores. El color de las flores varía mucho. Normalmente son amarillo verdosas, con los bordes marrones de los tépalos y una labio blanco con venaduras. En el medio natural, vive a menudo en localizaciones extremas, como por ejemplo, en árboles semicaducifolios, o con mucha luz, en zonas costeras. Se cultiva epifíticamente y se debe regar con precaución, sobre todo si la orquídea no está en fase de crecimiento. Las flores aparecen entre primavera y otoño y la especie se conoce en América Central, en la zona entre México y Nicaragua.

Encyclia alata.

Encyclia aromatica.

Encyclia aromatica ◨ 😐

INTERMEDIA TERMOFÍLICA

La florescencia de la *E. aromatica* tiende a ser bastante grande. Los pseudobulbos tienen forma casi de balón, son muy rígidos y van equipados con dos hojas en forma de cinturón. Las proporciones son: pseudobulbos que alcanzan longitudes de más de 4 cm y hojas de 30 cm. La florescencia es de más de un metro de largo, sobresaliente, ramificada y con mucha flor. Las flores son bastante grandes, de más de 4 cm, de color amarillo pálido, con una marca púrpura en el labio. El cultivo es el mismo que en el caso de la *E. alata*, excepto por las necesidades de calor que son algo más altas para la *E. aromatica*. La planta florece en verano y procede de México y Guatemala.

Encyclia fucata.

Encyclia fucata   ▫ ◼ ☺

INTERMEDIA TERMOFÍLICA

Una especie bonita, pequeña y más bien poco exigente. Sus pseudobulbos bifoliados miden 3-6 cm de largo. Las hojas alargadas son firmes, duras y dan cuenta de las altas necesidades de la planta en materia de luz. Sobre la florescencia, que alcanza una lon-

gitud de 50 cm brotan 15-30 flores pequeñas, de unos 2,5 cm de envergadura. Los tépalos son amarillos y el labio es blanquecino con venaduras rojas. Esta planta es adecuada para su cultivo y procede de regiones bastante secas y soleadas. Se cultiva epifíticamente y se compensa la falta de luz en invierno reduciendo la temperatura. Florece a finales de primavera y en verano, siendo originaria de las islas del Caribe.

Encyclia garciana.

Encyclia garciana   ▫ ☺

INTERMEDIA TERMOFÍLICA

Una especie bonita y pequeña, con flores grandes y agradablemente coloreadas. Sus necesidades de humedad están un poco por encima de la media. Los pseudobulbos tienen 1-2 hojas de color verde grisáceo de unos 10 cm, con acanalamientos en sentido longitudinal. Las flores aparecen entre 1-3 en cada espiga floral, que son muy cortas. Tienen un diámetro de unos 4 cm, con un perfil triangular. Los tépalos blanquecinos están cubiertos con puntos púrpura y el labio es de color verde y blanco. Se cultivan tanto epifíticamente como en un sustrato epifítico en una maceta. La planta florece en otoño y procede de Venezuela.

Encyclia gracilis ▫ ▪ ☺ ☺

INTERMEDIA TERMOFÍLICA

Otra orquídea de colección muy bella, del género *Encyclia*. Sus hermosas flores se abren en invierno. Los pseudobulbos son de entre 2 y 5 cm de alto. Sostienen una par de hojas endurecidas que miden 20 cm. Entre 7 y 15 flores crecen en una florescencia sin ramificaciones y tienen un diámetro de 2,5 cm. Su color básico está entre el verde y el amarillo y el verde y el marrón. El labio es blanquecino con venaduras rosadas. La planta es poco exigente en cuanto a cultivo y debe ser cultivada de la misma manera que las otras *Encyclia* epifíticas (ver la *E.*

Encyclia gracilis.

alata), excepto por las exigencias de temperatura de la *E. gracilis*, que son menores. Florece en invierno y procede de las Bahamas.

Encyclia phoenicea ▫ ▪ ☺

INTERMEDIA TERMOFÍLICA

La apariencia decorativa de las flores de esta maravillosa orquídea se complementa con su fragancia a chocolate. La especie resulta atractiva debido a sus dimensiones relativamente idóneas para las colecciones y su resistencia a la sequía y a los errores de cultivo. La *E. phoenicea* tiene pseudobulbos que se estrechan en una forma cónica y cada florescencia tiene un par de hojas estrechas y duras. La florescencia es poco densa y se desarrolla en una espiga delgada y fibrosa, rígida, conteniendo entre 5 y 20 flores grandes cuyo color varía. Sus labios son blancos con venaduras rojas. El color de los tépalos oscila entre el verde y el púrpura. La *E. phonicea* es una epifítica con exigencias por encima de la media en materia de luz. Esta orquídea tiene un inconveniente desde el punto de vista de su cultivo: sus grupos florales son de desarrollo lento y no se pueden propagar. Florece a finales de verano así como en otoño y procede de México, Cuba y otras islas del Caribe.

Encyclia phoenicea.

Encyclia vespa (Hormidium crassilabium)

INTERMEDIA

Es una planta bifoliada, con pseudobulbos desnudos de entre 5 y 40 cm de alto y con muchas intersecciones, característica que permite su clasificación entre las orquídeas *Epidendrum*, o más bien entre las *Hormidium*. Es bastante sencilla. Sus flores verdosas están dispuestas en una espiga erecta con 3-7 flores y sus tépalos tienen puntos púrpura. La *E. vespa* es una especie muy poco exigente. Puede cultivarse en semisombra, tanto epifíticamente como en un sustrato epifítico en una maceta. En el primer caso el tamaño será menor. Esta planta florece entre el otoño y finales del invierno y se conoce por vivir en las regiones tropicales del continente americano.

Epidendrum ciliare

INTERMEDIA

El género *Epidendrum* incluye un número enorme de especies distintas, cuya afiliación con el género a menudo se presenta dudosa. El valor de cultivo de las plantas, que tienden a ser bastante fuertes, no es demasiado alto. Las flores son duraderas pero pequeñas. Las florescencias umbeladas de las especies de flor más pequeñas sí son bastante aparentes. La *E. ciliare* se clasifica como orquídea *Hormidium* o *Auliza*, mientras que su pseudobulbo plano se parece al de las orquídeas *Cattleya*. La florescencia tiene entre 3 y 7 flores «araña» que a veces alcanzan longitudes de 10 cm. Las flores son amarillas y blancas con un matiz verdoso y tienen su atractivo en sus labios trilobulados. La parte central de cada labio es amplia y se parece a una lengua y las protuberancias laterales son fibrosas. La planta florece en invierno y su hábitat natural se extiende por toda el área tropical de América Latina, incluyendo a México y Brasil.

Epidendrum coriifolium

INTERMEDIA

Nos encontramos ante una orquídea con pseudobulbos bifoliados y flores de formas impresionantes con un color que va desde el verde al amarillo y verde, que miden 5 cm y están dispuestas en una florescencia densa que sostiene 4-8 flores. Cada flor está dominada por un labio circular, ligeramente doblado a lo largo del nervio central. Es de cultivo fácil, tanto epifíticamente como en tiestos con una mezcla algo gruesa. Florece en la primavera o el verano y se descubrió en Venezuela.

Epidendrum diffusum ■ ☺

INTERMEDIA

La especie *E. diffusum* puede que no figure entre las más bellas orquídeas del mundo, pero es una representante típica de las orquídeas del tipo *Epidendrum*, que crean pseudobulbos. Los pseudobulbos alcanzan longitudes de más de 20 cm, con 2-5 hojas y sus ápices dan lugar a grandes espigas florales con muchas flores marrones y verdes. Los requerimientos de cultivo de esta orquídea son los mismos que los de cualquier epifita común. Pide semisombra y suficiente movimiento de aire. Florece en otoño y procede de México, Guatemala y Cuba.

Epidendrum falcatum ▣ ☺

TERMOFÍLICA

Esta epifítica es muy interesante y no únicamente por su flor. Los penachos de largas hojas que sobresalen, de aspecto poco común, adornarán cualquier colección. Todos los amantes de las orquídeas han de quedar pasmados cuando las vean con sus flores de color blanco de nieve con sus pétalos labiales en esas posiciones tan inusuales. La especie *E. falcatum* suele conocerse con la denominación *Auloiza parkinsoniana*. Las hojas lanceoladas y estrechas alcanzan longitudes de más de 30 cm surgidas de pseudobulbos de pequeño tamaño. Sobre un tallo floral corto pueden admirarse no más de 3 flores grandes y blancas. El pétalo labial se vuelve algo amarillo con el paso del tiempo. Es trilobulado y los dos lóbulos laterales son ovales, mientras que el central es delgado y puntiagudo. El cultivo es fácil. El mayor problema es adquirir esta especie valiosa con poca capacidad de propagación. El cultivo de la planta se hace sobre un corcho –se recomienda el de roble– en semisombra. La planta tolera muy fácilmente su ubicación en cajas epifíticas pequeñas y sin ventilar. Esta planta florece en verano y fue descubierta en México, Guatemala, Honduras, Costa Rica y Panamá.

Epidendrum coriifolium.

Epidendrum diffusum.

Epidendrum falcatum.

Epidendrum oerstedii.

Epidendrum pseudepidendrum.

Epidendrum oerstedii

INTERMEDIA

Esta especie está muy relacionada con la *E. ciliare* o la *E. falcatum* (las tres con flores blancas), clasificadas en ocasiones como pertenecientes al género independiente *Auliza*. La *E. oerstedii* tiene un tallo erecto cuyos dos internodos más altos se transforman en pseudobulbos alargados. Una florescencia emerge del ápice de una espiga floral corta con 2-3 flores que miden más de 11 cm de lado a lado, con los tépalos estrechos y puntiagudos y el pétalo labial trilobulado. El lóbulo central del labio es delgado, apuntado y muy alargado. La planta es adecuada para cultivadores novatos. Se cultiva epifíticamente en semisombra y con riego todo el año. Decir que las flores aparecen en primavera y esta especie fue descubierta en Costa Rica y Panamá.

Epidendrum pseudepidendrum

INTERMEDIA TERMOFÍLICA

Estamos ante una orquídea demasiado voluminosa. Sus tallos en tronco de árbol con dos filas de hojas que alcanzan longitudes de 16 cm fácilmente sobrepasan una longitud de 80 cm. Entre 3 y 5 flores brotan en verano y son de un tamaño infrecuentemen-

te grande, con un labio anaranjado y rojo. No es de cultivo difícil. Como en las otras representantes del género *Epidendrum*, necesita una sustancial cantidad de luz, ya que de otro modo los tallos se alargarían mucho y no darían flores, riego regular y un período de reposo en invierno. Fue descubierta en Panamá y en Costa Rica.

Epidendrum radicans

INTERMEDIA

Es un símbolo auténtico de todo el género, en el que destacan sus típicas umbelas florales de color entre anaranjado oscuro y rojo. No cambian mucho de forma a lo largo del tiempo, incluso aunque sus flores se abren una a una en intervalos largos. La florescencia permanece en la planta durante varios meses, razón por la que la planta se cultiva para flor cortada. *La E. radicans* tiende a ser confundida o asociada con una especie muy parecida y apenas distinguible, la *E. ibaguense*. Sus tallos parecidos a los de los juncos, ascendentes, alcanzan longitudes de más de 2 m y toda su superficie se ve cubierta gradualmente con muchas raíces aéreas. La especie tiene gran capacidad de regeneración y, en los trópicos, prospera hasta en las praderas urbanas de césped. El cultivo es el mismo que para la *E. pseudepidendrum*. Florece irregularmente en el curso del año y crece en toda la América tropical.

Epidendrum radicans.

Epidendrum sp.

◙ ☺

INTERMEDIA

El género *Epidendrum* ha dado mucho trabajo a los sistematizadores de la botánica. Un número alto de las *Orchidaceae* ha sido sistemáticamente incluido en él, sólo para ser reubicado después en otro completamente distinto. Además, aún se pueden hallar nuevas especies en la naturaleza, en América Latina. Posiblemente incluyendo dos plantas sin clasificar fotografiadas en la gran sabana, Venezuela, una de ellas en el monte Roraima.

Epidendrum sp., Venezuela.

Epidendrum sp., Roraima, Venezuela.

119

Epigeneium amplum.

Eria

□ ▫ ■ ☺ ☺

INTERMEDIA TERMOFÍLICA

Se trata de un género muy numeroso (de unas 500 especies), teniendo una abrumadora mayoría de ellas flores minúsculas que, además, aparecen irregular y perezosamente en régimen de cultivo. Estas especies tienen dos tipos de pseudobulbos, a saber, uno con muchas intersecciones, cubiertos con hojas a lo largo de toda su extensión, y otros con una única intersección, de forma entre cilíndrica y oval con dos o más hojas sobre el ápice. La mayor parte de las orquídeas *Eria* son epifíticas o litofíticas de las

Eria sp., Vietnam.

Epigeneium amplum

□ ▫ ☺

INTERMEDIA

El pequeño género *Epigeneium* incluye unas 40 especies de orquídeas diminutas, vívidas y fáciles de cultivar. El aspecto de la *E. amplum* hace de la especie una planta perfecta para las colecciones de los *amateurs*. La planta tiene pseudobulbos ovales bifoliados que crecen de forma poco densa a partir de un rizoma rastrero. Su tamaño no pasa de los 5 cm. Las hojas alargadas son como mucho el doble de largas. Las flores son gigantes y alcanzan un tamaño de unos 10 cm, produciéndose de una en una en los tallos florales brotados de los ápices de los pseudobulbos. El color básico es el verde amarillento, que está casi completamente cubierto por puntos alargados de color marrón purpúreo. El pétalo labial es púrpura. Su cultivo es fácil y se da bien montada sobre trozos de madera y puestas en un entorno de media sombra lo suficientemente húmedo. Florece de forma irregular, normalmente en otoño, y crece en alturas medias de Mianmar y Tailandia.

Eria sp., Tailandia, una especie litofítica.

localidades más cálidas. Por lo tanto, es una planta que debe colgarse en soportes de madera suspendidos. La planta necesita tanta luz como le podamos dar y una ligera reducción de temperatura en invierno. Las fotografías de la especie que se presentan aquí fueron tomadas en Vietnam y Tailandia. El género se ha extendido sobre toda Asia tropical, en Polinesia y en el norte de Australia.

Eria panea.

Eria sp., Tailandia.

Erycina echinata.

Erycina echinata □ ☺

CRIOFÍLICA

Representante de una especie diminuta y delicada, con un inconveniente importante en el cultivo de las dos especies de *Erycina* conocidas. Los pseudobulbos son pequeños, bifoliados y transparentes, estando protegidos de la luz solar por cápsulas secas. La planta florece tras perder el follaje en la mitad de la estación seca. Las flores son amarillo sulfúreo, con una morfología complicada y un gran pétalo labial que sugiere la relación de la planta con el género *Oncidium* y son visibles en la distancia, a pesar de sus proporciones pequeñas, de sólo 2 cm. Crecen en racimos pequeños desde la base del pseudobulbo. Sus muchas exigencias de cultivo están provo-

cadas por su hábitat natural, las regiones frías de las montañas de Mexico. Para desarrollarse bien en cultivo, la *Erycina* tiene demandas que son duras de satisfacer: sol intenso, aire fresco y bajas temperaturas a lo largo de todo el año. Las normas de cultivo son las mismas que las de la *E. citrinum*, excepto que, debido a sus proporciones mínimas, es más sensible a los errores de cultivo. Florece en primavera y fue descubierta en Oaxaca, en México.

Euchile citrinum ■ ☺

CRIOFÍLICA

Se trata de una excepcionalidad, una flor grande muy rara y difícil de cultivar. La gente de Oaxaca, en México, donde fue tomada la foto, recoge ejemplares de *E. citrinum* en flor. Desgraciadamente, también se llevan los pseudobulbos en bosques de robles antes de Semana Santa y los cuelgan de las vallas y las casas como motivo ornamental. La *E. citrinum* forma pseudobulbos en forma de huevo que llegan a medir más de 5 cm, crece en posición vertical y tiene 2-5 hojas correosas. Las espigas florales poseen 1-3 flores cada una, que brotan de sus ápices. Las flores son maravillosas, de entre 6 y 8 cm, parcialmente abiertas, y de color amarillo con una intensa fragancia a limón, si bien, no duran mucho. El cultivo es difícil. La especie crece en alturas por encima de los 3.000 metros por encima del nivel del mar y, por consiguiente, pide bajas temperaturas, mucho sol en la atmósfera y aire fresco. Hay que

Euchile citrinum.

cultivarlas epifíticamente y, en invierno, reducir la temperatura a unos 15°, regando muy modestamente, debido al estancamiento en cuanto a desarrollo provocado por la luz insuficiente. La *E. citrinum* florece en primavera y sólo crece en México.

Euchile mariae

▫ ◻ ☺

CRIOFÍLICA INTERMEDIA

Es la única pariente de las especies anteriores, con flores muy exóticas y de color blanco. En contraste con la *E. citrinum*, es unifoliada, con pseudobulbos en forma de pera que crecen en posición erguida.

Eunanthe sanderiana.

Dos o tres hojas alargadas se forman en el ápice de cada pseudobulbo. Las flores verdosas tienen un labio rizado de color blanco de nieve con venaduras verdes y el centro amarillento. Hay que cultivarla de manera parecida a la *E. citrinum*, excepto que la *E. mariae* pide temperatura fresca y una ventilación perfecta, pero con menos intensidad. La especie no se descubrió hasta 1937 y se utiliza hasta hoy para hibridar nuevas especies de flor verde. Florece en primavera y procede de las alturas de México.

Eunanthe sanderiana

◻ ◼ ☹ ☺

TERMOFÍLICA

Esta especie ha sido clasificada como una orquídea *Vanda* y, junto con la especie de flor azul de *Vanda coerulea*, está considerada como una de las más bellas orquídeas monopodiales asiáticas. Su tallo ascendente y duro alcanza longitudes de más de 60 cm y tiene muchas hojas en forma de cinturón, de más de 45 cm de largo, ordenadas en dos filas opuestas. Las espigas florales brotan de las axilas de las hojas y los ejemplares más fuertes tienen más de una. El racimo floral tiene un máximo de 10 flores rosadas con venaduras carmesí en los tépalos inferiores. En Europa, florece muy rara vez y su crecimiento es lento. Da flor en otoño, si es que lo hace. Se descubrió en Filipinas, en el terremoto de 1880.

Galeandra sp., México.

Gastrochilus monticola.

Galeandra

CRIOFÍLICA INTERMEDIA

Se trata de un género pequeño de orquídeas originarias de América que incluye especies sorprendentes con flores muy vistosas. Las plantas también atraen la atención con sus pseudobulbos cubiertos con unas hojas finas y semicaducas. Su característica más destacada es la forma rara, como de embudo, del pétalo labial con una gran espuela extendida hacia atrás. La mayor parte de estas orquídeas son epifíticas, pero el género tiene también algunas especies terrestres, que deben cultivarse en un medio más pesado y en un entorno templado. Las especies epifíticas no son muy fáciles de cultivar y son raras de ver en las colecciones. Una condición necesaria para un desarrollo satisfactorio de estas plantas es una ventilación perfecta, una gran cantidad de luz y bajas temperaturas en verano. Los pseudobulbos nuevos se forman en la planta incluso en invierno. Las orquídeas del género *Galeandra* normalmente florecen a principios de primavera y sólo en los trópicos americanos. Se sabe que hay unas 20 especies en un área entre Florida y Brasil. La orquídea de la foto (*Galeandra* sp.), originaria de Arriaga, México, se parece un poco a la *G. baueri* y es una especie pequeña que vive epifíticamente en lo alto de las copas de los pinos a una altura de 500 metros sobre el nivel del mar en Chiapas, México.

Galeandra batemanii.

Gastrochilus monticola

TERMOFÍLICA

Representante del género *Gastrochilus* no forma pseudobulbos y su morfología recuerda algo a la de las orquídeas del género *Vanda*. El tallo rígido y algo lignificado aparece acortado en algunas especies, o muy alargado en otras. La florescencia es siempre más corta que las duras hojas dispuestas en dos filas y crece a partir de sus axilas. La espiga floral de la *G. monticola* alcanza una longitud de 20 cm y tiene flores de 1,5 cm con un labio blanco muy decorativo. Entre 3 y 5 flores forman una florescencia acortada. La planta necesita mucha luz difusa y buena ventilación. La mejor manera de cultivarla es de forma epifítica sobre un soporte de madera. Durante el período vegetativo requiere mucho riego y debe ser reducido durante el período invernal. La especie no florece regularmente en cultivo. Si lo hace, florece en invierno. Procede de Mianmar, Tailandia, Laos y otros países del sureste asiático.

Gastrochilus obliquus

INTERMEDIA TERMOFÍLICA

Una representante de abundante flor del género *Gastrochilus*. En contraste con las especies previas,

Gastrochilus obliquus.

su tallo es corto, y las hojas son más grandes y carnosas. Las flores miden 2,7 cm y hay más de 25 en una espiga floral corta, que forma un racimo denso. Sus tépalos son amarillo intenso y están cubiertos con puntos rojos. El labio es blanco, moteado, con un vistoso punto rojo en la base. Hay que cultivarla como las especies anteriores. Las flores aparecen en invierno. La planta que mostramos se fotografió en Tailandia.

Gastrochilus sp. ◘ ☺

TERMOFÍLICA

Las orquídeas de este género son rarezas. La forma de la flor en el ejemplar de la foto es, junto a otras orquídeas *Gastrochilus*, típica del género. Los tépalos son carnosos, arqueados como una cuchara, y su labio tiene un *hypochilus* en forma de saco y un *epichilus* ribeteado. La espiga floral es más bien

Gastrochilus sp.

Gomesa crispa.

alargada. Las principales normas de cultivo no difieren de las que se aplican a las especies anteriores. En invierno, la planta necesita un período de latencia bastante corto, una cuidadosa reducción de temperatura y el cese del riego. La planta de la foto florece en otoño y proviene de Tailandia.

Gomesa crispa ◘ ☺

INTERMEDIA

El pequeño género *Gomesa* que incluye sólo unas 20 especies, es bastante vistoso en lo que se refiere a su aspecto, pero en la forma de los órganos vegetativos o la forma y proporciones de las florescencias. Desgraciadamente, las flores miden sólo 2 cm de diámetro y viven muy poco. Las orquídas *Gomesa* se solían incluir en el género *Rodriguezia*. La especie *G. crispa* tiene pseudobulbos de entre 6 y 9 cm de alto con 2 o 3 hojas apuntadas que alcanzan longitudes de entre 10 y 25 cm. Los racimos florales son densos y numerosos, con flores amarillas y verdosas, y brotan de la base de los pseudobulbos y de más de 20 cm de largo. En cultivo, es una epifítica con requerimientos medios de riego y luz. La planta florece durante la primavera y su hábitat natural es Brasil.

Gomesa divaricata ⊡ ◼ ☺

INTERMEDIA

Esta especie, muy atractiva cuando está en flor, no difiere mucho en aspecto de otras orquídeas *Gomesa*. Sus pseudobulbos miden más de 6 cm de alto, son redondeados y aplastados, con bordes agudos y terminados con tres hojas alargadas. Los tépalos de sus flores son blanquecinos y ondulados. El labio es marcadamente arqueado. La planta tiene unas exigencias de cultivo modestas. Se cultiva epifíticamente, dándole la cantidad normal de agua, buena ventilación y mucha luz difusa. Florece normalmente en los primeros meses de primavera y ha sido descubierta en la selva húmeda brasileña.

Gomesa divaricata.

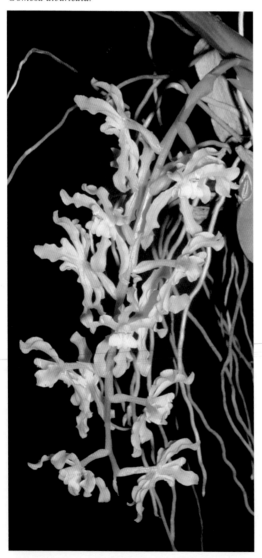

Gongora purpurea.

Gongora ◼ ☺

INTERMEDIA

Todas las especies incluidas en el género *Gongora*, se parecen más fuera del período de floración, y esa es la razón por la que se presentan juntas. Estas orquídeas forman pseudobulbos acanalados, cónicos y de aspecto tierno, rematados por un par de finas hojas ovales adornadas con venaduras sólidas y vistosas. Los pseudobulbos alcanzan alturas de 8 cm, mientras que las hojas son cuatro veces más largas. Las raíces son muy finas y de color blanco nieve, formando una densa red en el aire. Algunas de ellas son capaces de crecimientos geotrópicos inversos, esto es, de crecer verticalmente hacia arriba. Esto ha sido descrito en algunas otras epifíticas, por ejemplo en la *Anthuria* de la familia *Aracae*, y sirve para formar algo parecido a bolas aéreas de raíces o nidos. De forma gradual, el material orgánico queda capturado en las raíces en su descenso y la planta lo utiliza después en su nutrición. Sus ejes florales multiflor crecen fuera de las bases de los pseudobulbos, al principio verticalmente hacia arriba y después perpendicularmente hacia abajo. Las flores individuales están orientadas hacia atrás, con los extremos de los pétalos labiales hacia arriba y cuelgan en el espacio en pedúnculos casi circulares. Las normas de cultivo de la planta son las mismas para

Gongora sp.

Gongora sp., Ecuador.

Gongora galeata.

todas las especies del género *Gongora*. Todas tienen necesidades medias de luz. Se cultivan tanto epifíticamente sobre soportes largos o en sustratos permeables sobre una cesta epifítica o una maceta. Una desventaja de este estilo de cultivo son las raíces aéreas que no dan oportunidades para el brillo. Como las florescencias sobresalen, se necesita usar contenedores en suspensión. Tan pronto como la planta empieza a mostrar las primeras señales de futuras florescencias, el riego se debe reducir un poco para que no se pudran. Después de que las flores se hayan marchitado, las plantas estarán en necesidad de un período de reposo breve. El género tiene un total de 25 especies conocidas por crecer en la América tropical, incluyendo México, las islas del Caribe y Brasil, con mayor incidencia en América Central.

Gongora cassidea.

Grammatophyllum scriptum var. *citrinum.*

Haraella odorata.

Haraella odorata □ ☺ ☺

TERMOFÍLICA

Una espectacular orquídea en miniatura bastante común en las colecciones. El tallo de estas plantas pequeñas y poco llamativas mide 1 cm y está cubierto con hojas carnosas alargadas de más de 4 cm de largo. La parte inferior del tallo da lugar a cortas espigas florales con una sola flor de 2-3 cm y con un labio alargado. Los bordes de este labio bermejo están orlados. El cultivo de esta orquídea no es difícil. Hay que tener en mente que la *H. odorata* es muy sensible a los períodos secos o a los errores de cultivo. Prospera en condiciones de semisombra, cálidas a lo largo de todo el año. Florece entre el verano y el otoño y procede de Taiwan.

Haraella sanquinoleta ⊡ ☺ ☺

CRIOFÍLICA INTERMEDIA

El género *Helcia*, de tamaño muy pequeño, incluye sólo dos especies que se parecen a la orquídea *Trichopilia*. Una diferencia puede encontrarse en el pétalo labial plano con base lisa. La *H. sanquinolenta* se conoce mejor y se cultiva más a menudo. Es

Grammatophyllum
scriptum var. citrinum ■ ☺

INTERMEDIA

El género *Grammatophyllum* incluye uno de las mayores orquídeas del mundo, la gigantesca *G. speciosum*, cuyos pseudobulbos alcanzan longitudes de más de 2,5 m. La especie *G. scriptum* es mucho más pequeña, pero muy robusta. Sus pseudobulbos alcanzan una longitud de más de 20 cm y tienen 3-4 hojas enormes, de más de 1 m de largo. La florescencia es una espiga floral con abundantes flores simétricas, con forma estrellada y de color verde. Las flores de un ejemplar típico están adornadas con puntos marrones. El cultivo de esta variedad terrestre no es demasiado complicado. Se da bastante bien a media sombra, en un medio permeable con un poco de tierra convencional y poco riego. La planta florece a finales del verano y procede del sureste de Asia.

una planta bastante pequeña con flores grandes. Sus pseudobulbos son alargados y con forma de huevo y alcanzan longitudes de no más de 4 cm, rematados por una hoja de forma de huevo. Las espigas florales tienen unas flores individuales amarillas y verdes de más de 7 cm y con un labio blanquecino con una marca carmesí. La especie epífítica *H. sanquinolenta* procede de las elevaciones de los Andes y debe ser cultivada de la misma forma que la criofílica *Odontoglossum*. Florece en invierno y se encuentra en Colombia y Ecuador.

Helcia sanquinolenta.

Hexisea bidendata ▣ ☺ ☺

INTERMEDIA TERMOFÍLICA

Las flores del género *Hexisea* se parecen a las *Epidendrum*. Sus pseudobulbos con forma de huso, delgados, se caracterizan porque a veces producen pseudobulbos «hijos» en el ápice. Los pseudobulbos bifoliados de la *H. bidentata* alcanzan longitudes de más de 6 cm y están cubiertas por una vaina. Sus ápices generan órganos de almacenamiento o espigas florales poco densas, con 3-5 flores amarillas, de 3 cm de ancho. Prospera en la media sombra en invernaderos bien ventilados. Florece en verano y se da en toda la zona entre Costa Rica y Colombia.

Hexisea bidentata.

Holcoglossum amesianum.

cepto que sus hojas son más estrechas y delgadas. Los tépalos de las maravillosas flores se estrechan radicalmente en la base y el labio ancho, rojo y púrpura, está entretejido con venaduras púrpura. A pesar de ser una orquídea epifítica, debe cultivarse en contenedores con un sustrato duradero y fragmentado. También es frecuente un cultivo en cestas de madera suspendidas, con raíces abundantes y largas colgando de ellas. Las orquídeas de este género necesitan mucha luz y más calor que las *Vanda*. Se tiene como una norma aceptada que cuanto más redondo y estrecho es el follaje más termofílica y fotofílica será. En invierno hay que disminuir la temperatura y la intensidad de riego, ya que la planta sufre por la luz insuficiente, que la reduce a una situación de estancamiento. Florece en otoño y procede del sur de China, Mianmar y Tailandia.

Holcoglossum subulifolium

TERMOFÍLICA

Se trata de una orquídea muy vistosa cuando florece. Fuera del período de floración, es una planta poco relevante y difícil de mantener. Se parece a las especies anteriores, con las hojas rígidas variando en color desde el verde hasta el rojo oscuro, según la intensidad de la luz. Entre 2 y 5 flores blancas aparecen en una espiga, más corta que las hojas, alcanzando longitudes de más de 6 cm y llamando la atención por su labio ancho y de borde orlado. La base del pétalo labial tiene una marca de color par-

Holcoglossum kimballianum.

Holcoglossum amesianum

INTERMEDIA

La especie de este género se incluye a menudo entre las orquídeas *Vanda*, aunque difieren en detalles de la anatomía de la flor, como pueda ser una espuela más larga, o un labio de forma distinta. Hay diferencias también en la forma de conjunto de las plantas y en el modo en el que producen su follaje. La *H. amesianum* no tiene hojas, el tallo rígido se lignifica gradualmente, no se detiene en su crecimiento y tiene dos filas de hojas duras y delgadas que son semicirculares en sección cruzada y alcanzan longitudes superiores a los 20 cm. La florescencia erecta está formada en la axila de las hojas superiores y tiene entre 15 y 30 flores con tépalos de forma oval y color blanco con un labio vuelto hacia atrás de color rojo rosáceo con bordes decorativos. Hay que cultivar la especie como haríamos con otras orquídeas *Holcoglossum* (ver la *H. kimballianum*). La planta florece en invierno y procede del sur de China, Mianmar, Vietnam, Laos, Camboya y Tailandia.

Holcoglossum kimballianum

INTERMEDIA

Fuera del período de floración, estas plantas se parecen mucho a la especies de *H. amesianum*, ex-

Holcoglossum subulifolium.

do rojizo. Los reveses en el cultivo, como el lento crecimiento, la pereza para florecer y la descomposición de la planta están provocados por la fotofilia de esta orquídea. La *H. subulifolium* florece a finales de primavera y procede del sur de China.

Hormidium boothianum.

Holcoglossum boothianum

INTERMEDIA

Esta especie difiere ligeramente de las otras orquídeas del género. Sus flores no están giradas 180º, es decir, con los pétalos labiales girados hacia atrás, como en el caso de las especies que siguen. Tiene unos pseudobulbos decorativos, circulares, de color verde, cada uno con un par de hojas delgadas. La espiga floral surge de la base de los pseudobulbos maduros y tiene 5-8 flores amarillas y verdes, con motas marrón. Debe cultivarse epifíticamente en condiciones de media sombra, sobre una pieza de corcho o un trozo de madera de saúco, y tras la maduración de los nuevos pseudobulbos, debe reposar durante un período breve de tiempo. Florece en primavera y se da en Cuba, el sur de Florida y México.

131

Hormidium cochleatum.

to epifítico en una maceta. Florece en otoño e invierno y crece en un amplio territorio de América Central incluyendo las Indias Occidentales.

Hormidium fragrans　◼ ☺

INTERMEDIA

La validez del género *Hormidium* es cuestionable. Los botánicos han incluido alternativamente a sus representantes entre las orquídeas *Epidendrum* y *Encyclia*. Como con otras especies del género, las flores de la *H. fragrans* están giradas 180°. El labio se pone así en la parte superior de la flor. Los esbeltos pseudobulbos tienen más de 5 cm de alto y cuentan con una hoja en forma de cinturón que es el doble de larga. La florescencia, con entre 2 y 5 flores blancas, es erecta. El pétalo labial tiene forma de concha y tiene bandas púrpura. Esta orquídea es muy fácil de cultivar. Como otras especies comunes está ahora amenazada de extinción. Las flores aparecen en la planta a finales del invierno y en primavera. Se han encontrado ejemplares en una amplia región de América Central y del Sur.

Hormidium prismatocarpum.

Hormidium cochleatum　◼ ☺

INTERMEDIA

Una atractiva orquídea para cultivo que ha sido producida en gran cantidad durante muchos años, con un labio vuelto hacia atrás muy vistoso, en forma de concha, de color púrpura. Sus pseudobulbos son esbeltos y ovales, con unos 10 cm de largo y con dos hojas lanceoladas que alcanzan longitudes de más de 20 cm. La florescencia es más bien corta y erecta y tiene 5-8 flores que se abren gradualmente una a una. El labio se complementa con tépalos amarillos y verdes. Es una epífita muy variable y adaptable. Puede cultivarse sobre un soporte o sobre un sustra-

Hormidium fragrans.

Hormidium prismatocarpum ▣ ☺

INTERMEDIA TERMOFÍLICA

Esta especie tiene pseudobulbos estrechos y con forma de huevo que alcanzan longitudes de más de 13 cm, con un par de hojas con forma de cinturón. El racimo floral mide unos 30 cm de alto y tiene muchas flores de buen tamaño, de unos 6 cm. Los tépalos amarillo verdosos están cubiertos con un dibujo de motas marrones. El labio es grande, con la punta malva. La especie no es de cultivo difícil. Se puede montar en un trozo de madera o cultivarla en un sustrato permeable en macetas. Florece en primavera y proviene de Costa Rica.

Hormidium vitellinum.

Hormidium vitellinum ⊡ ▣ ☺

CRIOFÍLICA INTERMEDIA

En contraste con otras especies del género *Hormidium*, ésta es más criofílica. Gracias a esta cualidad, y también a sus hermosas flores, suele cultivarse para flor cortada. Sus pseudobulbos tienen forma de huevo, de unos 9 cm de largo, con dos hojas duras en el ápice. La florescencias son erectas, de 30 cm de alto, con 20 flores brillantes anaranjadas, de 3,5 cm de diámetro. La planta prospera en entornos luminosos y bien ventilados. En invierno es necesario darle un período de reposo suficiente. Basándose en el período en el que la planta da flor, los científicos distinguen entre dos variedades: las plantas de la variedad *automnalis* florece en otoño, mientras que la floración primaveral es para la variedad *majus*. Es originaria de México y Guatemala.

Hygrochilus parishii var. *marriottiana* ▣ ☻ ☺

INTERMEDIA TERMOFÍLICA

El nombre de este género se refiere al húmedo néctar que se da en el pétalo labial de esta orquídea. Es una especie epífita, cuyo tallo grueso y único mide más de 20 cm y está cubierto con dos filas de hojas elípticas alargadas, de más de 25 cm de largo. El fuerte tallo floral mide más de 40 cm y tiene 5-10 flores de unos 5 cm de diámetro. Un ejemplar típico de esta especie tiene tépalos amarillos cubiertos con motas de color marrón rojizo, mientras que las flores de la variedad *marrottiana* de la foto son marrón puro. En ambos casos, el labio es púrpura y la columna de la flor, blanca. El cultivo es parecido al de las especies termofílicas del género *Vanda*. Las flores aparecen en primavera. La especie se da al norte de la India, sur de China, Laos y Vietnam. La var. *marrottiana* es del norte de Tailandia.

Hygrochilus parishii var. marriottiana.

Isochilus linearis.

Isochilus linearis ▫ ▪ ☺ ☺

INTERMEDIA

Las plantas de este género de dos miembros no se cultivan demasiado, pues son exigentes en cuanto a cultivo y tienen un aspecto muy convencional. Estas orquídeas epifíticas y terrestres forman tallos rígidos, medio erectos y sobresalientes, densamente cubiertos por dos filas de hojas ordenadas como una pluma. Las florescencias del ápice tienen un

Laelia anceps var. *alba.*

número pequeño de flores de forma acampanada en la espiga floral. Sus tallos alcanzan longitudes de más de 50 cm. Las hojas miden más de 6 cm. Sus flores están dispuestas en dos filas y son blancas, anaranjadas o rojas. Debido a la baja resistencia de las raíces en períodos secos, se recomienda cultivarla en macetas, utilizando un sustrato epifítico clásico. La especie florece de modo irregular, normalmente en primavera, y se cultiva por toda América.

Laelia anceps var. *alba* ▪ ☺

CRIOFÍLICA

El género *Laelia* es uno de los más prominentes dentro de la familia de las orquídeas, gracias a sus flores, a su fácil cultivo y al gran número de disposiciones genéticas que se han usado intensivamente en los cruces e hibridaciones. La *L. anceps* es una orquídea clásica, cuyo cultivo se remonta muy atrás en la historia. El ápice de los pseudobulbos unifoliados, delgados y con forma de huevo, da lugar a una espiga floral que mide 70 cm y tiene 3-5 flores grandes, de color intensamente púrpura. Junto a estas flores, existe una variedad albina que es una valiosa cuyas flores son blancas con un matiz amarillo y otras variaciones de color. El cultivo es relativamente fácil, igual que en el caso de la *L. autumnalis*. La *L. anceps* florece en invierno, que es un período muy favorable para los cultivadores, y procede de México.

Laelia autumnalis.

Laelia autumnalis

CRIOFÍLICA INTERMEDIA

Esta orquídea está muy relacionada con las especies anteriores. Tiene unos pseudobulbos bifoliados con forma de huso que miden más de 8 cm, con hojas de unos 12-15 cm de largo, que son bastante correosas. La florescencia mide más de 50 cm y tiene 3-5 flores de color púrpura brillante. La *L. autumnalis* también,tiene una variedad blanca muy rara. Se cultiva en una combinación gruesa y permeable en macetas

Laelia dayana.

suspendidas. El cultivo epifítico también es posible sobre ramas largas o sobre trozos de corcho. Las plantas necesitan condiciones frescas en invierno y descanso de varias semanas después de que las flores se marchiten. Es necesario asegurar luz suficiente a lo largo de todo el año, pero no luz solar directa. Florece en invierno y su hábitat es México.

Laelia dayana

INTERMEDIA

Se considera como una de las subespecies de la *L. pumila*. Es una orquídea de tamaño pequeño. Sus pseudobulbos miden apenas 3-4 cm de largo y están rematados con una única hoja carnosa y firme, que alcanza una longitud de más de 10 cm. El brote floral maduro da lugar a una espiga con 1-2 flores y es un poco más corta que las hojas. En comparación con las otras partes de la planta, la flor es gigante, y su anchura puede superar los 10 cm. Los tépalos son malva. El labio de forma tubular es blanquecino en la garganta y carmesí con una venadura oscura en los bordes. El cultivo se lleva a cabo con procedimientos epifíticos estándar sobre un trozo de corcho o una rama. Florece entre la primavera y el otoño y crece en las copas de los árboles altos, en Brasil.

Laelia fidelensis ▫ ◼ ☺

INTERMEDIA TERMOFÍLICA

Se trata de una especie fácil de cultivar, pero amenazada de extinción en el medio natural, si bien la planta no está recogida en las listas de especies en peligro en el mundo, aunque sin duda debiera estarlo. La *L. fidelensis* crece en el suelo pero con los extremos erectos y tiende a ramificarse. Sus pseudobulbos son unifoliados y con forma de barril, de color amarillen-

Laelia flava.

to, y sólo miden 15 cm, con 1-2 flores de color púrpura claro, de 1-2 cm de ancho, sobre una espiga que sobresale algo. El labio es oscuro y ancho en la base, para llegar a tener la forma de un corazón. Se cultiva sin un período de reposo significativo en un entorno cálido y luminoso a lo largo de todo el año. La planta florece en primavera (a veces también en otoño) y procede de Río de Janeiro, en Brasil.

Laelia flava ▫ ☹ ☺

INTERMEDIA

Los representantes de flor amarilla del género *Laelia* no son muy tenidos en cuenta a pesar del gran número de orquídeas *Laelia* con flores de ese color. Hay algunas incertidumbres en relación con su taxonomía, debido a las muchas especies que se consideraron «puras» y que hoy se tienen por simples subespecies o variedades de *L. flava*. La planta de la foto podría ser etiquetada como *L. itambana*. Los pseudobulbos de esta orquídea son de tamaño medio y 15 cm de alto, rematados con una hoja de unos 15 cm de largo. Las flores, de un amarillo intenso, son muy vistosas, de unos 8 cm de ancho, dándose sin demasiada densidad en espigas florales alargadas. Se cultivan de la misma manera que la *L. jongheana*. Florece entre el invierno y la primavera y procede del estado de Minas Gerais, en Brasil.

Laelia furfuracea.

Laelia fournierii □ · ☹ ☺

INTERMEDIA

Esta especie de tamaño pequeño es un buen ejemplo de la notable adaptabilidad de las orquídeas. A veces se han encontrado ejemplares prosperando sobre placas rocosas desnudas y expuestas al sol. Si crece sobre rocas, la planta reduce su proporción. Sus pseudobulbos unifoliados en forma de barril

Laelia fournierii.

apenas miden 4 cm, con una hoja carnosa y dura aún más corta. Las flores son blanquecinas y amarillo pálido, con un labio amarillo anaranjado. En emplazamientos epifíticos, la planta es algo mayor. El cultivo de esta planta es problemático. Aún así, ha habido intentos de cultivarla en trozos de piedra y también pueden usarse corchos. La *L. fournierii* florece en verano y otoño y procede de Brasil.

Laelia furfuracea · ☺

CRIOFÍLICA

Esta orquídea es ecológicamente muy parecida a las dos anteriores. Sus proporciones son más manejables, con pseudobulbos de 6 cm de largo y hojas duras y erectas de unos 12 cm. Las flores se parecen a las de la *L. autumnalis* en cuanto a color y forma, aunque a veces son algo más claras. Las flores brotan sobre unas espigas florales de aproximadamente unos 30 cm, en número de 3 a 5, con una fragancia muy agradable. La *L. furfuracea* produce flores en invierno y crece epifíticamente en la naturaleza en México, en las montañas de Oaxaca, en alturas superiores a los 2.700 metros sobre el nivel del mar.

Laelia gouldiana

CRIOFÍLICA

Esta planta está tan próxima a la *L. autumnalis* que, durante un tiempo, los científicos creyeron que era un híbrido natural de la *L. anceps*. Tiene flores en forma de estrella de un vívido púrpura, con un pétalo labial maravilloso de color amarillo dorado con venaduras purpúreas. Sus requerimientos de cultivo no son distintos de los de sus parientes más próximos. Florece en invierno y procede de México.

Laelia gouldiana.

Laelia grandis

INTERMEDIA

Estamos ante una especie unifoliada y grande cuyos pseudobulbos miden unos 15 cm. Las hojas son estrechas y un poco más largas, de más de 25 cm. Los tépalos son marrones y ondulados y complementan al pétalo labial de forma cónica y color rosa, con venaduras oscuras. El tamaño de las flores es muy llamativo y es una de sus principales características. La mejor manera de cultivarla es sobre un sustrato grueso en un tiesto expuesto a luz difusa. La pausa de invierno no debe ser muy prolongada. Vive en forma epífita en los bosques de la costa atlántica y en forma de planta terrestre en zonas de lugares semidesérticos. Con frecuencia se encuentra en emplazamientos secundarios, como plantaciones de cacao. Florece en primavera y es nativa de Brasil.

Laelia jongheana

INTERMEDIA

Otra representante miniatura del género. Es muy rara y está casi extinguida en el medio natural, por lo que se ha incluido en el «Apéndice 1» de la convención internacional de la CITES. Sus pseudobul-

Laelia jongheana.

12 cm como máximo. Las flores se abren una a una sobre un tallo floral corto y son muy variables en cuanto a colores. Las flores de los ejemplares estándar son malva, con un pétalo labial alargado y tubular con una parte interior de borde oscuro. La var. *semi-alba* de la foto tiene flores cuya coloración es menos intensa, con el matiz malva presente sólo en el borde del labio. Hay que cultivar la planta epifíticamente, de manera que crecerá más lentamente, o puesta en una maceta con sustrato epifítico grueso. Necesita mucha luz, pero no luz solar directa a través de las ventanas del invernadero. Florece a principios de verano y procede de Bahía, en Brasil.

Laelia purpurata ■ ☺

INTERMEDIA

Estamos ante una gigante entre las orquídeas Laelia, con sus pseudobulbos unifoliados, delgados y con forma de huevo de más de 20 cm de largo y con hojas incluso el doble de largas. La espiga floral es corta y tiene 3-5 flores muy grandes de color malva, de más de 15 cm. El labio es alargado y tubular, con el borde ondulado, amarillo en el interior y carmesí con venaduras púrpura en los bordes. Su color es muy variable y han sido descritas unas 50 variedades. La orquídea se da bien para la hibridación y es de fácil cultivo, al margen de sus grandes proporciones. No es preciso un período de reposo invernal y las necesidades de luz de la planta son también algo más bajas. La *L. purpurata* florece entre la primavera y el otoño y su hábitat está en Brasil.

Laelia purpurata.

bos apenas miden 6 cm de largo y forman agrupaciones densas, rematados con una sola hoja, dura, de longitudes superiores a 12 cm. Las flores crecen sobre espigas florales cortas con una flor cada una, siendo muy grandes, de unos 10 cm. Los tépalos son malva pálido. El pétalo labial es blanco y tubular, rizado en los extremos, con puntos púrpura y una garganta amarilla. Se da sobre todo en forma epifítica en emplazamientos luminosos. En cultivo es fácil en un trozo de corcho de corteza de roble. La planta ha sido descubierta en Minas Gerais, en Brasil.

Laelia pumila var. *semi-alba* ▣ ☺ ☺

INTERMEDIA TERMOFÍLICA

Es una representante muy apreciada y buscada de las plantas miniatura de este género. Sus pseudobulbos nunca superan los 3 cm y tienen una hoja única y más bien dura que alcanza longitudes de

Laelia pumila var. *semi-alba.*

Laelia rubescens.

Laelia rubescens   ⊡ ◽ ☺

CRIOFÍLICA INTERMEDIA

Desde un punto de vista de sistematización, esta especie pertenece a las orquídeas criofílicas mexicanas representadas, por ejemplo, por la *L. autumnalis*. Sin embargo, es la única que crece en otro país centroamericano. No obstante, difiere del resto por sus proporciones más pequeñas y por la forma de sus pseudobulbos aplastados, ovales, brillantes, con una hoja individual alargada cada uno. El tallo floral delgado y firme mide más de 50 cm y tiene entre 3 y 7 flores de unos 5-6 cm y son blancas o púrpura rosado. El color del labio trilobulado recuerda al de

Laelia sincorana.

las orquídeas *Dendrobium*. Tiene una garganta púrpura intenso. Se cultiva en forma parecida a la *L. autumnalis*. Florece en invierno, tanto en cultivo como en su hábitat natural en México y Guatemala.

Laelia sincorana   ⊡ ☺ ☺

INTERMEDIA TERMOFÍLICA

Es una especie relacionada con la *L. pumila*. Comparada con ésta, sus pseudobulbos unifoliados son más pequeños y de forma de barril, alcanzando longitudes de 2-3 cm. Las hojas son también más amplias y cortas, de entorno a 10 cm. Normalmente en cada una de las cortas espigas brota sólo una flor. Las flores tienen un intenso color carmín y son gigantes, con una envergadura de 10 cm. Como su hábitat no se caracteriza por una alta humedad en el aire, se pueden cultivar con bastante éxito. Si se cultivan en un piso se deben poner en una maceta con un sustrato semigrueso. En invernaderos, la planta sale adelante también en cultivo epifítico. En cualquier caso, su desarrollo es extremadamente lento. Las flores aparecen en primavera y a principios de verano. La planta procede de las montañas de Serra Sincorá, de donde procede su nombre, en Brasil.

Lemboglossum bictonirnse   ◽ ◼ ☺ ☺

INTERMEDIA

Muchos amantes de las orquídeas conocen las representantes del género *Lemboglossum* por su antiguo nombre de *Odontoglossum*. La belleza singular de la *Lemboglossum* contrasta con su dificilísimo cultivo. La *L. bictoniense* es la menos exigente del conjunto y se cultiva a veces para flor cortada. El ápice de sus pseudobulbos con forma de huevo, que alcanzan longitudes de más de 12 cm da nacimiento a una pareja de hojas estrechas que miden más de 40 cm. La espiga floral se forma en la base del pseudobulbo y está cubierta con numerosas flores. Las

Lemboglossum bictoniense.

Lemboglossum cervantesii.

planta necesita la máxima cantidad de luz posible. Las flores se pueden esperar entre el otoño y el inicio de la primavera. La planta proviene de México y Guatemala.

Lemboglossum cordatum

CRIOFÍLICA INTERMEDIA

En los ochenta del pasado siglo xx, el género original de la *Odontoglossum* se desgajó en muchos géneros, como el *Lemboglossum*, el *Miltonioides*, el *Osmoglossum*, el *Rossioglossum* o el *Ticoglossum*. Hasta el día de hoy, sin embargo, muchas especies que se habían transferido a uno de estos géneros nuevos todavía están ubicadas bajo la antigua denominación genérica de *Odontoglossum*, lo que puede dar lugar a cierta confusión. La especie *L. cordatum* tiene forma de huevo, pseudobulbos de 6 cm de largo rematados con una sola hoja estrecha de unos 20 cm. El poco denso racimo floral tiene entre 5 y 8 flores con longitud variable en sus pétalos puntiagudos. Su color amarillo se complementa con motas marrones. El labio tiene forma de corazón, de donde viene su denominación latina, y es blanco con puntos marrones. Se cultiva de la misma manera que la *Ticoglossum krameri* (véase). La planta florece en verano en bosques neblinosos de México, Guatemala, Honduras y Costa Rica.

Lemboglossum cordatum.

flores son bastante pequeñas, de entre 3 y 4 cm. Sus tépalos estrechos y largos son verde amarillentos y están cubiertos con puntos oscuros. El labio es malva. Las flores aparecen entre el invierno y la primavera. La planta se da en la naturaleza en México, Guatemala y El Salvador.

Lemboglossum cervantesii

CRIOFÍLICA INTERMEDIA

Se trata de una especie es muy apreciada. Sus proporciones pequeñas la hacen idónea para el cultivo. Los pseudobulbos unifoliados con forma de huevo miden entre 3 y 5 cm, con hojas individuales estrechas, de unos 15 cm. Las flores crecen en racimos florales cortos caracterizados por una redondez muy armoniosa. Sus tépalos brillantes de color blanco dan un fondo maravilloso para las motas marrones que rodean el centro de la flor. Se cultiva en condiciones frescas durante todo el año. La

Lemboglossum rossii.

Lemboglossum wyattianum.

Lemboglossum rossii   □ ▪ ☹ ☺

CRIOFÍLICA INTERMEDIA

Sus mínimas proporciones y sus bellísimas flores hacen de la *L. rossii* una orquídea muy apreciada. Por desgracia, los intentos de cultivo a menudo se enfrentan al problema de la criofilia típica de todo el género. Los pseudobulbos son ovales y miden sólo 2-3 cm. Las hojas alcanzan longitudes de más de 12 cm. Las espigas florales normalmente llevan sólo una flor, rara vez 2 ó 3. Las flores miden más de 6 cm de ancho, con sus sépalos amarillentos, con motas marrones. El pétalo labial es ancho, ondulado y rosado, con un matiz de blanco. La planta florece en un período favorable para los cultivadores, en el invierno y el inicio de la primavera, y se ha visto en estados entre México y Nicaragua.

Lemboglossum wyattianum   ▪ ◼ ☹ ☺

CRIOFÍLICA INTERMEDIA

Esta planta tiene entre 2 y 4 flores, con un tamaño de 7 cm, que se arraciman en una espiga floral de 15 cm. Su belleza es absolutamente indescriptible, con su pétalo labial ensanchado, blanquecino y rizado en los laterales, embellecido con un complejo dibujo purpúreo y azul. Además la planta es más bien pequeña en sus proporciones. Forma pseudobulbos medio aplanados, alargados y con forma de huevo,

bifoliados, con hendiduras a todo lo largo, que miden unos 8 cm. Las hojas delgadas miden 20 cm de largo como mucho. La especie es atractiva pero, desgraciadamente, difícil de cultivar. Necesita las condiciones que se recomiendan para las orquídeas criofílicas de este género. Florece en otoño y primavera y procede de Ecuador y Perú.

Leochilus sp.   □ ▪ ☺

INTERMEDIA TERMOFÍLICA

El género *Leochilus* incluye unas 15 especies pequeñas y poco exigentes en general. La planta de la foto es, además de poco exigente en materia de cultivo, atractiva por su abundancia de flores blancas pequeñas y parcialmente transparentes, con una marca rojiza. Los pseudobulbos unifoliados tienen forma de balón y son muy pequeños, entre 1 y 4 cm. Las hojas suaves y blandas miden entre 10 y 15 cm de largo. Dos o tres florescencias que sobresalen surgen de la base del pseudobulbo, cada una de ellas con entre 1 y 8 flores pequeñas. La planta tolerará incluso un entorno a media sombra, con menos ventilación, y algo húmedo, lo que la hace idónea para su cultivo bajo fanales de cristal. Se cultivan de

Leochilus sp., México.

forma epifítica. Normalmente florecen en primavera. Su hábitat lo constituyen las áreas húmedas y cálidas que rodean Orizaba, en México, y se dan en zonas de baja cota de América Central, entre México y Panamá, y también en Cuba.

Leptotes unicolor □ ☺

INTERMEDIA

Las tres representantes de este género epifítico son maravillosas orquídeas en miniatura, muy populares entre los coleccionistas. Las plantas forman pseudobulbos en forma de vara, cada uno de ellos con una única hoja gruesa y rojiza, casi circular en sección cruzada. Las hojas y los pseudobulbos juntos tienen una longitud de 6 cm. La espiga floral es corta y tiene 2-3 flores de unos 4 cm. Como su propio nombre indica, la *L. unicolor* tiene flores de un solo color, cuyos pétalos pueden ser púrpura o blancos. Los conjuntos de esta planta montados sobre soportes de madera o de corcho no son exigentes en materia de cultivo. Prosperan en sitios con sombra parcial y buena ventilación. Hay que reducir el riego y bajar la temperatura en invierno. Florece entre el invierno y la primavera y es originaria de Brasil.

Leptotes unicolor.

Liparis sp., Malasia.

Liparis sp.

Liparis nutans.

Liparis   ▫ ◼ ☺

INTERMEDIA

En lo que se refiere a cultivo, las representantes tropicales del género *Liparis* no son atractivas. Las plantas son más bien grandes y su flor no tiene mucho que reseñar, creciendo en racimos erectos. La espiga floral mide 35 cm de alto y crece en el ápice de un pseudobulbo en forma de cono, bifoliado y no muy firme. La *L. nutans* es una de las pocas excepciones dentro del género *Liparis* que tiene flores vistosas. Su color naranja brillante destaca especialmente del amplio pétalo labial. Hay que cultivar estas orquídeas en turba humedecida, en macetas. Son adecuadas como especie adicional en las secciones más oscuras de los invernaderos acristalados, pues pueden crecer en ambientes umbríos. Hay que cuidar que no queden expuestas al sol directo, que les provocaría daños o las destruiría. En invierno, puede reducirse la temperatura en los entornos de cultivo con mayor sombra. Se dan en los trópicos y en las regiones templadas y frías del mundo.

Ludisia discolor.

Ludisia discolor.

Ludisia discolor ▫ ☺

INTERMEDIA TERMOFÍLICA

A pesar de deniminarse actualmente *Ludisia*, la mayor parte de los cultivadores conocen a las representantes del género por su antiguo nombre: *Haemaria*. El género sólo incluye una especie muy conocida por la variabilidad del color de sus hojas ovales. El tallo, que se desarrolla a ras de suelo con un ápice erecto ascendente que crece sin parar, es una parte fundamental de la flor. Es grueso, blando y carnoso. El racimo de diminutas flores blancas contrasta con el color oscuro de las hojas aterciopeladas, con un color que va del marrón y verde al marrón y rojo. Pero debemos tener cuidado: el color depende de la intensidad de la luz a la que están expuestas. En un ambiente de sombra la planta asume un color verde casi puro. La *L. discolor* tiene buena capacidad para una propagación vegetativa rápida. Necesita un sustrato húmedo de turba, agua de lluvia y una sombra intensa. Florece entre otoño y primavera y proviene del suroeste de Asia.

145

Lycaste aromatica.

fuerte y encantadora. El cultivo no es difícil. Hay que dar a las plantas un entorno de temperatura templada con luz difusa de entre media y alta intensidad. Si queremos que dé flor abundante, las plantaremos en macetas llenas con un sustrato estándar para orquídeas. Hay que montarlas en soportes epifíticos, en cuyo caso los ejemplares necesitan humidificación frecuente y fertilización. En invierno, tras la caída de las hojas, hay que reducir el riego y la temperatura, induciendo a un período de descanso, para un adecuado desarrollo de un montón de flores en las siguientes temporadas. Florece a principios de primavera y se da en México, Guatemala y Honduras.

Lycaste cruenta ▣ ☺

INTERMEDIA TERMOFÍLICA

Se trata de una especie algo robusta cuyas flores tienen un diámetro superior a los 8 cm. Es bastante rara en cultivo, por lo tanto, cada ejemplar es un tesoro bien guardado en todas las colecciones. Debe cultivarse de la misma manera que la *L. aromatica*. La especie florece en primavera y se conoce en el medio natural en México, Guatemala y El Salvador.

Lycaste cruenta.

Lycaste aromatica ▣ ☺

INTERMEDIA

Todas las representantes del género *Lycaste* (unas 35 especies) son muy parecidas cuando no están en flor. Forman grandes pseudobulbos ovales y color verde brillante, decorados en sus ápices con 2-3 hojas elípticas apuntadas con venaduras pronunciadas en un sentido longitudinal. Las hojas por lo general duran sólo una temporada, para después caer. Las flores más comunes, cuyos tépalos interiores tienen formas parecidas a un pequeño tejado, se abren una a una sobre espigas florales delgadas desde la base de los pseudobulbos y pueden verse varias docenas de ellas creciendo a la vez. La *L. aromatica* es la más conocida entre las especies del género. Sus flores anaranjadas y amarillas emiten una fragancia

Lycaste macrophyllum.

motas rojas, con tres tépalos externos de color marrón y rojo y dos interiores, blanquecinos. Las exigencias de cultivo de la especie no varían much de ls de la L. aromatica. Los capullos florales aparecen en las bases de los pseudobulbos entre marzo y julio. El momento de la aparición depende del clima del hábitat. Las plantas crecen sobre un extenso territorio de América Central y del Sur, entre Costa Rica y Bolivia.

Lycaste virginalis

INTERMEDIA

Se etiqueta a menudo como sinónimo de la *L. skinneri*, y es la más decorativa. Su aspecto es poco común con unos pseudobulbos que miden 10 cm de alto y tienen 1-2 hojas que alcanzan longitudes de más de 15 cm y no difieren en aspecto respecto a sus parientes más próximos. Por otra parte, las flores rosáceas pueden medir 15 cm de lado a lado con un pétalo labial más oscuro, moteado de púrpura. Los recolectores buscan con ahínco la rara variedad de flor blanca (var. *alba*). Las normas de cultivo son iguales a las de la *L. aromatica*. Florece entre otoño y primavera y vive epifíticamente en un área entre México y Honduras en alturas de 2.000 m y menores.

Lycaste macrophyllum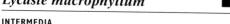

INTERMEDIA

Una de las más fuertes entre las especies de este género. Sus pseudobulbos miden más de 10 centímetro de alto, con las hojas alcanzando longitudes de 60 centímetros, de donde proviene su nombre latino, que significa «hojas grandes». Las flores miden más de 12 centímetros de lado a lado y son asombrosamente bellas. Constan de un labio blanco con

Lycaste virginalis.

Masdevallia

⊡ ☺

CRIOFÍLICA INTERMEDIA

Fuera del período de floración, muchas especies de *Masdevallia* son la imagen idéntica, repetida, de otras, y su aspecto está lejos de ser llamativo. Sin embargo, cuanto más aburridas a la vista resulten sus partes verdes, más hermosas serán sus flores. La piedra angular de la planta lo constituye su rizoma rastrero extremadamente corto, que da origen a los restos casi completamente anulados de los pseudobulbos. Cada uno de ellos tiene una hoja

Masdevallia ova-avis.

Masdevallia tovarensis.

carnosa rígida de una forma de espátula típica de las *Masdevallia*. El follaje es de un verde muy vivo y brillante y forma penachos densos. La morfología de las flores es bastante uniforme. Están dominadas por sépalos extendidos a lo largo, puntas como hilos y un pétalo labial en forma de lengua. Crecen sobre tallos de longitudes diversas, casi siempre individualmente, rara vez en parejas, con varios tallos erectos a la vez en cada planta. Las representantes del género *Masdevallia* se cultivan epifíticamente, de forma terrestre olitofíticamente sobre rocas húmedas. Sus necesidades de cultivo pueden parecer bastante extraordinarias, pero son manejables. Como vienen en su mayoría de

Masdevallia floribunda.

148

Masdevallia picturata.

Masdevallia ignea.

regiones frescas, húmedas y umbrías, sus raíces no se adaptan bien a condiciones de sequedad. Por lo tanto se deben cultivar en sustratos finos, en macetas mejor que sobre soportes epifíticos. Hay que ponerlas en semisombra, bien ventiladas y refrescarlas humidificándolas con frecuencia en los días de bochorno. Hay descritas unas 300 especies de este género inestable y sin consolidar. Algunas de las representantes han sido transferidas a géneros independientes de *Andreetaea, Dracula, Dryadella* y *Trisetella*. Las orquídeas *Masdevallia* crecen en Suramérica y América Central.

Masdevallia biflora.

149

Maxillaria luteo-alba.

Maxillaria ▫ ▪ ☺

CRIOFÍLICA INTERMEDIA

Maxillaria es un género de orquídea bastante bien conocido, aunque no es uno de los más apreciados. Sólo una pequeña parte de un total de 300 especies exhiben unas flores grandes y vistosas que crecen en espigas cortas. Dentro de este género pueden encontrarse en la naturaleza diversas especies de pequeño tamaño. Algunas de ellas se muestran en las fotografías. Una abrumadora mayoría de orquídeas

Maxillaria forman pseudobulbos de muy variadas formas, fijados a rizomas bien rastreros, bien ascendentes. Los pseudobulbos normalmente tienen 1-2 hojas alargadas y estrechas que pueden estar muy densamente dispuestas en grupos o distribuidas de forma dispersa sobre el largo rizoma. Las espigas florales tienen una flor cada una, brotadas de la base del pseudobulbo y que no superan a las hojas en longitud. Lo más común es que el pétalo labial de las

Maxillaria rufescens.

Maxillaria sp., Ecuador.

150

Maxillaria picta.

Maxillaria tenuifolia.

Maxillaria sp., Ecuador.

flores sea arqueado y tenga forma de lengua, con unos tres lóbulos no muy relevantes. Los otros tépalos son alargados, sobresaliendo mucho en el espacio y posicionados como los de las orquídeas *Lycaste*. La *Maxillaria* es una epifítica que crece en elevaciones medias de las zonas tropicales. Pra el cultivo, las plantas se deben montar sobre ramas o corcho, mientras algunas especies de flor grande pueden ponerse en pequeñas cestas de madera con una mezcla epifítica. Si queremos que las orquídeas florezcan bien, las pondremos sobre lugares bien ventilados con tanta luz difusa como seamos capaces de darle. El género *Maxillaria* se da sólo en la América tropical.

Maxillaria uncata.

Maxillaria porphyrostele.

151

Mediocalcar □ ▫ ☺ ☺

INTERMEDIA TERMOFÍLICA

Las representantes de este género son orquídeas maravillosas de pequeño tamaño y rarezas muy apreciadas entre los cultivadores. No son sólo atractivas por sus poco comunes y bellas flores, sino por la extraordinaria morfología de sus estructuras vegetales. Las plantas forman pseudobulbos cilíndricos que crecen a partir de un rizoma rastrero o del ápice de un tallo anterior (ver la planta de la foto, con flores amarillas y anaranjadas, que se parece a la especie *M. decoratum*). Esta última forma es menos común. Entre 1 y 5 hojas cortas y carnosas adornan los ápices de los tallos. En las espigas florales brotan una o varias flores de color amarillo y anaranjado, blanco o rojo. El cultivo de estas pe-

Mediocalcar sp.

Mediocalcar sp., Nueva Guinea.

queñas epifíticas no es difícil. Hay que montar las plantas en una capa de musgo o en un soporte de madera y ponerlo en un entorno cálido y húmedo. Las flores aparecen de forma irregular, la mayoría en invierno y primavera. La mayor parte de las orquídeas *Mediocalcar* proceden de las alturas medias de Nueva Guinea.

Meiracyllium trinasutum □ ☺ ☺

INTERMEDIA TERMOFÍLICA

El género *Meiracyllium* incluye sólo dos especies, ambas con orquídeas muy hermosas. Tienen pseudobulbos pequeños y hojas ovales y muy gruesas. La especie *M. trinasutum* es algo más pequeña que su pariente ya mencionado. Cada uno de los pequeños pseudobulbos tiene una hoja redondeada u oval, rojiza, de unos 5 cm de largo. Las florescencias tienen 6 flores y crecen desde la base de las hojas. Las flores tienen 2 cm y son púrpura rosado. El pétalo labial es un poco más oscuro que los otros tépalos. Algún problema de cultivo se puede dar por ataques de moho sobre los tallos de nueva formación o los extremos de las raíces. Hay que cultivar epifíticamente las plantas sobre un trozo de corcho duradero (de pino, alcornoque o roble) y proporcionarle la cantidad suficiente de luz difusa. La *M. trinasutum* florece entre finales de primavera y verano y se conoce en el medio natural en Cuba, Guatemala, El Salvador y México.

Meiracyllium trinasutum.

Meiracyllium wendlandii.

Meiracyllium wendlandii □ ☹ ☺

INTERMEDIA

Esta especie se cracteriza porque sus pseudobulbos son de pequeño tamaño y la función de almacenamiento la asumen las hojas, muy carnosas. La especie es casi indistinguible de la *M. trinasutum* en apariencia, excepto por el hecho de que sus hojas son un poco más largas y sus espigas florales son más fuertes. Se pueden observar pequeñas diferencias en la morfología de las flores: en el caso de la *M. wendlandii*, el labio es menos abultado, la protuberancia roma voluminosa no se ve tanto en la parte inferior y la columna es más delgada en la base. Florece en invierno y se encuentra en México y Guatemala.

Mendocella burkei ▣ ☹

INTERMEDIA

Mendocella burkei.

Es un miembro de un género más bien pequeño, de 11 especies, que contiene epifíticas de tamaño medio con flores soberbias. La *M. burkei* tiene unos pseudobulbos alargados de 6 cm rematados con dos hojas de forma de cinturón que miden 35 cm. Las partes laterales de los nuevos pseudobulbos dan lugar a una espiga floral que mide más de 20 cm de alto y tiene 3-5 flores muy vistosas, de unos 7 cm de envergadura. El labio, inclinado hacia delante, es blanco crema, con una base roja rosácea. Los otros tépalos son verdosos con una marca marrón. La planta puede cultivarse tanto epifíticamente como sobre una mezcla epifítica permeable. Las flores aparecen en invierno y principios de primavera. La *M. burkei* procede de Venezuela y Colombia.

Mexicopedilum xerophyticum

TERMOFÍLICA

Los primeros ejemplares fueron descubiertos en 1991. Al principio, la planta se consideró una especie nueva del género *Phragmipedilum* (o *Cypripe-dium*), pero sus características externas obligaron a establecer un nuevo género. Las rosetas de hojas rígidas, con forma de cinturón pueden formar brotes laterales. Las flores blancas crecen en una espiga de 35 cm de largo y sus proporciones son minúsculas, de entre 1,5 y 2 cm. Hay poca información disponible sobre cómo cultivar la especie. El hogar de este hallazgo sorprendente es Oaxaca, México.

abren una a una. Su aspecto extraordinario hace de las orquídeas *Microcoelia* unas plantas muy buscadas. Es preciso cultivarlas en semisombra, en lugares bien ventilados y húmedos. Para evitar el moho, el riego ha de reducirse algo en invierno. Las flores aparecen de modo irregular, casi en cualquier tiempo durante el año. La especie crece en un área entre el África Ecuatorial, África del Sur y Madagascar.

Microcoelia exilis

INTERMEDIA TERMOFÍLICA

El género *Microcoelia* incluye unas 27 epifíticas en miniatura, cuyo común denominador es una rara forma de existencia, ya que no tienen hojas. Las funciones de asimilación y almacenamiento de las hojas la toman las raíces, que son carnosas y clorofílicas, como en el caso del género *Chiloschista* y el *Polyrrhiza*. Estas orquídeas tienen tallos muy alargados o muy cortos. La *M. exilis* es un ejemplo del último tipo. Su tallo reducido, no mayor de 1-3 cm da lugar a un gran número de raíces carnosas, planas y largas. Son plateadas en los períodos secos y verdes cuando encuentran humedad. Unas abundantes y semierectas espigas florales se forman entre las raíces, midiendo cada una de ellas más de 15 cm y sosteniendo más de 30 flores blanquecinas que se

Miltonia candida

INTERMEDIA

Hay mucha confusión con respecto a la clasificación sistemática de muchos grupos de orquídeas dentro de la familia de las *Orchidaceae*. Esto está provocado por la gran cantidad de formas diferentes que adopta la orquídea, así como por sus a menudo poco claras conexiones. El género *Miltonia* es un buen ejemplo de este fenómeno. Las diferencias de morfología de sus flores y las de las *Odontoglossum* son mínimas. La especie *M. candida* tiene pseudobulbos bifoliados de 6 cm de largo. Sus hojas son delgadas y tienen más de 30 cm de largo. La espiga floral erecta tiene flores amarillas y verdes de 8 cm de envergadura, con motas marrones y un labio oval blanquecino que es púrpura en su parte interior. El cultivo de esta especie epifítica de orquídea

Miltonia candida.

Miltonia clowesii.

Miltonia flavescens ◼ ☺

INTERMEDIA

Los pseudobulbos bifoliados de la planta, de 7 cm de alto se almacenan en un rizoma rastrero. Este rasgo morfológico se da en todas las orquídeas *Miltonia*. La *M. flavescens* difiere de las otras especies en la apariencia de las flores, que son blanquecinas y tienen unos tépalos alargados y estrechos. Las flores (6-12 a la vez) están dispuestas en un racimo poco denso. El labio se adorna con una marca roja. Las exigencias de cultivo son iguales a las de las dos especies anteriores. La planta florece entre la primavera y el verano y es originaria de Brasil y Paraguay.

Miltonia flavescens.

es fácil (ver la *M. clowesii*). La especie florece a finales de verano y procede de Brasil.

Miltonia clowesii ◼ ☺

INTERMEDIA

La apariencia de las partes verdes de la planta hacen de la *M. clowesii* una especie parecida a las anteriores. Ésta tiene un racimo floral que alcanza una longitud de más de 50 cm y cuenta con entre 5 y 10 flores. El labio es púrpura con un matiz de blanco y presenta forma de violín. Esta especie presenta buenas características para el cultivo. La mejor manera de abordarlo es cultivarla epifíticamente sobre un soporte largo, para dar a las delicadas raíces una buena oportunidad de crecer sobre la madera. Hay que mantener las plantas en un entorno húmedo y en semipenumbra. En invierno no es necesario darles un período de reposo. Florece en otoño y es originaria de Brasil.

Miltonia regnellii (x M. clowesii).

Miltonia spectabilis.

MMiltonia regnellii
(x M. clowesii) ▣ ☺

INTERMEDIA

Estamos ante una bonita y pequeña orquídea *Miltonia* que es muy atractiva para el cultivo. Sus pseudobulbos bifoliados son alargados y tienen forma de huevo, alcanzando longitudes de entre 5 y 8 cm. Las hojas son delgadas y miden de 15 a 25 cm. El racimo floral puede tener 5-8 flores de unos 5 cm de diámetro ordenadas en dos filas, con tépalos blanquecinos. La planta de la foto tiene flores con motas marrones, que posiblemente hacen de ella una hibridación de la especie *M. clowesii*. El labio es amplio y ondulado, de color rosa pálido con una base blanquecina y venaduras oscuras. La planta se debe cultivar de la misma forma que otras orquídeas *Miltonia* de Brasil. La planta, que fue descubierta por primera vez en el este de Brasil, florece en verano.

Miltonia spectabilis ▣ ☺

INTERMEDIA TERMOFÍLICA

La clasificación de esta especie es incuestionable, gracias en parte a su rizoma rastrero con pseudobulbos bifoliados, delgados, planos y altos, a unos 7 cm de distancia unos de otros. La flores aparecen

de forma individual, a la vez que los nuevos tallos, entre las bases de las hojas nuevas. Las flores de una *M. spectabilis* estándar son blancas, ensanchadas, planas, con labios púrpura adornados con rayas amarillas y venaduras rojas. El color de las flores va-

Miltonia spectabilis.

156

Miltonioides reichenheimii.

ría. Una de las apreciadas variaciones de color tiene flores rojo oscuro (var. *moreliana*). Es muy valorada por su belleza y la duración de las flores. Se utiliza mucho para crear híbridos «de maceta» resistentes y bellos. Se cultivan de la misma manera que las *M. clowesii*. Florece entre la primavera y el verano, y su hábitat natural está en Brasil.

Miltonia reichenheimii   ▣ ☺

INTERMEDIA TERMOFÍLICA

Como en muchos otros casos, esta orquídea también solía ser incluida en el género *Odontoglossum*. Tiene pseudobulbos ovales y bifoliados que alcanzan longitudes de 10 cm, con hojas delgadas de más

de 30 cm de largo. El racimo floral tiene muchas flores y mide 60 cm de alto. Las flores son grandes (de más de 6 cm), amarillas con motas marrones grandes. Esta composición es complementada por un labio amplio que va desde el púrpura claro al blanco. Florece entre la primavera y el verano. Esta especie es originaria de los bosques de montaña de México.

Miltoniopsis phalaenopsis   ▫ ▣ ☹ ☺

CRIOFÍLICA

Es una planta cracterizada por sus pseudobulbos unifoliados, así como por sus flores blancas con el labio adornado en rojo y amarillo, con un tamaño más bien pequeño (unos 5 cm), pero a pesar de lo cual son excepcionalmente bellas, parecidas a las flores planas de los pensamientos. Siendo una planta nativa de las elevaciones más frescas de las montañas, la *Miltoniopsis phalaenopsis* necesita un cultivo que respete estas condiciones en una forma parecida al de las orquídeas criofílicas del género *Odontoglossum*. Así pues, requiere de mucha luz difusa, buena ventilación, temperaturas algo más bajas todo el año y un reposo invernal sustancial. La *M. phalaenopsis* es una orquídea que florece entre las estaciones de verano y otoño y que se encontró en Colombia.

Miltoniopsis phalaenopsis.

Mormodes buccinator.

Mormodes

◼ ☹ ☺

CRIOFÍLICA INTERMEDIA

Las representantes de este género peculiar se parece mucho a sus parientes, las orquídeas *Catasetum*. Tienen pseudobulbos en forma de huso con entre

Mormodes amazonicum.

3 y 7 hojas lanceoladas y estriadas longitudinalmente. Tras la madurez de los pseudobulbos, las hojas caen. La espiga floral aparece durante un período en el que se están formando nuevos tallos en la base del pseudobulbo, y normalmente hay sobre ella 5-10 flores. Las flores de este género son *dioicas*, una característica que distingue las *Mormodes* de las *Catase-*

Mormodes sp., Bolivia.

Mormodes rosea.

Mormolyca sp. ▣ ☺

INTERMEDIA

Se trata de un género poco significativo de unas seis especies que se parece a la *Maxillaria*. El miembro más conocido del género es la *M. ringens*, que crece en una zona entre México y Costa Rica. La especie de la foto (tomada en Bolivia), es más rara, se conoce como *M. gracilipes* y florece en invierno. Las orquídeas *Mormolyca* se caracterizan por los pseudobulbos unifoliados que crecen sobre un rizoma corto. Sus hojas finas miden más de 30 cm de largo, lo mismo que las espigas de una sola flor. Las flores miden 3 cm de diámetro con tépalos amarillos de rayas marrones y un labio trilobulado. Se cultivan igual que las orquídeas *Maxillaria*.

Mormolyca sp., Bolivia.

tum, y están caracterizadas por la morfología de su pétalo labial: plegado y arqueado. En lo que se refiere a su cultivo, son exigentes y deben cultivarse como las orquídeas *Catasetum*. Se montan sobre grandes soportes de madera y se les da mucho riego, fertilizantes y luz indirecta durante el crecimiento. Una vez que las hojas se empiezan a poner amarillas y se secan, hay que reducir la temperatura e interrumpir por completo el riego. Unas 25 especies de este género florecen a principios de primavera y se sabe que se dan de forma dispersa por América Central y del Sur.

Nanodes medusae.

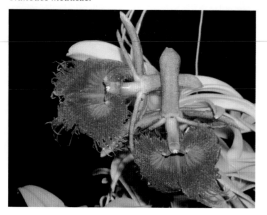

Nanodes medusae

INTERMEDIA

Una característica del género *Nanodes* son sus tallos sobresalientes y blandos, ligeramente ascendentes en los extremos y densamente cubiertos con dos filas de hojas carnosas cortas. Las flores ubicadas en el extremo de los tallos son amarillas y verdes y miden más de 8 cm de diámetro. Están dominadas por el labio orlado de color marrón y rojo. Esta especie no es fácil de cultivar. Necesita un nivel alto de humedad y buena ventilación, combinación imposible de conseguir en los días calurosos de verano, por lo que sus tallos o capullos tienden a secarse. Se deben montar en una capa gruesa de musgo y turba. Esta especie florece en verano y es originaria de Ecuador.

Nanodes megalospatha.

Nanodes megalospatha

· ☹ ☺

INTERMEDIA

En el medio natural, la *N. megalospatha* tiene lugar en localizaciones frescas con lluvias durante todo el año, y crece sobre los troncos de los árboles cubiertos de musgo, permanentemente húmedos. En cultivo, las plantas se ven privadas de agua de lluvia bacteriológicamente limpia y de aire fresco, lo que las predispone a enmohecerse, especialmente durante el invierno. En los meses de verano, por otra parte, se ven dañadas por frecuentes períodos secos en sus raíces así como por las altas temperaturas. La planta de la foto se da en invierno en las laderas de los Andes ecuatorianos, cerca de la ciudad de Baeza.

Nanodes porpax

□ ☺

INTERMEDIA TERMOFÍLICA

Esta especie es, desde el punto de vista de la morfología de su estructura, la más relevante orquídea *Nanodes*. Sus tallos rastreros o ascendentes tienen dos filas de hojas. La planta es más pequeña que las especies anteriores, lo que hace de ella una miniatura muy bella. Sus hojas apenas miden 2 cm de largo. Los tallos blandos son propensos a ramificarse y producen muchas raíces aéreas y tienen en sus extremos flores de 2,5 cm con un labio vistoso, vuelto hacia atrás y con forma de corazón, coloreado en marrón y rojo. La *N. porpax* no es de cultivo complicado. Bastará con ponerla en un entorno de me-

Nanodes porpax.

dia sombra y humedecerla con frecuencia. Florece a finales de verano y en otoño. Crece de forma dispersa sobre una región que incluye a México, Panamá, Venezuela y Perú.

Nanodes schlechterianum   ☐ ⊡ ☺

INTERMEDIA TERMOFÍLICA

Como sucede con otras orquídeas *Nanodes*, la *N. schlechterianum* está incluida en el género materno de las *Epidendrum* y se presenta a menudo bajo su sinónimo, *N. discolor*. Sus tallos tienen dos filas de hojas blandas y carnosas que miden 2 cm. Las flores son marrón grisáceo con un labio rosado y marrón. Miden unos 2 cm y hay 1-3 en cada florescencia terminal, muy cortas. El cultivo no varía mucho de la *N. porpax*. La planta florece de forma irregular a lo largo del año, con más frecuencia entre otoño y primavera. El área geográfica de la especie incluye México, Panamá, Colombia, Venezuela, Brasil, Perú, Trinidad y otros países de la región.

Nanodes sp.   ☐ ⊡ ☺

INTERMEDIA

Se dan muchas incertidumbres en la taxonomía de este género. Un alto número de orquídeas pequeñas y poco vistosas que se dan en América se clasifican de manera distinta según los autores. Sin embargo, no hay un acuerdo general sobre si las plantas pertenecen al género *Nanodes*, *Epidendrum* o *Neolehmannia*. Sea como sea, la especie de la foto (¿*N. barbeyana*?) es una miniatura bella y agrupada. Las flores terminales son blanquecinas y no tienen valor decorativo. Esta planta poco exigente debe cultivarse de la misma forma que la *Nanodes porpax*. La planta florece de manera muy irregular, pero sobre todo en invierno. Su hábitat natural es Ecuador y otros países.

Nanodes sp., Ecuador.

Neofineta falcata ▫ ☺

CRIOFÍLICA

El género *Neofinetia* abarca sólo una especie, que parece una versión en miniatura de una especie *Angaecum* o una *Vanda*. Su tallo rígido, de apenas 10-15 cm de largo, sostiene dos filas de hojas duras que miden 7 cm. Entre 2 y 7 flores de color blanco níveo aparecen sobre una espiga floral corta y son destacables por su espuela inclinada hacia delante, que puede medir 4 cm de largo. En el medio natural, se da epifíticamente, pero también puede cultivarse en un sustrato de grano medio en macetas. Necesita la mayor cantidad posible de luz, un entorno fresco y reposo invernal. En el pasado, la planta se utilizó para crear hibridaciones con los géneros *Vanda*, *Ascocentrum* y *Phalaenopsis*. Las flores aparecen enverano. La especie se da en una zona poco tradicional para estas plantas, en Corea y Japón.

Nervilia aragoana.

Nervilia aragoana ▫ ☺

INTERMEDIA

Se trata de una orquídea terrestre con pseudobulbos subterráneos de 2 cm de alto. Durante el crecimiento de la florescencia, con 2-3 flores, la planta tiene que valerse sin su única hoja, pues no se desarrolla hasta que las flores se marchitan. Las flores tienen en torno a 2,5 cm de envergadura. Sus tépalos son amarillo verdosos con rayas longitudinales marrones de intensidad variable. El labio es algo más claro. La planta debe cultivarse en un sustrato húmedo en macetas y necesita humedad, semisombra y calor, mientras que requiere una sequedad absoluta y temperaturas reducidas en invierno. Florece entre el invierno y la primavera y procede de la península de Malasia, el norte de Tailandia, Laos y Mianmar.

Nidema boothii ▫ ☺

INTERMEDIA

Esta pequeña orquídea, poco exigente y apreciada entre los recolectores, es la única representante del género. Su rizoma rastrero produce pseudobulbos que crecen a una distancia de 2-3 cm unos de otros y alcanzan longitudes de 6 cm. Sostienen una o dos hojas lineadas de unos 15 cm de largo. Las florescencias brotan poco densamente de los ápices de los pseudobulbos nuevos. Las flores blanco crema de las plantas son bastante grandes. La especie no es muy exigente. Sale adelante sobre un soporte de madera a media sombra. En invierno, podemos reducir la temperatura y regar poco. Florece en otoño y las plantas proceden de América Central, en una zona entre México, Panamá, Cuba y Surinam.

Nidema boothii.

Notylia barkeri   ·· ☺

INTERMEDIA

Representante de un género numeroso, de unas 40 especies, con flores sencillas dispuestas en racimos vistosos. Tiene unos pseudobulbos pequeños, planos, de forma entre esférica y elíptica, y unas hojas de forma de cinturón, algo ovaladas, duras, que miden más de 20 cm. Las plantas no alcanzan sus

Notylia barkeri.

proporciones máximas, aunque dan flores, pequeñas, de color blanco verdoso, surgiendo en gran número sobre racimos florales que sobresalen. Hay que cultivarla epifíticamente en un entorno de luz intermedia y bien ventilado. Florece en primavera y se da en las regiones cálidas de América Central.

Oberonia sp.   □ ·· ☺

INTERMEDIA TERMOFÍLICA

Se trata de una especie cuyas flores no superan 1-2 mm. Sin embargo, los amantes de las curiosidades botánicas pueden verse intrigados por la peculiar morfología parecida al iris de estas orquídeas de pequeño tamaño. La planta no crea tallos o pseudobulbos. Sus hojas son planas y apuntadas y crecen unas desde otras. Las florescencias sobresalen y tienen docenas y cientos de flores diminutas, comparándose a veces con las frutescencias de una hierba europea denominada «cola de ratón» (*Myosurus minimus*). Su cultivo no requiere grandes complicaciones. No deben exponerse a condiciones demasiado duras debido a sus proporciones minúsculas. Se recomienda el cultivo epifítico. Cuando las montamos sobre un soporte, hay que añadir musgo a las raíces. Unas 200 especies de este género se extienden por el este de África, la India, el suroeste de Asia y las islas del Pacífico. La especie de la foto, tomada en Tailandia, florece en otoño e invierno.

Oberonia sp., Tailandia.

163

Odontoglossum kegeliani.

Oncidium bicallosum.

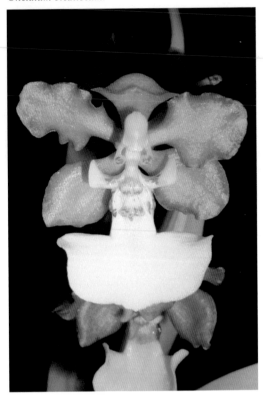

Odontoglossum kegeliani ▣ ☺

CRIOFÍLICA INTERMEDIA

El género *Odontoglossum* solía ser muy extenso pero fue dividido en un gran número de géneros independientes (ver las especies *Lemboglossum cordatum*). La especie *O. kegeliani* es una de las 50 que permanecen en el género original. Tiene pseudobulbos planos, uni o trifoliados, con longitudes de entre 5 y 7 cm. Sus alargadas hojas miden más de 25 cm de largo. Sus flores redondeadas tienen 6 cm de diámetro y están dispuestas en florescencias abundantes, a veces ramificadas, que miden hasta 25 cm. Los tépalos son verdosos y están cubiertos con varias motas grandes de color marrón y rojo. El labio es de tamaño medio, blanco en el exterior y marrón y rojo en el interior, con borde blanco. Hay que cultivarla en un sustrato epifítico y proporcionarle condiciones frías y húmedas, y mucha luz. Florece a principios de primavera y es de Ecuador.

Oncidium barbatum ▣ ☺

INTERMEDIA

Es una especie con pseudobulbos de al menos 6 cm de largo con una única hoja de 10 cm. La espiga flo-

Oncidium barbatum.

ral lleva entre 6 y 12 flores de textura cerúlea. El labio es trilobulado y destaca frente a los tépalos marrones, orlado con un peine de cinco púas moteado con puntos rojos, de donde procede la denominación *barbatum* (barbudo). El cultivo de esta orquídea epifítica no es demasiado complicado. Hay que montar la planta sobre un trozo de corcho o sobre una rama y colgarla en un espacio que esté bien ventilado a sombra intermedia. La *Oncidium barbatum* florece en plena época primaveral y fue descubierta en Brasil.

Oncidium bicallosum ▣ ☺

INTERMEDIA

La *O. bicallosum* representa aquellas orquídeas *Oncidium* que no forman pseudobulbos. La función de almacenamiento para estas orquídeas se organiza mediante las hojas, carnosas, anchas, ovales y de larga vida. La *O. bicallosum* produce un gran número de flores, dispuestas en una florescencia erecta y ramificada. Las flores son marrón y verde, con un labio amarillo limón amplio. Hay que cultivarla epifíticamente en un entorno algo seco y ligero. La especie florece entre el verano y el otoño y es originaria de México, Guatemala y El Salvador.

Oncidium carthagense

▣ ■ ☺

INTERMEDIA TERMOFÍLICA

Como en las especies anteriormente descritas, la *O. carthagenense* no tiene pseudobulbos y almacena el agua en sus hojas, muy gruesas, que alcanzan longitudes de unos 40 cm. Su superficie, similar a la de la *O. luridum*, está moteada con puntos rojos. La espiga floral es arqueada, con muchas flores dispersas que alcanzan longitudes de 150 cm. Las flores son decorativas y miden 2 cm, con el color típico del género, blanquecino con motas rojizas. El labio es marcadamente trilobulado, con la base amarilla y roja. Las dos especies mencionadas son idénticas en cuanto a su cultivo. Se dan bien en entornos cálidos, en invernaderos con algo de sombra. La humedad excesiva, junto a las bajas temperaturas, provocan que las hojas se enmohezcan. La especie florece regularmente y con fuerza en primavera y procede del sur de Florida, la India occidental y México.

Oncidium cebolleta

▣ ☺

TERMOFÍLICA

Una especie excepcional no sólo dentro del género *Oncidium*. La planta es especial debido a que las hojas rígidas, de una inusual forma cilíndrica, casi redonda en sección cruzada, asumen la función de depósitos de agua. Las hojas miden unos 30 cm. Se parecen algo a la cola de una rata, de donde procede

Oncidium carthagenense.

Oncidium cebolleta.

el apodo de otras orquídeas *Oncidium* de morfología parecida. La espiga floral sobresale, está ramificada y mide más de 60 cm. Tiene unas docenas de flores de 2 cm de envergadura. El pétalo labial es amarillo, mientras que los otros tépalos son amarillos y verdes y muy cubiertos con motas marrones y rojas. Esta epífita a menudo crece en lugares de mucho sol; por lo tanto, requiere tanta luz y calor como sea posible. Florece entre el invierno y la primavera y hay formas diversas en América Central y Brasil.

Oncidium cheirophorum.

Oncidium cheirophorum   ⊡ ☺

INTERMEDIA

Una representante miniatura de *Oncidium*, que es un género rico en especies y variedades. Su aspecto, sus pequeñas proporciones y su bajo nivel en cuanto a exigencias de cultivo la convierten en un artículo de colección atractivo. Los pseudobulbos miden apenas unos 3 cm de alto y cada uno lleva una hoja de 15 cm en sus ápices. La base del pseudobulbo da

Oncidium crispum.

lugar a dos espigas florales ramificadas, cubiertas con docenas de flores fragantes amarillo-doradas de 1,5 cm de envergadura. La debemos cultivar como a cualquier otra epifítica estándar. Las flores aparecen a finales del verano y en otoño. La especie es originaria de Nicaragua, Costa Rica y Colombia.

Oncidium crispum   ⊡ ◼ ☺

INTERMEDIA

Es muy buscada para su cultivo. Sus flores tienen colores poco comunes. El número y tamaño de las flores dan un contraste fuerte con las relativamente modestas proporciones de la planta. Sus pseudobulbos bifoliados son planos, con forma de huevo y de entre 5 y 8 cm de alto. Las hojas miden más de 20 cm de largo. La florescencia es ramificada y tiene entre 25 y 30 flores de más de 7 cm de envergadura. Sus tépalos son de color castaño con bordes amarillos. El labio tiene colores similares con un punto amarillo en el centro. La especie se cultiva epifíticamente, con el fin de conseguir un mayor número de flores, sobre un sustrato grueso en macetas. Florece entre otoño y primavera y proviene de Brasil.

Oncidium heteranthum.

Oncidium hastilabium

INTERMEDIA

Una especie espectacular y alargada, imposible de pasar por alto. Los pseudobulbos en forma de huevo de esta planta epifítica miden 20 cm y sostienen en sus ápices 1-2 hojas alargadas de más de 20 cm de alto. La espiga floral casi erecta alcanza una longitud de 75 cm como máximo. Las flores son bellas y se parecen a las del género madre antes mencionado, tanto en forma como en aspecto. Sus tépalos cortos y apuntados son verdosos y desde la parte inferior hasta la mitad, están adornados con rayas cruzadas y motas que van desde el marrón chocolate al vino tinto. El extremo del labio es blanco y con forma de corazón, con la base púrpura. La especie no tiene especiales requerimientos de cultivo. Se dará mejor en macetas colgantes con un sustrato epifítico. Florece a principios de primavera y procede de las laderas bajas de los Andes colombianos.

Oncidium heteranthum

INTERMEDIA

Esta orquídea pequeña, de tamaño medio cuando está en flor, tiene una característica curiosa: la «doble floración». Sus florescencias muy ramificadas, de unos 70 cm de largo, sostienen muchas flores diminutas y estériles de color amarillo, de una envergadura de 0,5 cm, y sólo una pequeña cantidad de flores mucho mayores, amarillas y marrones. Los pseudobul-

bos son alargados, de más de 5 cm, y cada una de las 2 hojas alcanza una longitud de 15 cm. Esta epifítica es poco exigente. Crece durante mucho tiempo y su decorativa florescencia vive mucho. Las flores se dan en invierno y en primavera. La planta vive en los bosques húmedos de una amplia región entre Costa Rica, en un extremo, y Perú y Bolivia en otro.

Oncidium hastilabium.

Oncidium jonesianum var. *pinotii*.

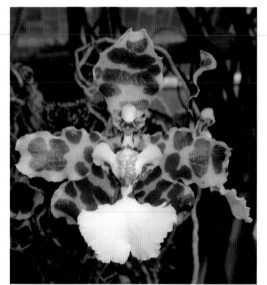

aparecen en primavera. La planta es originaria de los bosques húmedos de la Guyana, Brasil y Perú.

Oncidium ornithorhynchum ▫ ☺

CRIOFÍLICA INTERMEDIA

Las pequeñas proporciones de conjunto de esta especie *Oncidium* incrementa el interés de los coleccionistas hacia ella, aunque alguna gente puede encontrar el aroma de la flor algo desagradable. Los pseudobulbos tienen más de 7 cm de alto, con dos hojas en el ápice. Varias espigas florales se forman conjuntamente en la base del pseudobulbo. Tienen muchas ramificaciones y miden más de 40 cm de largo, estando cubiertas con un gran número de flores de color rosa con el centro amarillo. La especie, más bien criofílica debe cultivarse tanto en macetas como epifíticamente, dotándolas de un período de

Oncidium nanum.

Oncidium jonesianum var. *pinotii* ▫ ◼ ☺ ☺

INTERMEDIA

Especie que se caracteriza por sus hojas redondas en sección cruzada, de unos 20 cm de largo y sobresalientes. El racimo floral tiene 10-15 flores maravillosamente coloreadas y orientadas hacia abajo. El labio de un blanco puro es amarillento en la base y moteado con puntos rojos. Los otros tépalos son anchos, amarillos y blancos con puntos que varían de color entre el rojo y el marrón y rojo. De forma característica, estos puntos son muy pequeños. La variedad *pinotii* de la foto los ha fundido en motas más grandes. Se cultiva la especie de la misma forma que la *O. cebolleta*, pero tenemos que asegurarnos de darle sombra y humedad extra. Florece entre el verano y el otoño. La *O. jonesianum* procede de Paraguay, Uruguay, Bolivia y el sur de Brasil.

Oncidium nanum ☐ ▫ ☺

INTERMEDIA

Su principal característica son sus hojas carnosas y duras, de 8 a 15 cm de largo. Los pseudobulbos se redujeron y la florescencia, corta, brota de las axilas de las hojas desde un rizoma corto. La espiga floral está ramificada y no es mayor que las hojas, con 20 flores marrones y amarillas, de 1,5 cm. Sus proporciones y escasas exigencias de cultivo la convierten en una rareza muy apreciada. Se cultiva epifíticamente. Cuando las hojas maduran, podemos dar a la planta un período de reposo invernal. Las flores

Oncidium ornithorhynchum.

Oncidium phymatochilum.

descanso cuando las flores se mustian. Florece en otoño e invierno y procede de México, Guatemala, El Salvador y Costa Rica.

Oncidium phymatochilum ▣ ■ ☺

INTERMEDIA

Un récord del género: sus muy ramificadas espigas florales miden 2 metros. Los pseudobulbos son de más de 10 cm de alto y tienen una única hoja de 30 cm. Las flores son de 5 cm o menos, de color verde con motas marrones. El labio es blanquecino. El cultivo no es complicado pero sus grandes proporciones la hacen incómoda para el cultivo. La *O. phymatochilum* florece en primavera y vive en México, Guatemala y Brasil.

Oncidium proliferum ☐ ▫ ☺

INTERMEDIA

Impresionante orquídea «vivípara» epifítica en miniatura. Las bases de los pseudobulbos aplanados, con forma de huevo y casi transparentes, de unos 4 cm de largo, dan lugar a un tallo segmentado, rotante y rastrero, de una longitud de 2 m, que trepa por las ramas de los alrededores o bien queda col-

gado en el aire. En sus nódulos pueden brotar otros pseudobulbos. Las flores son individuales, de color marrón y amarillo, de una envergadura de 2-3 cm, brotadas en espigas cortas desde la base del pseudobulbo. Su cultivo no es difícil. Se monta en una capa de musgo sobre un soporte de madera, permitiendo bastante espacio para el tallo. La especie necesita algo más de luz y humedad que la media. Florece irregularmente, sobre todo en invierno y primavera, y procede de países cuyos territorios se extienden por las tierras bajas amazónicas.

Oncidium proliferum.

Oncidium pumilum.

Oncidium sp., México.

Oncidium pumilum ⊡ ☺

INTERMEDIA

Representante de las orquídeas de «orejas de perro», muy apreciada y típica del género, debido a la morfología de las florescencias. La especie no tiene pseudobulbos y la función de los órganos de almacenamiento la asumen las hojas, que son ovales, gruesas, rojizas y alargadas. La florescencia, que sobresale, está ramificada a intervalos regulares, con las ramas laterales muy cubiertas por flores de tan sólo 8 mm, de color rojo y amarillo. Esta epifítica es algo más exigente en cuanto a luz y calor. Las flores se dan en primavera. Procede de Brasil y Paraguay.

Oncidium sp., México.

Oncidium sp. ⊡ ☹

CRIOFÍLICA

Una fina orquídea *Oncidium* de montaña, incluida aquí como curiosidad ecológica. Debido a las extremas condiciones ecológicas que dominan su hábitat originario, las alturas de Oaxaca, en México, es casi imposible cultivarla. La planta forma pseudobulbos dorados y aplanados, rematados con hojas finas. Las flores miden más de 3 cm de diámetro y tienen un labio amplio de color amarillo limón. La especie vive en bosques de roble semicaducos en alturas en torno a 3.000 metros. En cultivo necesitan frescor durante todo el año, una cierta cantidad de radia-

ción UV y una ventilación perfecta, combinación casi imposible de conseguir. Florece en primavera.

Oncidium tigrinum

INTERMEDIA

Una planta muy robusta que es, o mejor dicho, fue, cultivada en ocasiones como flor cortada debido a su gran número de flores. Sus pseudobulbos bifoliados miden más de 9 cm de largo. Las hojas son tres veces más largas. La espiga floral erecta de la planta normalmente no se ramifica y tiene entre 15 y 20 flores dispersas de más de 5 cm. Los tépalos marrones y amarillos están dominados por un labio amarillo sulfúreo ancho marcadamente estrecho en la base. Esta especie no da problemas de cultivo. La planta florece en pleno otoño y fue descubierta en México.

Oncidium tigrinum.

Oncidium varicosum.

Oncidium varicosum

INTERMEDIA

La *O. varicosum* es una de las orquídeas de cultivo más frecuente. En el pasado se importó a menudo a Europa. Hoy en día ha abierto camino a híbridos más eficientes. Es una especie muy fuerte que forma pseudobulbos bifoliados de 10 cm. Sus espigas florales erectas y ramificadas, a menudo con una longitud superior al metro, sostienen más de cien flores amarillas con motas rojas y marrones y un labio amarillo sulfúreo. El tamaño de las flores es muy variable pero limitado a 5,5 cm. Esta especie se cultiva con una sombra moderada, epifíticamente o en maceta, con mayor fertilización durante el período de crecimiento. Las plantas «se olvidan» a veces de dar flor. Esto se ve provocado por una sombra excesiva o, paradójicamente, si las condiciones de la planta son «demasiado buenas», sin reposo vegetativo. Florece entre otoño e invierno y proviene de Brasil.

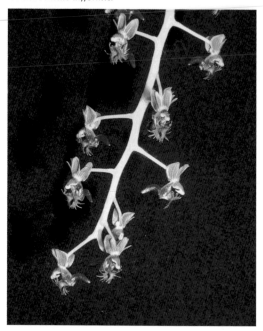

Ornithocephalus ☐ ☹ ☺

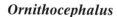

TERMOFÍLICA

Las formas de la flor, parecidas a la cabeza de un pájaro, sólo pueden admirarse a través de lentes de aumento, dadas las proporciones mínimas de éstas. Estas plantas son admiradas por la forma de las rosetas de hojas que normalmente cuelgan «cabeza abajo». Las delicadas hojas están estranguladas en la base y ordenadas en un abanico simétrico. Las axilas de las hojas dan lugar a espigas florales de longitud media con entre 4 y 15 flores. Estas delicadas plantas epifíticas necesitan condiciones algo húmedas y sus raíces tienden tanto a secarse como a permanecer excesivamente húmedas durante grandes períodos de tiempo. Deben cultivarse en entornos umbríos y ventilados. El género se extiende fundamentalmente en América Central y hay especies que pueden encontrarse en América del Sur.

Ornithochilus difformis ☐ ☺

TERMOFÍLICA

Fuera del período de floración, esta planta, rara vez cultivada, es indistinguible de las orquídeas *Phalaenopsis*. Sus flores son diminutas, de 1,5 cm. La base del pétalo labial es la base para una enorme pero corta espuela. El labio está marcado por un notable motivo radial. Gran número de flores crecen sobre la espiga floral, que sobresale. Hay que culti-

var esta especie epifíticamente sobre un soporte cubierto de musgo, dándole condiciones muy húmedas y media sombra. Florece en primavera y es del Himalaya, Mianmar, Tailandia, Laos y Vietnam.

Osmoglossum pulchellum ■ ☹

CRIOFÍLICA

Como en algunos otros casos, esta antigua componente del género *Odontoglossum* se asignó también a un género independiente, con flores típicamente revertidas y el labio apuntando hacia arriba. Los pseudobulbos con forma de huevo alcanzan una

Paphinia cristata.

longitud de 7 cm y se rematan con una pareja de hojas estrechas que alcanzan longitudes de más de 30 cm. La espiga floral no es mayor que las hojas y lleva más de 10 flores blancas con el labio amarillento y motas rojizas. El cultivo es bastante problemático debido a que el clima de los bosques frescos y vaporosos llenos de sol es muy difícil de emular. Las flores maravillosas aparecen en las plantas en otoño. La planta se descubrió en México, Guatemala y Costa Rica.

Paphinia cristata

TERMOFÍLICA

Sus flores espléndidas de forma estrellada con tépalos característicamente apuntados hacen este género, que consta de 4 especies, muy interesante para el cultivo. Sus pseudobulbos ovales apenas miden 4 cm de alto y cada uno de ellos lleva un par de hojas que alcanzan longitudes de 15 cm. Las flores delicadas y transparentes son blanquecinas con puntos o rayas marrones. El borde del labio tiene unas protuberancias curiosas. Debe cultivarse epifíticamente y

Paphiopedilum appletonianum.

recibir mucho riego durante el período vegetativo. Las flores aparecen entre otoño y primavera. La planta se da en un área muy grande de América del Sur, incluyendo Colombia, Venezuela, la Guayana y también Bolivia, donde se tomó la foto.

Paphiopedilum appletonnianum

INTERMEDIA

Las representantes de este amplio género asiático reciben el apodo de «Sandalias de Venus», debido a la forma de su pétalo labial. Su borde, en contraste con las muy emparentadas orquídeas del género americano *Phragmipedium*, no tiene muescas. Tiene una roseta de hojas sésiles, igual que en el caso de las otras *Paphiopedila*, con hojas marmoladas en forma de cinturón, de bordes redondeados. Las flores son de más de 10 cm de lado a lado y están prendidas individualmente sobre una espiga delgada que mide 50 cm. Son verde y púrpura, con pétalos sobresalientes ensanchados en los extremos. Esta especie se cultiva como haríamos con otras *Paphiopedilum*. Florece a principios de primavera y procede de Asia.

Paphiopedilum argus

INTERMEDIA TERMOFÍLICA

Otra fuerte Sandalia de Venus con vistosas hojas de color claro, marmoladas, de más de 15 cm de largo. Su espiga no tiene segmentos, que es una importante característica diferenciadora del género *Phragmipedium*. Tiene una flor individual que posee como característica dominante sus pétalos descendentes diagonalmente, con papilas oscuras. En cuanto al cultivo, es una Sandalia de Venus poco exigente. Florece en primavera y proviene de Filipinas.

Paphiopedilum argus.

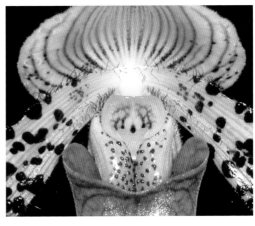

Paphiopedilum armeniacum.

Paphiopedilum barbatum.

Paphiopedilum armeniacum
TERMOFÍLICA

Aunque se dan disputas y discusiones acerca de la clasificación correcta de algunas orquídeas *Paphiopedilum*, no hay duda sobre la legitimidad de esta. Sus flores de un amarillo purísimo con los centros anaranjados son casi únicas dentro del género. La especie también se da en una variedad albina. La planta tiene hojas moteadas de más de 15 cm de largo. Sus exigencias de cultivo difieren mucho de las demandas estándar del género. Esta especie se describió por primera vez en 1982 y provocó un clamor general en los círculos botánicos dos años más tarde, cuando dio las primeras flores en cultivo lejos de su hábitat natural, China.

Paphiopedilum barbatum
INTERMEDIA TERMOFÍLICA

Esta Sandalia de Venus está muy relacionada con la especie *P. callosum*. Se conoce entre los autores de hibridaciones como una de las plantas madre del primer híbrido cultivado artificialmente de todo el género *Paphiopedilum*. La planta tiene proporciones adecuadas al cultivo. Sus hojas marmoladas miden más de 20 cm de largo, mientras que la espiga de una sola flor alcanza una longitud de 25 cm. Las flores miden 8 cm de diámetro y su color dominan-

te tiene varios matices de rojo. El sépalo superior es blanco y está embellecido con 15 rayas púrpura. Los pétalos laterales también son rojo oscuro. Los matices más intensos de gris se pueden admirar en el pétalo labial oscuro. Florece en los meses de primavera. Vive en placas rocosas cubiertas de musgo en los valles montañosos de Malasia y Tailandia.

Paphiopedilum bellatulum
TERMOFÍLICA

Esta planta es muy variable en lo que se refiere a los detalles de forma y color de sus partes florales, lo que hace prácticamente imposible determinar qué especie, subespecie o incluso híbridos, pertenecen a algunos ejemplares de reciente descubrimiento. La foto presenta, junto a un ejemplar típico, a la *P. conco-bellatulum*, un híbrido natural con la especie *P. concolor*. La espiga floral de la *P. conco-bellatulum* no sobrepasa los 4-10 cm, mientras que sus hojas miden 15 cm. Sus flores son blancas y moteadas de púrpura. Sus exigencias de cultivo son bastante altas. En el medio natural, las rosetas de hojas, poco densas, de la especie, crecen en las hendiduras de las rocas calizas en los emplazamientos más cálidos y ventosos. Las plantas, por consiguiente, necesitan

Paphiopedilum conco-bellatulum.

Paphiopedilum bellatulum.

la máxima cantidad posible de luz difusa, alguna pausa ocasional, una ventilación perfecta y un poco de gravilla de piedra caliza en el sustrato. Florece en la primavera y procede de Mianmar y Tailandia.

Paphiopedilum callosum   ◩ ☺ ☺

INTERMEDIA

Sin posible disputa, una de las Sandalias de Venus más conocidas, una especie soberbia y llena de vida, bastante fácil de cultivar. Solía importarse en grandes cantidades cultivada para flor cortada, del mismo modo que el híbrido *P. Maudiae.* Está marcada por la gran variabilidad de la intensidad de los motivos marmolados de sus hojas verde grisáceo y de la forma y el color de sus flores. La espiga floral mide más de 35 cm de largo y sostiene una sola flor con el labio marrón purpúreo. La *P. callosum* var. *subleave* tiene un sépalo superior alargado coloreado con una combinación de blanco, burdeos y verde. La forma albina (var. *senderae*) es una de las plantas madre del híbrido *P. maudiae.* Hay que cultivar la especie en una mezcla estándar consistente, por ejemplo, en tiras de musgo de turba, espuma de poliuretano granulada, turba y virutas de haya. Si las raíces de las plantas están en buena salud, podemos añadir un poco de tierra de haya o algún otro tipo de tierra ligera. Las plantas cuyas raíces estén débiles o dañadas deben plantarse en una mezcla inerte de turba y espuma de poliuretano. Requiere un entorno templado, un sustrato algo húmedo y media sombra. Florece irregularmente todo el año, sobre todo en primavera. Es de Tailandia y Camboya.

Paphiopedilum callosum.

175

Paphiopedilum chamberlainianum

TERMOFÍLICA

Estamos ante una Sandalia de Venus con espigas de varias flores cada una, una característica bastante rara para los estándares del género. Cada una de sus flores se abre sólo después de que la anterior se haya marchitado y caído, lo que prolonga el tiempo de floración durante meses. Sus hojas alcanzan longitudes de más de 30 cm. La espiga de 50 cm de largo da entre 3 y 10 flores. Son muy vistosas y se parecen a otras que también dan flores múltiples. Se debe proporcionar a la planta un entorno cálido y húmedo durante todo el año, ya que florece casi continuamente. Es originaria de Sumatra.

Paphiopedilum ciliolare

TERMOFÍLICA

Es una especie agradable con unas flores inusualmente compactas y pequeñas. Sus hojas son de unos 15 cm de largo, y su espiga floral de unos 20 cm de largo tiene una sola flor con un sépalo superior blanco de venaduras púrpura y pétalos densamente moteados con puntos oscuros. Pide un manejo semejante al de otras *Paphiopedilum*, aunque no se da del todo bien en régimen de cultivo. Florece en primavera y es originaria de Filipinas.

Paphiopedilum coccineum

INTERMEDIA

El último grito en cuanto se refiere a las Sandalia de Venus, muy elegante además. Se parece a la *P. helenae*. Sus tépalos de un intenso marrón rojizo tienen bordes verdosos y ligeramente ondulados. No hay información disponible sobre cómo

cultivarla. La especie fue descubierta y descrita muy recientemente, en el año 2000. Se encontró en la provincia de Cao Bang en el norte de Vietnam, en las hendiduras calizas de alturas entre 500 y 800 metros sobre el nivel del mar.

Paphiopedilum concolor

TERMOFÍLICA

A primera vista, esta especie está muy relacionada con la *P. bellatulum*, siendo sus necesidades vitales muy parecidas. En sus espigas florales, que miden como mucho 12 cm crecen dos o tres flores amarillas, cubiertas con puntos rojos. La variedad de la especie denominada *P. concolor* var. *striatum* tiene una coloración distinta: cuenta con motas rojas dis-

Paphiopedilum coccineum.

Paphiopedilum concolor.

Paphiopedilum curtisii ◨ ☺

TERMOFÍLICA

Se trata de otra Sandalia de Venus. Sus flores atraen la atención por su labio de gran tamaño. Muchos botánicos la consideran una variedad de la *P. suberbiens*. Durante años, la especie fue conocida gracias a dos ejemplares que habían sido importados a Europa ya en 1892 y se habían convertido en el único material original disponible durante un siglo. No fue hasta hace algunos años que esta Sandalia de Venus se volvió a ver en la naturaleza. Sus rosetas de hojas son de un aspecto estándar. Las hojas individuales miden 25 cm de largo, con una superficie marmolada y nervaduras verde oscuro. Las espigas florales purpúreas dan una sola flor que alcanza una altura de 30 cm. La especie es variable en cuanto a la profundidad del color de sus flores, que tienen un pétalo labial entre púrpura y púrpura oscuro. El sépalo superior de cada flor es blanquecino con rayas alargadas con color entre el verde y el púrpura. Los pétalos descendentes llevan puntos oscuros sobre fondo púrpura. Florece en primavera y se da en las rocas calizas del centro de Sumatra.

Paphiopedilum curtisii.

puestas en círculos a lo largo en el centro de los tépalos. La especie florece entre la primavera y el inicio del otoño. Procede de las regiones cálidas de China, Tailandia, Mianmar, Laos así como del sur de Vietnam.

Paphiopedilum concolor var. *striatum.*

Paphiopedilum dayanum.

Paphiopedilum dayanum   ▣ ☺
TERMOFÍLICA

Cada roseta de hojas de cualquier orquídea Paphiopedilum florece sólo una vez en su vida. Tras ello, forma un tallo lateral y muere poco a poco. La especie *P. dayanum* no es una excepción. Sus hojas marmoladas con motivos blancos están en la categoría de las de buen tamaño, ya que miden 25 cm. El sépalo superior de cada flor tiene rayas longitudinales verdes y marrones, mientras que los pétalos laterales son purpúreos. Florece en primavera y se da en las elevaciones cálidas del norte de Borneo.

Paphiopedilum delenatii.

Paphiopedilum delenatii   ▣ ☺
INTERMEDIA

Hoy en día, hay un número suficiente de ejemplares disponibles de esta especie que han sido logrados mediante hibridaciones y son absolutamente únicos. Las hojas de la planta son relativamente comunes, con motivos blancos marmolados y longitudes de más de 15 cm. La espiga de dos flores mide 20 cm de alto. La característica dominante de las flores blancas con un par de pétalos anchos y un sépalo superior extremadamente reducido es sin duda su labio rosado. Para el cultivo de las plantas se recomienda un entorno templado. Si tratamos la planta proporcionándole al menos un mes de período seco con temperaturas por debajo de los 10°, una buena floración está garantizada. La especie florece en primavera y crece en el norte de Vietnam.

Paphiopedilum emersonii   ▪ ▣ ☺
INTERMEDIA TERMOFÍLICA

Esta Sandalia de Venus tiene una historia interesante en cuanto a su descubrimiento. El primer ejemplar que floreció en cultivo lo hizo contra todo pronóstico en 1986 en California, y la belleza de las flores cautivó de inmediato a los cultivadores. La planta no difiere mucho de la *P. hangianum* en

cuanto al aspecto de sus flores y partes verdes. Hay diferencias importantes sólo en el color y forma de los órganos masculinos. El cultivo de la especie es bastante exigente. Las flores aparecen en primavera y la planta procede de la provincia de Yunnan, en China.

Paphiopedilum emersonii.

Paphiopedilum esquirolei ⊡ ◻ ☺

INTERMEDIA

Una especie con una característica especial que consiste en que sus flores están cubiertas con vellosidades. La *P. esquirolei* es considerada a veces una variedad de una especie «hirsuta», la *P. hisutissimum*. Esta especie materna es bastante más común en las colecciones, ciertamente mucho más que en su medio natural. Las hojas son monocromáticamente verdes. La fina espiga floral tiene una única flor y mide 25 cm. La flor mide más de 12 cm y cuenta con un sépalo superior marrón y verde, oval, y unos pétalos púrpura de brillo metálico. El labio es bastante pequeño en comparación con otras partes de la flor. Es amarillo y está cubierto con delicados puntos rojo oscuro. Su cultivo no es nada difícil. Aunque la planta puede cultivarse en unas condiciones templadas, induciremos a una mayor producción de flor exponiéndola a condiciones más frescas en invierno. Florece en primavera y es originaria de Laos.

Paphiopedilum exul.

Paphiopedilum fairrieanum.

Paphiopedilum exul ▫ ☺

INTERMEDIA TERMOFÍLICA

Una habitante de las formaciones rocosas calizas bañadas por el sol enfriadas por los vientos marinos, amante del calor. Sus hojas estrechas de un verde brillante están dispuestas en una roseta rígida y compacta. Una única flor crece en una espiga de 20 cm. Las flores amarillas y blancas tienen una marca parecida a las de la especie *P. insigne*, pero es más pequeña y su sépalo superior tiene puntos oscuros sólo en la base. Es una especie con exigencias por encima de la media. Durante el invierno debe disminuirse el riego y la temperatura. Florece entre el invierno y el verano y su hábitat es Tailandia.

Paphiopedilum fairrieanum ▫ ☺

CRIOFÍLICA INTERMEDIA

Una de las pocas especies criofílicas con una flor de forma excepcionalmente curiosa. Sus hojas verde pálido miden sólo 15 cm de largo, mientras que la espiga floral, algo más larga, sólo tiene una flor de 6 cm. El sépalo superior tiene bordes sigmoides. Los pétalos están orientados hacia abajo en diagonal, mientras que el labio está en posición vertical, hacia arriba. Los tépalos son blanquecinos, excepto el labio, que es marrón y rojo, y están embellecidos por una venadura púrpura intensa. Al cultivar esta especie, es preciso seguir las mismas instrucciones que en el caso de la *P. callosum*. Las flores aparecen en la planta en el verano. La especie viene de Bután y de Asam.

Paphiopedilum fowliei ▫ ☺

INTERMEDIA

Se trata de una Sandalia de Venus más bien pequeña, con flores duraderas de colores apagados. Las hojas miden entre 10 y 15 cm de largo. La espiga tiene una flor y alcanza una longitud de 15-20 cm. El sépalo de la parte superior es ancho y blanco, con rayas vistosas parecidas al arco iris, de púrpura a verde. Los pétalos tienen los mismos colores y sus bordes tienen papilas oscuras. En cultivo es poco exigente. Florece en primavera y es de Filipinas.

Paphiopedilum fowliei.

Paphiopedilum glaucophyllum

◨ ■ ☺

INTERMEDIA

Otra Sandalia de Venus con una espiga con varias flores que se desarrollan de forma sucesiva una a una sobre el tallo, que alcanza una longitud de 40 cm, lo que por desgracia, hace imposible admirarlas todas a la vez. La *P. glaucophyllum* es una especie bastante robusta. Sus hojas miden 25 cm de largo y 4 de ancho. Las flores miden unos 7 cm de diámetro

Paphiopedilum godefroyae.

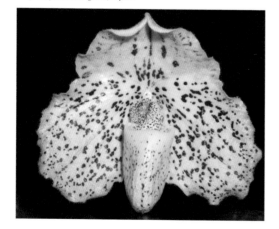

y son elegantes, con el sépalo superior con colores que van del blanco al verde y al púrpura, con los pétalos purpúreos retorcidos a lo largo del eje y cubiertos por papilas oscuras y capas de vellosidad. El labio es blanco en la base con unas motas púrpura. Hay que cultivar esta especie del mismo modo que otras representantes del género. La estación de flor es, teniendo en cuenta que las flores se desarrollan sucesivamente en la espiga, muy larga: desde la primavera hasta el invierno. La planta procede de Java.

Paphiopedilum godefroyae

◨ ☺ ☺

INTERMEDIA TERMOFÍLICA

Una orquídea muy relacionada en magnificencia, belleza y necesidades ecológicas con la Sandalia de Venus *P. bellatulum*. Las flores de la *P. godefroyae* crecen sobre una espiga llamativamente corta, de 3,5 cm y son entre blancas y amarillas y cubiertas con puntos rojos oscuros de varios tamaños. El labio es blanco y casi sin motas. En contraste, la *P. bellatulum* tiene el labio muy moteado. Para conseguir un buen desarrollo, las plantas necesitan ser cultivadas en un sustrato de trocitos de piedra caliza enriquecida y con períodos secos, llenos de luz y aire fresco. Junto a la bien conocida *Krabi*, la *P. godefroya* crece en algunos otros lugares en Tailandia, Borneo y Vietnam.

181

Paphiopedilum gratrixianum.

Paphiopedilum hangianum.

Paphiopedilum hangianum ▫ ◻ ☺

INTERMEDIA TERMOFÍLICA

Esta Sandalia de Venus no fue descrita hasta finales de los noventa del siglo xx. Es parecida y está emparentada con la *P. emersonii*. Se pueden observar diferencias en el color y en la morfología de la parte central de la flor. Las hojas son de unos 25 cm de largo y están libres de todo tipo de pigmento. La espiga es más bien corta y tiene una sola flor. La planta tiene tépalos blancos, con bases púrpura en los sépalos. La flor tiene un labio amplio de color crema amarillento. Es muy exigente y más bien una pieza difícil. La planta se desarrolla muy lentamente y llevar los plantones hasta un tamaño adecuado exige mucha paciencia y experiencia. Florece en primavera y procede del norte de Vietnam.

Paphiopedilum gratrixianum ◻ ☺

INTERMEDIA

La *P. gratrixianum* es una Sandalia de Venus poco exigente, atractiva para los cultivadores por sus flores grandes y sus bajos requerimientos de cultivo. Cada flor alcanza más de 10 cm y crece individualmente a partir de unas rosetas de hojas en color verde intenso, que alcanzan longitudes de unos 25 cm. Los sépalos superiores de la flores están cubiertos con puntos marrones y rojos. La planta se puede cultivar incluso en una mezcla de virutas de madera y arena blanca de río. Prospera hasta en los alféizares de las ventanas. Las flores aparecen en otoño e invierno. La *P. gratrixianum* procede de Laos, el norte de Vietnam y Tailandia.

Paphiopedilum haynaldianum ◻ ◼ ☺

TERMOFÍLICA

Se trata de una fuerte Sandalia de Venus con grandes flores que alcanzan un diámetro de 15 cm. Una roseta de más de 25 cm, con hojas de un verde puro, da lugar a una espiga floral de más de 50 cm con 2-5 flores que se abren unas detrás de otras. El color es una combinación de verde, marrón y púrpura. Los tonos de color son apagados, aportando así un buen fondo para los grandes puntos marrones y rojos que cubren los pétalos alargados. Esta especie también crece epifíticamente en sus hábitats naturales. Por lo que se debe de montar sobre un sustrato ligero. Florece en primavera y se da en Filipinas.

Paphiopedilum haynaldianum.

Paphiopedilum helenae var. *aureum.*

Paphiopedilum helenae   □ ☺ ☺

INTERMEDIA

Incluso dentro del género *Paphipedilum* es posible encontrar miniaturas sorprendentes. La *P. helenae* es una de ellas. Sus hojas son rígidas y brillantes, de más de 8 cm de largo y su robusta flor brota en una

Paphiopedilum helenae.

espiga floral muy corta, de 3-5 cm. El sépalo superior de la flor es verdoso, dorado y amarillo. Los pétalos son color marrón purpúreo apagado y el labio es rojo púrpura. También hay variaciones de color muy apreciadas bajo la denominación de *P. helenae* var. *aureum* con flores amarillas anaranjadas. No es fácil de cultivar. Hay que enriquecer el sustrato en la maceta con trozos de piedra caliza. Florece en los meses de primavera. Se describió en 1996, basándose en ejemplares descubiertos al norte de Vietnam.

183

Paphiopedilum henryanum □ · ☺

INTERMEDIA

Esta planta es una curiosidad muy buscada, fundamentalmente por sus flores. Sus espigas de una sola flor miden 7 cm y emergen de rosetas compactas de hojas que miden unos 10 cm. Las flores tienen un sépalo superior amarillo y verde cubierto con motas marrones y rojas, de distintos tamaños. Las mismas motas embellecen también la base de los pétalos burdeos. El labio es intensamente púrpura y rojo, con un brillo metálico. Esta Sandalia de Venus debe cultivarse de manera parecida a la anterior. Ambas especies deben estar en un entorno ventilado y a media sombra. Esta miniespecie atractiva florece en primavera y se da en el norte de Vietnam.

Paphiopedilum herrmanii · ☺ ☺

INTERMEDIA

Hacia el final del siglo xx se produjo una racha de descubrimientos de nuevas Sandalias de Venus, gracia a una mejora de las relaciones con los regímenes comunistas del sureste asiático. Los botánicos occidentales habían recibido permisos para desplazarse a Vietnam y China y descubrieron y describieron nuevas especies. Sin embargo, su taxonomía está lejos de consolidarse. Muchas plantas variables son interpretadas de modo distinto por diferentes autores y hay numerosas disputas sobre variedades, es-

Paphiopedilum herrmanii.

Paphiopedilum henryanum.

pecies, etc. Una de las muchas descubiertas entonces, de pequeño tamaño, es la *P. herrmanii*, que no fue descrita hasta 1995. Sus hojas son estrechas y con forma de correa. No tienen marcas marmoladas y son de unos 15 cm de largo. Las flores crecen sobre una espiga más bien corta. Su sépalo superior es rojo con el borde amarillo y sus pétalos tienen un colorido similar. El vistoso labio rosa se parece al de su pariente la *P. henryanum*. Se cultiva en mezclas arenosas enriquecidas con gravilla de piedra caliza. Las flores aparecen entre finales de invierno y primavera. La planta procede del norte de Vietnam.

Paphiopedilum hookerae · ■ ☺

TERMOFÍLICA

Una Sandalia de Venus adecuada para pequeños fanales de interior con altos índices de humedad y que es marcadamente termofílica. Es una especie muy difícil de conseguir (lo que es un problema con la mayoría de las especies botánicas del género *Paphiopedilum*). Las hojas son marmoladas y de sólo 15 cm de largo. El tallo es 5 cm más largo y tiene una sola flor de tamaño medio que llama la atención fundamentalmente por sus dos pétalos púrpura con brillo metálico y un moteado delicado. Las otras partes de la flor son marrón verdoso. Las flo-

Paphiopedilum insigne.

res se abren en primavera y la planta se da en las selvas de Borneo.

Paphiodephilum insigne   ⊡ ◲ ☺
CRIOFÍLICA INTERMEDIA

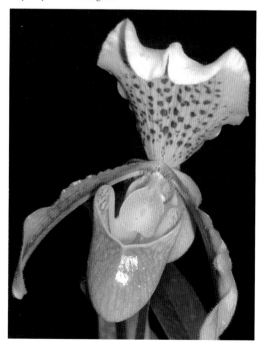

Una auténtica «clásica» de la jardinería entre todas la *Paphiopedilum*. Solía cultivarse para flor cortada, apareciendo en invierno, así como para crear muchos híbridos decorativos muy eficientes. Hoy en día, su fama se ha marchitado algo. Las hojas de la planta, de un verde puro, miden más de 25 cm y se disponen en gran número alrededor de unas rosetas. Su tallo de una sola flor mide unos 20 cm y la flor 10 cm. El sépalo superior, verde y amarillo, tiene el borde blanco y está cubierto con puntos rojos y marrones. Los pétalos y el labio son marrones y rojos. Hay muchas variaciones de color. En las condiciones de trabajo de los aficionados, esta especie es difícil de cultivar, ya que la planta requiere un entorno fresco con mucha luz y la máxima cantidad de ventilación a lo largo de todo el año. Podemos enriquecer el sustrato con un poco de tierra. La *P. insigne* florece en invierno y procede del Himalaya.

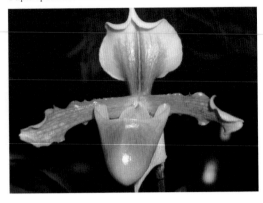

barbigerum o la *P. coccineum*. Su característica distintiva respecto a estas dos especies es la morfología de la columna floral. No hay información disponible hasta ahora sobre las necesidades de cultivo de la especie; ahora bien, se supone que florece en primavera y que es nativa de Tailandia.

Paphiopedilum lawrencianum ▫ ◼ ☺ ☺
TERMOFÍLICA

Una forma albina muy valiosa de esta especie (la *P. lawreceanum* var. *hyeanum*) es, junto a la *P. callosum* una pariente de los híbridos, más conocidos y cultivados, la *P. maudiae*. La *P. lawrencianum* solía cultivarse para flor cortada. Hoy es un poco menos frecuente verla. Sus hojas algo marmoladas miden más de 15 cm de largo, mientras que las flores de un ejemplar típico tienen un sépalo superior rosa y blanco con rayas púrpuras. Los petalos salen casi horizontalmente hacia los lados y son púrpura con papilas oscuras en los bordes. El labio es marrón y rojo. Es fácil de cultivar, florece entre primavera y verano y fue descubierta en el norte de Borneo.

Paphiopedilum lawrenceanum.

Paphiopedilum intaniae ▫ ◼ ☺ ☺
INTERMEDIA TERMOFÍLICA

Se trata de una representante rara y elegante del género, con múltiples flores, relacionada con las especies *P. randisii* y *P. Philipinense*. Entre 3 y 5 flores brotan sobre una espiga floral erecta, que alcanza una longitud de 50 cm y se abren al mismo tiempo. Las hojas de la planta miden como máximo 40 cm. Las flores son amarillas y verdes, con sépalos alargados y hojas muy extendidas y moteadas. El labio está extendido hacia delante. Es blanco en la base y marrón claro y rojo en el extremo. La planta tiene que cultivarse en macetas enriquecidas con trozos de piedra caliza y, para desarrollarse bien, necesita un poco más de luz que las otras plantas de este género. La *P. intaniae* se descubrió en rocas calizas del sur de Sulawesii, en Indonesia.

Paphiopedilum krairitii ▫ ▫ ☺
INTERMEDIA

Esta nueva especie (descubierta en 2001-2002) no fue hallada en el medio natural sino en cultivo, entre ejemplares importados de lo que se creía que eran especies de origen tailandés, como la *P. charlesworthii*. Paradójicamente, lo encontrado no se parece a la *P. charlesworthii* sino más bien a la *P.*

Paphiopedilum leucochilum.

Paphiopedilum liemianum.

Paphiopedilum leucochilum

INTERMEDIA TERMOFÍLICA

Esta planta es otro ejemplo de desacuerdo entre los expertos botánicos sobre la taxonomía de las Sandalias de Venus del género *Brachypetalum*. De acuerdo con algunos botánicos, la es una especie independiente. Otros proclaman que sólo es una variedad local de la especie *P. godefroyae*. De cualquier modo, es una planta muy bella con flores blanquecinas moteadas de rojo que crecen sobre una espiga corta. Es difícil de cultivar. Hay que seguir las mismas normas de cultivo que las de la *P. bellatulum*. La planta viene de Tailandia, Borneo y posiblemente otras regiones del suroeste de Asia.

Paphiopedilum liemianum

INTERMEDIA

Esta especie pertenece a la sección *Cochlopetalum* del género *Paphiopedilum*, siendo la característica dominante de la flor sus pétalos retorcidos de forma espiral. Sus hojas son blandas y verdes, sin ninguna marca. La espiga floral crece de forma continua y puede sostener más de 20 flores producidas a lo largo de un gran período de tiempo. El sépalo superior es ancho, verde oscuro con bordes blancos. Los pétalos retorcidos están vueltos hacia arriba. El labio es fuerte y púrpura, con brillo metálico y moteado con puntos. Florece en primavera y vive entre las rocas calizas de las alturas del norte de Sumatra.

Paphiopedilum lowii

TERMOFÍLICA

Esta Sandalia de Venus con maravillosas flores consigue evitar su volumen transformándose en una planta más extendida. Sus hojas alcanzan longitudes de 30 cm. La espiga floral mide más de 60 cm de alto y tiene 3-5 flores grandes. Los pétalos son alargados, púrpura en los bordes y en la base con una docena de motas rojas y marrones. La *P. lourii* se da litofíticamente y epifítica en el norte de Borneo. Florece en primavera.

Paphiopedilum lowii.

187

Paphiopedilum malipoense.

Paphiopedilum jackii.

Paphiopedilum mastersianum ▣ ☹ ☺

INTERMEDIA TERMOFÍLICA

Esta Sandalia de Venus servirá como un valioso material para los expertos en hibridaciones, ya que el color de las flores variegadas está casi libre de matices marrón rojizo, no demasiado apreciados. Ha sido poco utilizada hasta ahora en hibridaciones. Sus hojas con efecto marmolado miden 20 cm,

Paphiopedilum micranthum.

Paphiopedilum malipoense ▫ ▣ ☺

INTERMEDIA TERMOFÍLICA

De aspecto atractivo, esta especie permaneció desconocida en Occidente hasta 1984. La *P. malipoense* no es fácil de cultivar y por eso sigue siendo rara de ver. Una especie parecida, la *P. jackii*, que no fue descubierta hasta 1999, se diferencia de esta Sandalia de Venus sólo en detalles mínimos como la morfología de su columna floral. Las flores individuales verdosas crecen a partir de rosetas de hojas marmoladas que miden más de 25 cm. Son verdosas con una marca roja muy delicada y el labio, fuerte y con una notoria forma de bolsa, está adornado en su interior con motivos de color rojo. Su cultivo es complicado. La planta florece en primavera y procede del suroeste a China.

mientras su espiga, que sostiene una única flor, mide 40 cm de alto. Cada una de las grandes flores tiene un sépalo superior verde y blanco, los tépalos delicadamente moteados de púrpura y un labio también intensamente purpúreo. La especie no se da muy bien en régimen de cultivo, ya que crece muy lentamente. Las flores aparecen en primavera. La *P. mastersianum* procede de la isla de Ambón.

Paphiopedilum micranthum   ▫ ▪ ☺

INTERMEDIA TERMOFÍLICA

A pesar de estar descrita en China ya en 1951, no pudo cruzar las herméticamente selladas fronteras del país hasta 1984. Desde entonces en adelante, su belleza le hizo objeto de un comercio muy intenso, lo que pronto la convirtió en una Sandalia de Venus en serio riesgo. Junto a la *P. micranthum*, las fotos muestran también un ejemplar de *P.* x *fanaticum*, un híbrido botánico de la especie en cuestión y de la *P. malipoense*. El híbrido aparecen en los hábitats comunes de las dos especies, en la frontera entre Vietnam y China. Las hojas de la especie son marmoladas. Sus flores individuales crecen sobre unas espigas de 25 cm. Comparadas con las proporciones de la planta, las flores son grandes y están domina-

das por un labio rosa pálido también grande. Los otros tépalos son amarillentos con rayas rojo oscuro. La especie aún sobrevive al suroeste de China.

Paphiopedilum x *fanaticum.*

189

Paphiopedilum Olivia.

Paphiopedilum nivaeum.

Paphiopedilum nivaeum   ⊡ ☹ ☺

TERMOFÍLICA

Una especie significativa y fácilmente identificable, que forma parte de la sección *Brachylopetalum* del género. Sus flores son blanco nieve y están cubiertas con delicadas motas de color rojo. La *P.* Olivia, en la foto (*P. tomsum* x *P. nivaeum*), es un híbrido. Otra Sandalia de Venus, la *P. ang-thong*, que es originaria de las islas epónimas de la costa este de Malasia se considera a veces mera subespecie de la *P. nivaeum*. Las hojas miden más de 15 cm, y llevan un efecto marmolado oscuro, siendo rojizas en la parte inferior. Sus espigas llevan una flor, rara vez dos. Alcanzan una longitud de 12 cm. El labio floral tiene forma de huevo. La especie crece sobre rocas de piedra caliza en las proximidades del mar y por consiguiente necesitan mucho sol y aire fresco y húmedo. No se da demasiado bien en cultivo y crece despacio. Las flores aparecen entre la primavera y el verano. El hábitat de la planta es la costa de Malasia, y también en el archipiélago Langkawi, en Tailandia.

Paphiopedilum ang-thong.

Paphiopedilum parishii   ■ ☺

TERMOFÍLICA

A pesar de sus proporciones grandes, esta Sandalia de Venus es muy apreciada entre los cultivadores. Las hojas miden más de 30 cm de largo, son monocromáticamente verdes y rígidas. La espiga puede alcanzar una longitud de más de 50 cm y tiene 3-6 flores de medio tamaño. La desventaja de su tamaño más pequeño se compensa por el hecho de que se abren a la vez y por la belleza de sus pétalos alargados, rojo burdeos, decorativamente retorcidos, que miden tres veces la longitud del labio verdoso de la flor. El cultivo de esta especie no difiere del resto de las especies del género. Florece entre la primavera y el verano. La especie proviene de Tailandia y Mianmar.

Paphiopedilum philippinense var. *roebelinii*.

Paphiopedilum philippinense var. *roebelinii* ■ ☺

TERMOFÍLICA

Otra representante del género con las «orejas retorcidas», caracterizada por sus hermosas flores. Sus flores amarillas y rojas son pequeñas, de 6 cm, y en un solo tallo, que es largo, crecen unas 3-6. Sus impresionantes pétalos retorcidos de color rojo oscuro alcanzan hasta 14 cm. El sépalo superior está cubierto de rayas oscuras y la hermosa composición de conjunto de esta planta se complementa con un pétalo labial amarillo y verde. Florece en pleno verano y fue descubierta en Filipinas.

Paphiopedilum parishii.

191

Paphiopedilum primulinum

⊡ ◼ ☺

TERMOFÍLICA

Una especie con una coloración poco tradicional, de tamaño medio y flores amarillas, con una espiga que alcanza los 30 cm y sostiene entre 7 y 10 flores. La clasificación de esta especie es muy discutida desde que se describió en 1973, y se basó en un solo ejemplar. Muchos botánicos consideran que es una subespecie de la Sandalia de Venus conocida como *P. chamberlainianum*. Se descubrió en Sumatra.

Paphiopedilum purpuratum

⊡ ☺ ☺

INTERMEDIA

Pequeña Sandalia de Venus adecuada incluso para colecciones *amateurs*. Procede de lo que queda de medio natural en Hong Kong. Sus hojas miden 10 cm de largo, con las vistosas flores brotando individualmente de las espigas, de 20 cm, siendo fiel

Paphiopedilum purpuratum.

al nombre de la especie: su color dominante es el púrpura en diferentes tonos. La planta florece en verano.

Paphiopedilum primulinum.

Paphiopedilum randsii ■ ☺

TERMOFÍLICA

Esta Sandalia de Venus es epifítica, bastante grande y encantadora cuando está en flor. Sus hojas miden más de 35 cm de largo, son blandas y penden «sin vida» hacia debajo desde las ramas o intersecciones de ramas de árbol. El labio es marrón y verde. Los otros tépalos son blanquecinos y tienen rayas púrpura. Se cultiva la planta en sustrato con humus de grosor medio, en macetas suspendidas. No hay que dejar que el sustrato se seque del todo. Florece en verano y procede de Mandanaa, en Filipinas.

Paphiopedilum rothschildianum ▣ ☺

TERMOFÍLICA

Esta especie está considera por parte de muchos cultivadores de Sandalias de Venus la más hermosa orquídea *Paphiupedilum*. La *P. rothchidianum* es una fuerte Sandalia de Venus. Sus hojas delgadas miden entre 40 y 60 cm. La espiga floral erecta mide más de 45 cm de largo y tiene tres o más flores ordenadas sin mucha densidad, de más de 13 cm de diámetro. Su efecto decorativo se ve resaltado por el hecho de que todas las flores se abren a la vez. El sépalo superior está cubierto de rayas rojo oscuro. Los pétalos verdosos apuntan hacia abajo y están adornados con puntos marrones y rojos. El color del labio es marrón y púrpura. La especie ha estado siempre incluida entre las grandes gemas de cualquier colección de orquídeas. Debe cultivarse de la misma forma que otras representantes del género. Florece en otoño y se sabe que crece todavía en las laderas de Mount Kinabalu, en Borneo, donde fue tomada la foto.

Paphiopedilum rothschildianum.

Paphipedilum spicerianum

☐ ■ ☺ ☺

CRIOFÍLICA INTERMEDIA

Esta especie más bien criofílica ha servido para la creación de cientos de híbridos de Sandalia de Venus. Sus hojas son monocromáticamente verdes y miden 25 cm o menos. La flor marrón y verde se desarrolla individualmente sobre espigas de 20 cm de largo. Tiene dos características dominantes especiales: un sépalo superior blanco de nieve y una banda central rosa y los órganos reproductivos de la flor de color parecido. Hay que cultivarla de la misma manera que la *P. insigne*. Fomentaremos su buena floración si la colocamos en el verano en semisombra. Florece en invierno y es del Himalaya.

Paphiopedilum spicerianum.

Paphiopedilum stonei.

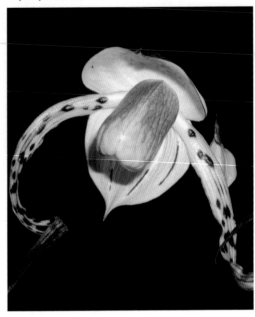

Paphiopedilum stonei

☐ ■ ☺ ☹

TERMOFÍLICA

Durante el proceso de floración, la *P. stonei* resulta una especie muy interesante. Su sépalo superior es blanco en la parte interior, con rayas púrpura y con los bordes también púrpura y blanco en el exterior. Las flores, grandes, tienen el mismo aspecto. Los dos sépalos se presentan abiertos parcialmente alrededor de las otras partes de la flor. El labio es marrón y blanco, con venaduras rojas y está girado hacia arriba. Los pétalos van moteados de marrón, con longitudes de hasta 15 cm. Esta interesante Sandalia de Venus no es recomendable para inexpertos, ya que su cultivo es igual de complejo que la morfología de las flores. Florece en verano y es originaria de las selvas del norte de Borneo.

Paphiopedilum sukhakulii.

Paphiopedilum supardii.

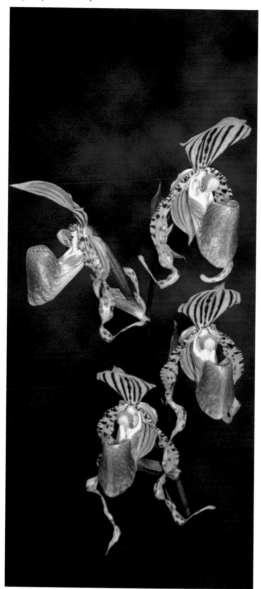

mas de 12 cm, es un par de pétalos verdes muy anchos y alargados. Su superficie está cubierta con puntitos oscuros. Se cultiva como la *P. callosum*. Las flores aparecen durante la primera al otoño. La planta viene de Tailandia.

Paphiopedilum supardii
INTERMEDIA TERMOFÍLICA

Se trata de una Sandalia de Venus litofítica con flores dispuestas en una florescencia de unas 3-5 flores muy vistosas. Su belleza se ve reforzada por el hecho de que se abren simultáneamente. Las hojas son verde oscuro y miden 55 cm. La espiga floral llega a medir 45 cm. Los sépalos verdes y amarillos están adornados con rallas longitudinales marrón oscuro, mientras que los pétalos retorcidos están cubiertos con puntos marrones y rojos. El labio sobresale hacia delante y su color es marrón y rojo. El cultivo es difícil. Las flores aparecen sobre las plantas en primavera y principios de verano y la especie es originaria de Borneo.

Paphiopedilum tigrinum
INTERMEDIA TERMOFÍLICA

Las flores de esta especie están embellecidas con puntos rojos y marrones pronunciados, más bien largos y distribuidos a lo largo de las flores. La especie en principio pasó desapercibida para los botánicos durante mucho tiempo. La *P. tigrinum* es una Sandalia de Venus de tamaño mediano con hojas más delgadas que la media, sin marcas de ningún tipo. Se debe cultivar de la misma forma que las otras representantes del género que proceden del suroeste de Asia. Las flores aparecen en la primavera y la planta es originaria del sur de China.

Paphiopedilum tigrinum.

Paphiopedilum sukhakulii
INTERMEDIA TERMOFÍLICA

El descubrimiento de esta especie tiene una historia interesante. Las primeras plantas florecieron en la década de 1970 en Europa, entre los ejemplares que habían sido importados de la *P. callosum*, sus cualidades más positivas han sido utilizadas con por los autores de híbridos en los últimos 20 años. Sus hojas marmoladas sólo miden 20 cm de largo y la espiga de una flor mide 20-25 cm de alto. El principal motivo de belleza de las flores, que miden

Paphiopedilum tonsum.

objeto de muchas disputas. La *P. tranlienianum* está muy emparentada con la *P. barbigerum*. Un ejemplar en flor atraerá la atención por el contraste entre la flor de entre 5 y 7 cm, que luce espléndida sobre la espiga floral y la roseta de entre 10 y 15 cm, llena de hojas verdes y estrechas. Esta orquídea vive en pequeñas rocas calizas y debe dotársele con el mismo entorno en cultivo, aunque esta Sandalia de Venus todavía está completamente fuera de nuestro alcance. Sólo podemos esperar admirar sus flores abriéndose en la primavera en su hábitat del norte de Vietnam.

Paphiopedilum venustum   ▫ ☺

CRIOFÍLICA INTERMEDIA

Se trata de una planta decorativa no sólo por sus flores sino también por las hojas. Sus proporciones son ideales para las demandas de cultivo de la especie y manejables por cualquier principiante. Fue la primera Sandalia de Venus en florecer en Europa, en Inglaterra en 1819. La planta forma

Paphiopedilum tranlienianum.

Paphiopedilum tonsum   ▫ ◼ ☺

INTERMEDIA TERMOFÍLICA

Esta Sandalia de Venus es todavía bastante abundante en el medio natural. La planta es variable en lo que se refiere al color de sus hojas, de 20 cm de largo. Cada hoja tiene un dibujo marmolado en la parte superior, mientras que la parte inferior puede ser roja o verde. También las flores son variables. Éstas son bronce verdoso, caracterizadas por puntos oscuros distribuidos cerca de los bordes y en los ejes de los pétalos. En contraste con otras *Paphiopedilum*, la *P. tonsum* no es dependiente de la piedra caliza. Se cultiva como las otras Sandalias de Venus. La planta florece en la primavera y crece en Sumatra.

Paphiopedilum tranlienianum   ▫ ☺

INTERMEDIA TERMOFÍLICA

Esta planta fue descrita en Alemania bajo la denominación que se presenta aquí, mientras que en Vietnam se ascribió al nombre *P. caobangense*. No hace falta decir que la validez de los nombres es

densos grupos de rosetas de hojas. Las hojas son verde oscuro y rojo en la parte inferior. La espiga sólo tiene una flor y alcanza una longitud de 15 cm. El sépalo superior es blanco con rayas verdes. Los pétalos tienen los bordes romos y son de color burdeos por su parte exterior y con varias papilas oscuras. El labio da sensación de efecto marmóreo en colores marrón y verde. Se cultiva de la misma manera que la *P. insigne*. Florece en invierno y proviene del Himalaya.

Paphiopedilum vietmaniense   ☺

TERMOFÍLICA

Estas plantas ya no viven en su hábitat conocido en Vietnam. Poco después de la descripción de la especie, los ejemplares fueron tomados del suelo y vendidos clandestinamente a los amantes de las colecciones de Sandalias de Venus, convirtiéndose en ejemplares cultivados artificialmente. Las flores de la especie se parecen algo a las de la *P. delenatii*. Después de todo, ambas Sandalias de Venus están

incluidas en la sección *Brachypetalum*. Su sépalo superior es rosa pálido y los pétalos, del mismo color, son anchos y ovales. El labio es burdeos. La especie debe cultivarse de la misma forma que la *P. delenatii*. El plazo del período de floración todavía no está muy estudiado. La mayor parte de los ejemplares florecen a principios de primavera.

Paphiopedilum vietnamense.

Paphiopedilum villosum   ▣ ■ ☹

CRIOFÍLICA INTERMEDIA

Otro ejemplo de una especie que ha sido muy utilizada para la hibridación de Sandalia de Venus. La especie es variable tanto en el color de las flores como en su tamaño. Sus hojas alcanzan longitudes entre los 25 y los 40 cm. Las plantas forman grupos densos de rosetas de varias hojas y las flores aparecen en gran número. Todas estas plantas florecen entre otoño y primavera y se cultivan para flor cortada. Cada uno de las espigas florales tiene una sola flor y una altura de 30 cm. Un ejemplar común tiene el sépalo florar superior de color marrón y verde con el borde blanco; la subespecie *P. villosum* var. *boxali* lo tiene cubierto con puntos oscuros, característica muy apreciada. Los pétalos son marrón ocre. El labio tiene un tono pálido de marrón rojizo y una venadura delicada. Su cultivo es fácil, parecido a la *P. insigne*, aunque el sustrato en el que cultivemos la planta no debe enriquecerse con tierra. Debe pasar el verano al aire libre. Es de las regiones montañosas de Mianmar.

Paphiopedilum villosum.

Paphiopedilum violascens.

Paphiopedilum violascens   ▣ ▣ ☹ ☺

TERMOFÍLICA

Una elegante Sandalia de Venus que ha sido cultivada durante mucho tiempo. Sus hojas marmoladas miden 20 cm de largo como mucho. Su espiga de una flor es sólo un poco más larga que eso. Las flores son de tamaño medio. El pétalo superior es blanco con venaduras púrpura y verde. Los pétalos también llevan venaduras púrpura. El labio es fuerte y de color verde. La *P. violascens* florece en la primavera y el verano y su origen es algo exótico: procede de un lugar poco conocido por los amantes de las orquídeas, Nueva Guinea.

Papilionanthe biswasiana.

Papilionanthe teres.

el que esta especie solía incluirse. Se caracteriza por sus flores de 10 cm o menos distribuidas de forma poco densa sobre unas florescencias de entre 2 a 5 flores. Los tépalos son rosa y blanco, el lóbulo trilobulado es púrpura con venaduras amarillas. Esta planta, normalmente litofítica o epifítica prospera incluso en ubicaciones aparentemente inhabitables, con las rocas llenas de sol de la costa del mar de Andamán (ver foto). De ahí se deduce que la especie tiene exigencias de calor y luz particularmente altas. En el hábitat natural de la planta, esto es, Laos, Mianmar, Tailandia y las laderas del Himalaya, florece en primavera.

Papilionanthe teres.

Papilionanthe biswasiana ◨ ■ ☺

TERMOFÍLICA

Las representantes del género *Papilionanthe* todavía son conocidas bajo la denominación *Vanda*. Sin embargo, han sido excluidas de este género por las diferencias de morfología en sus estructuras y flores. Las plantas tienen unos tallos finos que alcanzan longitudes de 2 m, cubiertas de forma poco densa pon unas gruesas hojas de 10 cm, de forma cilíndrica. La *P. biswasiana* tiene 3-5 flores rosas, que crecen sobre una espiga corta y sobresaliente. Las flores, en contraste con la especie que vendrá después, son más bien pequeñas, de unos 5 cm. La característica dominante de las flores es una espuela alargada, apuntando hacia abajo y situada bajo la cubierta de los tépalos rosados. El cultivo es el mismo que para las orquídeas termofílicas del género *Vanda*. Las flores aparecen en invierno. La fotografía se tomó en Tailandia.

Papilionanthe teres ◨ ■ ☺

TERMOFÍLICA

Quizá la orquídea más conocida no sólo dentro del género *Papilionanthe* sino también del *Vanda* en

Paraphalaenopsis laycockii ⊡ ▣ ☹

TERMOFÍLICA

Las orquídeas que se engloban bajo este nombre se solían incluir en el género de las *Phalaenopsis*. Sus flores se incluyen también en este género, no sucediendo lo mismo con sus hojas que son carnosas y tienen una morfología diferente: son cilíndricas y se parecen más a las de las orquídeas *Vanda* o a las de las *Papilionanthe* antes que a las *Phalaenopsis*. En cuanto a este último género, se comprobó que no pertenecían a él en el intento fallido de hibridar ambos géneros. Aunque la *P. laycockii* es una planta con encanto, es también muy poco vigorosa y difícil de cultivar. Necesita una ayuda epifítica y más luz que cualquiera de las *Phalaenopsis*. Su floración es irregular y procede de Borneo.

Paraphalaenopsis laycockii.

Pescatorea dayana ▣ ☺ ☺

INTERMEDIA

El pequeño género de las *Pescatorea* se confunde a menudo con el de las *Huntleya, Bollea, Chondrohyncha* y *Kefersteinia*, ya que es muy difícil distinguir entre estos géneros y, además, este género incluye 17 especies con una morfología similar. Sus hojas miden unos 15-30 cm y forman un abanico denso y firme. De la base de la escarapela de la hoja crecen unas flores muy fragantes en pequeñas capas que resultan muy vistosas. Los tépalos son asimétricos, su borde es pequeño y poco llamativo, aunque a veces poseen protuberancias con fimbrias. La inmensa mayoría de las plantas son epifitas o terrestritas ocasionales que crecen en capas gruesas de materia orgánica. Por este motivo, deberían de contar con un apoyo de madera junto con algo de musgo y turba. Necesita luz intensa. Florece a principios de primavera y se encuentra en zonas de montaña situadas entre la franja de Costa Rica y Ecuador.

Phaius tankervilleae ▣ ☺

INTERMEDIA

Esta especie es la más valiosa y representativa de su género en cuanto a su cultivo y también es la más conocida. Suele crecer en la tierra, en el humus de bosques poco densos o en la sabana, entre matas de hierba. En pseudobulbos ovalados, la espiga es recta, de unos 60 cm de altura y puede contar con unas cuantas flores (5-10). La flor tiene un borde morado que se complementa a la perfección con sus tépalos en tonos tostados. A veces se cultivan esas inflorescencias tan decorativas y duraderas. Los cuidados que exige esta planta pasan por conservarla en un ambiente húmedo, semisombreado y regarla moderadamente. Esta especie florece en otoño e invierno. Originalmente, sólo se podía encontrar en el sudoeste de Asia, en Australia y el las islas Pacíficas. Más tarde y gracias a la intervención humana, se empezó a cultivar en Cuba, Jamaica, Hawai y Panamá.

Phalaenopsis amabilis ⊡ ▣ ☺

TERMOFÍLICA

Este género es uno de los cultivos más significativos de todo el mundo. En concreto, la especie de las *P. amabilis* es la que está más presente con sus genes en los híbridos modernos. En cuanto a su morfología, se parece a otras orquídeas *Phalaenopsis*: sus hojas son ovaladas, carnosas y verdes y llegan a los 30 cm. La espiga de la planta puede contar con 5-20 flores blancas, mientras que en el centro son amarillas y rojas. El lóbulo central se reduce a dos flagelos. Necesita los mismos cuidados que la *P. fimbriata*. Florece entre otoño y primavera y procede de Indonesia, el norte de Australia y Nueva Guinea.

Phaius tankervilleae.

Phalaenopsis amabilis.

Phalaenopsis amboinensis ⊡ ▣ ☺

TERMOFÍLICA

Todas las especies botánicas del género *Phalaenopsis* necesitan un ambiente templado con unos niveles de humedad por encima de la media. Por eso, no son el tipo de plantas más adecuado para un piso. Si no se dispone de un pequeño invernadero en el que las plantas puedan sobrevivir, es mejor optar por cultivar los múltiples híbridos floridos que posee esta especie, ya que son mucho más resistentes. La *P. amboinensis* es una de estas especies. Sus hojas miden 25 cm y sus flores, amarillas y moteadas transversalmente, alcanzan los 5 cm de diámetro. Esta epífita florece entre primavera y verano y procede de las zonas húmedas de las selvas de Ambon y Ceram.

Phalaenopsis amboinensis.

201

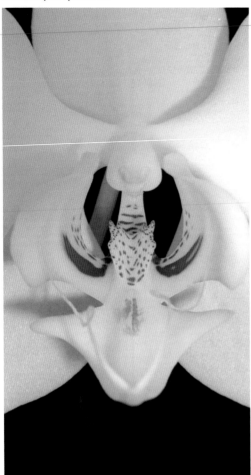

planas que crecen por encima del soporte a grandes distancias de ese tallo acortado. En su espiga saliente se pueden apreciar 3-7 flores muy llamativas. Los tépalos son de un tono verde que se transforma gradualmente en un tono tostado-rojizo en su base. Los bordes son rosa brillante. Los cuidados que requiere esta planta son los mismos que los de otras orquídeas *Phalaenopsis*. Florece en primavera y procede de Mianmar y del sur de China.

Phalaenopsis celebensis · ■ ☺ ☺

TERMOFÍLICA

Estamos ante una orquídea excepcional y muy rara. El tamaño de sus flores es pequeño, pero son muy abundantes (puede haber hasta 30 flores en la espiga semirrecta o saliente. En los tépalos laterales se pueden encontrar motitas naranjas o amarillas y el color blanco de las flores se ve complementado por el color de sus bordes (naranja y amarillo). Esta especie de orquídea florece en otoño y se descubrió en las Célebes.

Phalaenopsis cornu-cervi · ■ ☺

TERMOFÍLICA

Cuando florece, esta especie tiene un aspecto peculiar: el eje de su delgada espiga se ensancha al final y se hace robusto, en forma de trébol. Sus flores son amarillas, con motas marrones, miden 5 cm a lo lar-

Phalaenopsis braceana.

Phalaenopsis aphroditae · ■ ☺

TERMOFÍLICA

Esta orquídea se parece a la *P. amabilis*, pero es algo más pequeña. Sus flores son blancas, con adornos amarillos y violetas en sus extremos rojos y miden de 6 a 8 cm de diámetro. En el lóbulo central de sus extremos se pueden encontrar protuberancias flageladas muy largas y retorcidas. Necesita los mismos cuidados que otras *Phalaenopsis*. Suele florecer en invierno y procede de Filipinas y Taiwán.

Phalaenopsis braceana □ · ☺

INTERMEDIA TERMOFÍLICA

Se trata de una orquídea en miniatura y muy decorativa, con hojas muy pequeñas cuya asimilación se complementa gracias a la fotosíntesis de sus raíces

Phalaenopsis celebensis.

Phalaenopsis cornu-cervi var. alba.

go y crecen fuera del eje durante prolongados períodos hasta que son polinizadas. Las flores pueden durar varios meses en la planta. El eje de la flor es muy longevo y, además, crecen continuamente. Se sabe que existe una variedad albina de esta planta- la *P. cornu-cervi* var. *alba*, que cuenta con flores amarillas sin motitas marrones. Esta peculiar orquídea florece entre finales de primavera y verano. Procede de Sumatra, Java, Borneo y Malasia.

Phalaenopsis cornu-cervi.

Phalaenopsis equestris var. *alba.*

Phalaenopsis equestris.

Phalaenopsis equestris

TERMOFÍLICA

Se trata de una planta muy popular y representativa de su género. Sus flores, aunque pequeñas, son abundantes, amarillentas y muy duraderas. Las plantas conforman varias inflorescencias ramificadas en una. Sus hojas son ovales, de un verde intenso y miden de 15-20 cm. Cada una de sus inflorescencias erectas o un poco arqueadas se compone de hasta 15 flores de bordes violetas y tépalos ligeramente rosados. Se sabe que existe una variedad de flores blancas, la *P. equestris* var. *alba*. Esta planta exige unos cuidados similares a los de las especies *Phalaenopsis*. Las plantas se lucen más en tiestos. Florece a finales del verano y procede de Filipinas.

Phalaenopsis fimbriata

TERMOFÍLICA

Es una especie que cuenta con hojas que miden 25 cm y con un rango de 15-20 flores blancas de

4-5 cm de diámetro distribuidas a lo largo de una espiga arqueada. Al igual que otras orquídeas *Phalaenopsis*, necesita un ambiente semisombrío con un alto nivel de humedad. La temperatura ambiente óptima para esta planta se situaría en torno a los 24-28°, que puede bajar hasta los 18-20° sólo en invierno que es cuando atraviesan su período de descanso debido a la insuficiencia de luz. Entre riego y riego, hay que dejar que el sustrato se seque, pero no del todo. Se debe evitar el exceso de humedad. Esta especie se puede situar en macetas, cestas epifíticas o losas de madera con una capa de musgo. Florece entre primavera y verano y es de las islas de Java y Sumatra.

Phalaenopsis fuscata

TERMOFÍLICA

Esta especie no es muy conocida y su cultivo es poco frecuente. Sus flores son de tamaño medio (4 cm a lo largo), carnosas y con bordes redondeados. En la espiga pequeña pueden crecer de 2 a 12 flores. El borde es amarillento u ocre, con rayas marrones-rojizas. El resto de los tépalos son amarillos al final y marrones en la base. Necesita los mismos cuidados que la *P. fimbriata*. Suele florecer a principios de primavera y el hábitat de esta planta es la península Malaya.

Phalaenopsis fuscata.

Phalaenopsis gibbosa.

Phalaenopsis gibbosa □ ⊡ ☺ ☺

TERMOFÍLICA

Se trata de una especie en miniatura y de gran belleza, muy relacionada con otra especie similar: la *P. parishii*. Si se sitúa en tablas de madera, esta planta epifítica forma una multitud de raíces asimiladoras cuya área global sobrepasa el de las hojas pequeñas, que apenas miden 8 cm. La espiga de la flor alcanza los 15 cm y pueden brotar 1-3 hojas. Cada una de estas espigas cuenta con un rango de 8-10 flores, aunque en cultivos, la cifra es menor. El borde de sus flores cuenta con dos motas más o menos marcadas en amarillo y marrón. Esta especie requiere un cuidado similar a las demás orquídeas *Phalaenopsis*. La *P. gibbosa* florece a principios de primavera y se descubrió en Laos y en Vietnam.

Phalaenopsis gigantea ⊡ ■ ☺ ☺

TERMOFÍLICA

La *P. gigantea* es la especie más voluminosa de todo el género de las *Phalaenopsis*. Sus hojas miden 50 cm, son de un color verde azulado y cuelgan. La inflorescencia está suspendida y mide hasta 4 cm. Cuenta con un rango de 15-25 flores blancas con motas marrones y rojas y un borde pequeño, aunque este color puede variar. Necesita los mismos cuidados que otras *Phalaenopsis* termofílicas. Sólo puede cultivarse epifíticamente. Florece entre verano y otoño y procede de Borneo.

Phalaenopsis gigantea.

Phalaenopsis hieroglyphica.

Phalaenopsis x intermedia.

Phalaenopsis hieroglyphica   ▫ ▪ ☺

TERMOFÍLICA

Esta orquídea está estrechamente relacionada con la de la especie *P. lueddemanniana*. De hecho, se consideraba una subespecie. La única diferencia estribaba en el color de las flores, con rayas o moteado más delicado y marrón-rojizo. A primera vista, recuerda a los escritos del Antiguo Egipto (de ahí su nombre en latín). Como se puede ver, sus tépalos no caen tras ser polinizados, sino que sobresalen y se hacen más verdes, sirviendo así de órganos para la fotosíntesis y de almacén. Los cuidados que requiere esta especie son los mismos que los de la *P. fimbriata*. Aunque la espiga parezca marchita, hay que dejarla tal cual, puesto que todavía dará lugar a otra floración e incluso a ramificaciones nuevas durante unos cuantos años más. Esta planta comienza su floración en la primavera y a principios de verano. El hábitat de la especie se encuentra en las Filipinas.

Phalaenopsis x intermedia   ▫ ▪ ☺

TERMOFÍLICA

Se trata de un híbrido, en concreto del primer híbrido natural *Phalaenopsis* que se conoce en botánica. Procede de Filipinas, al igual que *P. aphrodite* y *P. equestris*.

Phalaenopsis lobbii   ▫ ☺

TERMOFÍLICA

Se trata de una planta en miniatura de gran belleza apta para invernaderos *amateurs*. Se parece a la *P. parishii* y ocupa muy poco espacio, pues sus hojas gachas sólo miden 10 cm de lado. Aunque las flores son pequeñas, son muy llamativas y en cada espiga podemos encontrar de 3 a 8. El aspecto decorativo de la planta es realzado por contar con varias inflorescencias en una. Las flores son blancas, se alargan verticalmente y están adornadas por unos bordes ensanchados con una marca color café. Florece en invierno y primavera y es de la selva del sur de Asia.

Phalaenopsis lobbii.

Phalaenopsis lowii.

Phalaenopsis lueddemanniana var. *delicata.*

Phalaenopsis lowii

TERMOFÍLICA

Los cultivadores *amateurs* a veces confunden esta especie con otra planta en miniatura de flores pequeñas con un nombre muy parecido. La *P. lowii* es una orquídea mediana que fuera del período de floración se parece a un espécimen más pequeño de la *P. amabilis.* Sus flores más pequeñas miden 5 cm a lo largo y tienen una forma similar, sólo que su color es un rosa más pálido y su columna violeta está más extendida. El borde también es violeta y no posee el par de colgantes característicos de la *P. amabilis.* Su inflorescencia erguida mide 40 cm y cuenta con 5-12 flores que surgen entre el verano y principios de otoño. Se descubrió en Mianmar.

Phalaenopsis lueddemanniana.

Phalaenopsis lueddemanniana

TERMOFÍLICA

La *P. lueddemanniana* es la especie más extendida en las colecciones, debido a la belleza de sus flores y a su facilidad de propagarse. Después de marchitarse, la espiga todavía da lugar a brotes. Las flores son muy variables y algunas variedades anteriores se consideran ahora especies independientes. En el espécimen típico, las flores son carnosas, de hasta 5 cm de diámetro, blancas y con motitas púrpuras densas. El borde de la flor es velludo en la parte central. La *P. lueddemanniana* se utiliza en cruces

Phalaenopsis lueddemanniana var. *pulchra.*

Phalaenopsis modesta.

Phalaenopsis modesta

TERMOFÍLICA

A esta especie le gusta la humedad y el calor e imita a la *P. violacea* en cuanto a requisitos de cultivo. Tiene un tallo muy corto que cuenta con hojas relativamente amplias y carnosas. La espiga de la flor sólo tiene una o dos flores pero sigue creciendo, lo que puede prolongar el período de floración. Las bases de los tépalos blancos se ven realzadas por rayas violetas brillantes y transversales que dan lugar a motas compactas. El borde lleva el mismo color y en su extremo hay protuberancias con fimbrias. Se cultiva epifíticamente o en tiestos en invernaderos templados con ambiente húmedo y sombrío. Su floración es irregular. Procede de Borneo.

Phalaenopsis parishii

TERMOFÍLICA

Se trata de una miniatura muy demandada y muy reconocida. La *P. parishii* tiene ciertos atractivos: es una planta de proporciones pequeñas, flores bonitas y no exige demasiados cuidados. No es tan diferente de otras especies relacionadas como el *P. lobbii* en cuanto a su parte verde se refiere, pues sus flores son más bonitas. Miden 2 cm de alto y su borde es violeta y ocre, muy expandido y con un centro velludo. Sólo debería cultivarse epifíticamente sobre un apoyo vertical descubierto. La floración es a finales de primavera. Procede del suroeste asiático.

para dar lugar a flores en forma de estrellas. Su cultivo es fácil y no difiere demasiado al de otras especies termofílicas del género. Las inflorescencias marchitas no se pueden quitar y las plantas creadas vegetativamente no deben separarse hasta que echen sus propias hojas y raíces. Esta especie suele florecer en primavera y verano y es de Filipinas.

Phalaenopsis parishii.

Phalaenopsis schilleriana ◼ ☺ ☺

TERMOFÍLICA

Esta especie destaca porque el haz de sus hojas lleva unas motas plateadas y las raíces son planas y muy llamativas en corte transversal y contienen mucha clorofila. La inflorescencia, arqueada y diversificada, puede contar con hasta 30 flores de un violeta rosado de 5-6 cm de anchura. El borde es amarillento en el centro y lleva motas rojas al igual que en los tépalos inferiores. La floración ocurre hacia finales de invierno o principios de primavera. No son flores muy longevas. Esta especie se puede conservar en un tiesto o epifíticamente (mejor con una capa de musgo). Procede de Filipinas.

Phalaenopsis stuartiana ◼ ☺ ☺

TERMOFÍLICA

Esta planta se parece a la anterior, sin embargo, el color de las flores es distinto (la mitad superior suele ser blanco puro, mientras que la inferior [incluida la base del borde] es amarillenta con motas marrones y rojizas muy pronunciadas) Los cuidados que requiere esta especie son los mismos que la especie anterior que es más común en las colecciones. La *P. stuartiana* florece en invierno y a principios de primavera y se encuentra en abundancia en la selvas húmedas de Filipinas.

Phalaenopsis venosa ▪ ☺

TERMOFÍLICA

Sus hojas se parecen a las de la *P. violacea*, lo mismo en tamaño que en apariencia. Sus flores, frágiles en apariencia y llamativas, miden 4 cm a lo largo y crecen en una espiga que puede llegar a medir 15 cm de largo Son marrones y rojizas y sus bordes son pequeños, amarillos y verdes con el centro blanco. Los cuidados que requiere esta planta son similares a los de las especies antes mencionadas, si bien la planta necesita más humedad de lo normal. Florece en verano y se descubrió en las Célebes, Indonesia.

Phalaenopsis stuartiana.

Phalaenopsis venosa.

Phalaenopsis violacea ☺

TERMOFÍLICA

La *P. violacea* en el período de floración, no hay nada que se le pueda parecer: sus hojas, de 25 cm de largo, son fascinantes. Pero todo esto cambia con la llegada de la floración, cuando comienzan a abrirse 2-4 amplias flores, con forma de estrella, simétricas

Phalaenopsis violacea.

y distribuidas en una inflorescencia corta y colgante. Su color básico es un blanco verdoso que se transforma poco a poco en un violeta oscuro a medida en que se acerca al centro de la flor. Las flores de la planta procedente de Borneo son algo más violetas. Se sabe también que existe una variante de flor blanca de la *P. violacea*. Esta planta es ideal para invernaderos cerrados al sol, húmedos y templados. La escarapela aparentemente marchita de la flor «se despierta» constantemente y no se debe arrancar hasta que las flores se caigan. La planta se descubrió en Borneo, Malaya y Sumatra.

Phalaenopsis wilsonii   ☺

TERMOFÍLICA

La *P. wilsonii* es todavía un espécimen raro en las colecciones de orquídeas. Últimamente, se le ha clasificado dentro del género *Kingidium*. Sus rasgos más característicos son sus escasas hojas, caducas, o la forma de su borde. El aspecto de esta orquídea es fabuloso, sobre todo por sus flores tan llamativas, y es capaz de crear una multitud de raíces aplanadas aéreas. La espiga de la flor mide 20 cm como máximo y puede contener 3-10 flores rosadas con un borde violeta y amarillo. La especie se debe cuidar como el resto de orquídeas *Phalaenopsis*. Florece en primavera y sólo se encuentra en China.

Phalaenopsis wilsonii.

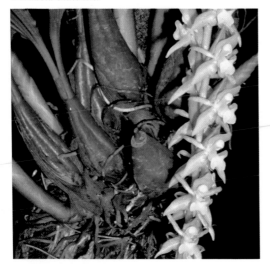

Pholidota chinensis ◙ ☺

CRIOFÍLICA INTERMEDIA

El género *Pholidota* es pariente cercano de la orquídea *Coelogyne*. La *P. chinensi*s cuenta con pseudobulbos ovales y delgados que alcanzan 6 cm de longitud y cuentan con dos hojas. Las flores individuales, de unos 2 cm de longitud y de un color blanco o beige, apenas tienen valor decorativo pero son abundantes y están en una inflorescencia muy decorativa en forma de cola. La espiga de la flor crece a igual ritmo que el de un brote nuevo. Es un epifito poco exigente con demandas de luz semiestrictas. Puede crecer con apoyo de madera o en tiesto suspendido y perforado. Florece en primavera y su hábitat está al sur de China y al norte de Vietnam.

Phragmipedium besseae.

Phragmipedium besseae ◙ ☺ ☺

INTERMEDIA

El espléndido aspecto de la especie *P. besseae* es una prueba de que hoy en día aún se pueden descubrir en su estado natural orquídeas amplias con flores llamativas. Esta planta se descubrió por vez primera en Tarpato, Perú, en 1981. Las plantas que se descubrieron se transportaron a un estado de Estados Unidos en el que no había período de floración de las plantas. Para sorpresa de todos, estas plantas dieron lugar a flores rojas y lustrosas. Hasta ese momento, este color era algo insólito en América, al igual que en Asia. Desgraciadamente, enseguida se corrió la voz acerca de su emplazamiento y se arrasó con estos especímenes. Por suerte, la *P. besseae* (cuyas flores eran algo más anaranjadas) se descubrió más adelante en Ecuador. Hasta hoy, la especie se ha propagado en cantidades más que suficientes a partir de semillas y ya no está en peligro de extinción. Ahora van a aparecer varias mutaciones de color, sin embargo, ese rojo original sigue siendo el líder. Las normas de cultivo y cuidados no difieren demasiado con respecto a las de otras especies representativas del género (ver *P. lindleyanum*).

Phragmipedium caudatum ◙ ■ ☺ ☺

INTERMEDIA

Las flores de algunas plantas representativas del género *Phragmipedium* se pueden comparar en belle-

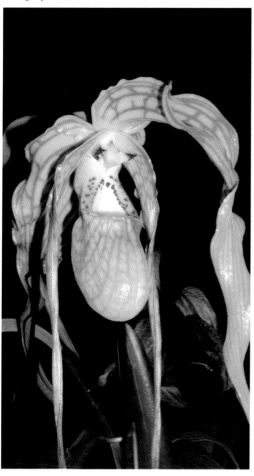

za con las de las orquídeas *Paphiopedilum*. Sin embargo, no son plantas longevas y se marchitan en unos tres días. Además se abren sucesivamente. La especie *P. caudatum* es una excepción a este respecto, pues sus flores duran más y puede haber más de una abierta a la vez. La *P. caudatum* está entre las *Phragmipedium* más robustas y más cultivadas del momento y la espiga de su flor (con 2-3 flores), puede alcanzar una longitud de 80 cm. Sus hojas llegan a medir 40 cm. Sus flores son blanquecinas con alguna tonalidad en verde y se caracterizan por sus pétalos rojos y alargados que pueden incluso llegar a tocar el suelo. La especie presenta distintas variedades en cuanto al color y la forma de las flores. En Ecuador se han hallado especímenes peculiares que no tienen el borde en forma de herradura. Si se examinaban más de cerca, se hallaban diferencias en otros rasgos y por eso se bautizó a estos especímenes como *P. lidenii*. La *P. caudatum* crece en suelos arenosos, laderas de volcanes o tobas. Florece en otoño y es de Guatemala, Costa Rica, Panamá, Colombia, Venezuela, Ecuador y Perú.

Phragmipedium chapadense.

Phragmipedium Grande.

Phragmipedium chapadense

■ ■ ☺ ☺

INTERMEDIA

El nuevo género de las *Phragmipedium* es una imitación de otro género parecido: las *Paphiopedilum* asiáticas. Las flores de ambos géneros cuentan con bordes en herradura que les han hecho llevar el apodo de «la herradura de Venus». Además de diferir en la procedencia geográfica, estas plantas también se distinguen por otros rasgos: por ejemplo, las *Phragmipedium* se caracterizan por tener un ovario con tres capas protectoras, una espiga de flor segmentada y los extremos del borde en herradura angulares, mientras que las *Paphiopedilum* tienen un ovario de una capa protectora, la espiga de la flor no está segmentada y los extremos del borde no son angulares. La especie *Phragmipedium* suele ser una orquídea terrestre de proporciones considerables que forma grupos densos de hojas largas, estrechas y puntiagudas. La *P. chapadense* destaca por la elegancia de sus flores. Se suelen encontrar 2-3 en una espiga de 40-50 cm de longitud. Los pétalos son largos y color vino, llegan a alcanzar los 15 cm y dominan la integridad de las flores. Los cuidados que requiere son los mismos que los de otras *Phragmipedium*. Esta planta fue descubierta en Brasil.

Phragmipedium Grande

■ ■ ☺

INTERMEDIA

Esta planta en la naturaleza fue creada mediante una hibridación artificial de la *P. caudatum* con la *P. longifolium*. Sus exigencias ecológicas no son muchas, por lo que se conserva en invernaderos de orquídeas. Tiene proporciones robustas en las escarapelas de sus hojas y flores (las hojas pueden llegar a medir 45 cm). Sin embargo, las flores, verdes y rojas y muy decorativas enseguida se marchitan. Esta especie se debe cuidar como cualquier otra representativa del género. La floración ocurre a lo largo de todo el año.

Phragmipedium klotzschianum.

Phragmipedium klotzschianum ▣ ☺

INTERMEDIA

Estas plantas pueden encontrarse en los bancos de los ríos o regiones con riesgo de inundaciones. Así pues, se debe vigilar el nivel de humedad de su sustrato, que debe ser más alto de lo habitual. Sus hojas miden sólo 25 cm, y es de las especies más pequeñas del género. Las escarapelas de sus hojas son muy compactas y pentafoliadas. La espiga de la flor cuenta con 2-3 flores. Los tépalos son marrones-rojizos y los bordes varían de color: entre amarillos y amarillos verdeceos. La especie ha de conservarse en un ambiente semisombrío, al igual que otras *Phragmipedium*. De vez en cuando, se debe humedecer el sustrato con agua de lluvia. Florece en invierno. Esta especie procede de Venezuela.

Phragmipedium lindleyanum ■ ☺

INTERMEDIA

Especie fuerte representativa del género, que suele contar con escarapelas pentafoliadas. Las hojas alcanzan los 50 cm. El tallo de la planta suele ser recto, a veces ramificado, con muchas flores y de 1 m de altura. Las flores miden 8 cm a lo largo y suelen ser amarillas o verdes amarillentas y la disposición de sus venas es rojo mate. El borde suele ser amarillo con unos toques rojizos. La parte exterior de los sépalos es ligeramente velluda. Se puede encontrar en zonas abiertas y sombreadas sobre todo en placas rocosas cubiertas por una capa de tierra húmeda. Florece en invierno y procede de Venezuela.

Phragmipedium lindleyanum.

215

Phragmipedium longifolium.

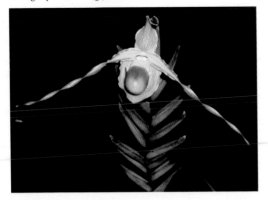

Phragmipedium longifolium ■ ☺

INTERMEDIA

Esta es la orquídea *Phragmipedium* de mayores dimensiones. Sus hojas miden 60 cm y la inflorescencia llega a medir 1 m. Su espiga cuenta con alrededor de 10 flores poco longevas, cada una de las cuales se abre cuando la anterior se ha marchitado. Las flores miden 15 cm de diámetro y cuentan con pétalos verdes, alargados y muy prominentes. Su borde, marrón y verde, es suave y pequeño. Aunque los cuidados de esta planta no son muy específicos, sus proporciones hacen que sea poco adecuada y se suele usar en cruces. Su floración es irregular. Procede de Costa Rica, Panamá, Ecuador y Colombia.

Phragmipedium pearcei.

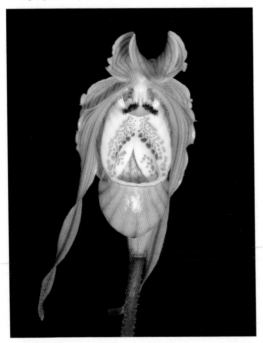

Phragmipedium pearcei ■ ☺ ☺

INTERMEDIA

El mayor atractivo de esta especie es la belleza y la fragilidad de sus flores. Las escarapelas de sus hojas se parecen a los de sus parientes de tamaño medio. Sus flores se abren de forma sucesiva en una espiga erguida y cuentan con un color de filigrana verde y blanco que se complementa con motitas marrones en sus bordes. Sus pétalos, alargados y puntiagudos, son rojizos en sus extremos. Esta especie terrestre y epifítica es de fácil adaptación: de hecho, crece en la naturaleza en altitudes entre los 300 y los 1.100 m. Florece en verano y se da en regiones cercanas a los ríos en Perú, Ecuador, Colombia y Costa Rica.

Phragmipedium richteri ■ ☺

INTERMEDIA

Esta orquídea, descubierta ya en 1944, se basaba en plantas que se habían cultivado anteriormente, cuyos propietarios decidieron hibridar. La combinación de colores de las plantas es muy delicada: el borde blanquecino está adornado y la disposición de sus venas es verde en el exterior y con motitas negras concentradas en su interior. Necesita crecer en un tiesto con un sustrato ligero y húmedo a base de musgo, arena, perlita, turba y espuma de poliestireno. Todas las especies representativas de este género necesitan una luz más difuminada que la de las *Paphiopedilum* y el sustrato tiene que estar ligeramente húmedo. Es recomendable humedecer de vez en cuando las flores de esta planta y abonarlas algo. La *P. richteri* florece a lo largo de todo el año en cultivos y procede de Perú.

Phragmipedium richteri.

Phragmipedium sargentianum ▣ ■ ☺

INTERMEDIA

Las escarapelas de las hojas de esta especie suelen contar con 7 hojas que llegan a medir 50 cm. La inflorescencia erguida cuenta con un rango de 2-4 flores que se abren una tras otra. El color de la flor es el verde, transformándose el borde en amarillo y la superficie del mismo cuenta con motitas verdes y rojas. La flor tiene un par de pétalos violetas en los bordes que alcanzan una longitud de 6 cm. No requiere cuidados especiales. Se trata de un pariente cercano de la *P. lindleyanum*, cuya floración es irregular (aunque suele florecer a finales de invierno y en primavera). Procede de Pernambuco, Brasil.

Phragmipedium sargentianum.

Pityphyllum amesianum.

Pityphyllum amesianum □ ▣ ☺

INTERMEDIA

Esta planta es la delicia de los amantes de las orquídeas epifíticas de formas poco convencionales. Los bordes del tallo, muy grueso y similar a un pseudobulbo, van decorados con grupos de hojas alineadas muy delicadas en forma de cepillo. En las axilas de sus hojas se pueden llegar a formar de 1 a 3 brotes y, a medida en que la planta va creciendo, se ramifica y el grupo de hojas adquiere un aspecto bastante peculiar. Las flores blanquecinas de esta especie son muy planas y muy pequeñas (de unos 2 a 4 mm). La *P. amesianum* es muy difícil de cultivar, ya que hay que montar la planta sobre un soporte de madera y conservarla en un ambiente moderadamente húmedo y bien ventilado a lo largo de todo el año. Esta fotografía se hizo en la frontera entre Venezuela y Colombia.

217

Platystele sp., México.

Pleione formosana.

Platystele □ · ☺

INTERMEDIA TERMOFÍLICA

Se trata de una miniorquídea agrupada que forma masas de flores amarillas , cuyas proporciones dejan patente el número ilimitado de tamaños y formas que engloba el género de las *Orchidaceae*. El pequeño género de las *Platystele* al completo (6 especies) está muy vinculado al género *Pleurothalis*. Su tallo da lugar a múltiples ramificaciones y cada uno de sus brotes termina con una hoja larga, de 3-4 cm. Las flores que se pueden contemplar en la foto se disponen en dos filas en la espiga que se forma en la base de las hojas y nunca sobrepasa la altura de éstas . Cada inflorescencia cuenta con un buen número de flores (de 3 a 4 mm de ancho) que se abren sucesivamente. El color de su borde es un amarillo intenso. Cuando las flores se marchitan, los ovarios individuales se expanden y crean una forma peculiar con protuberancias a ambos lados. La única espiga de la flor sobrevive a veces hasta un año y continúa creciendo y dando lugar a nuevas flores que se abren continuamente de una en una o incluso dos a la vez. Los cuidados que exige esta planta son similares a los del resto de las *Pleurothalis*. La planta, debido a sus diminutas proporciones, necesita unas condiciones húmedas y mucho vapor. Se descubrió en Palenque, México, pero se sabe que hay en otros países de América Central y Suramérica.

Pleione · ☺

CRIOFÍLICA INTERMEDIA

La *Pleione* incluye bajo su nombre a muchas especies terrestres criofílicas (resistentes a las heladas). A pesar de esto, estas orquídeas se incluyen bajo el apartado tropical de las *Orchidaceae*, ya que su morfología y su ciclo vital es muy similar al de las especies tropicales. El género engloba, entre otras, un grupo de especies termofílicas, que incluyen una epifita tropical, la *P. maculata*. Estas plantas forman pseudobulbos estándar, firmes y carnosos con formas cónicas y anchas. Los ápices de los pseudobulbos dan lugar a una o dos hojas alargadas, elípticas y débiles con una disposición de sus venas muy marcada y longitudinal. Las flores se caen anualmente antes del invierno. En las especies alpinas,

Pleione yunnanensis.

Pleione hookeriana.

Pleione saxicola.

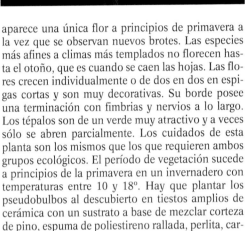

aparece una única flor a principios de primavera a la vez que se observan nuevos brotes. Las especies más afines a climas más templados no florecen hasta el otoño, que es cuando se caen las hojas. Las flores crecen individualmente o de dos en dos en espigas cortas y son muy decorativas. Su borde posee una terminación con fimbrias y nervios a lo largo. Los tépalos son de un verde muy atractivo y a veces sólo se abren parcialmente. Los cuidados de esta planta son los mismos que los que requieren ambos grupos ecológicos. El período de vegetación sucede a principios de la primavera en un invernadero con temperaturas entre 10 y 18°. Hay que plantar los pseudobulbos al descubierto en tiestos amplios de cerámica con un sustrato a base de mezclar corteza de pino, espuma de poliestireno rallada, perlita, carbón, agujas de coníferas y arena de sílice. Para las especies criofílicas, también se puede añadir tierra,

pero hay que ser conscientes del riesgo de que las raíces se amolden. Durante la vegetación, necesitan una humedad suficiente, un buen abono, una ventilación óptima y deben estar protegidas de la luz solar directa. A finales de verano, hay que reducir la cantidad de agua en los riegos y las plantas tienen que empezar el período de hibernación después de que sus hojas caigan, o, con las especies otoñales, cuando sus flores se marchiten. Algunas de estas plantas pueden sobrevivir un duro inverno, incluso cubiertas de una capa de nieve, aunque es mejor conservarlas en invernaderos fríos, en sótanos o refrigeradores. Si los pseudobulbos se secan en el período de almacenaje, se recomienda protegerlos con una bolsa de plástico o cubrirlos con turba. Las orquídeas que pertenecen al género *Pleione* se pueden encontrar en regiones alpinas y submontañosas de India, China, Mianmar y Tailandia.

Pleione maculata.

Pleurothalis sp., Costa Rica.

Pleurothalis   ☐ · ■ ☺

INTERMEDIA TERMOFÍLICA

Se trata de un género con un número bastante significativo en cuanto a especies (unas 550). Las especies individuales generan flores planas y pequeñas. Sin embargo, son muy útiles como plantas complementarias, ya que, por sus dimensiones, se pueden cultivar en invernaderos muy pequeños y en cajas de cristal. La taxonomía de este género no está clara ya que su hábitat natural es muy amplio, su apariencia no llama la atención y la variedad de plantas que se incluyen bajo esta especie es inmensa. Las orquídeas *Pleurothalis* no dan lugar a pseu-

dobulbos. Sus hojas, lanceoladas e invertidas, de forma oval o curvilínea, salen de un rizoma fino, muy acortado y saliente, que, a su vez, parte de un tallo firme y reducido. Las hojas, a veces, son muy carnosas. La espiga de la flor crece de la axila de la hoja y cuenta con muchas flores diminutas. Las flores son un tanto atípicas en cuanto a su morfología, ya que el par de sépalos está cerrado sólo en parte y empequeñece el borde de la flor, que ya es pequeño de por sí. Son muy fáciles de cultivar, con la excepción de las especies alpinas litofíticas. Las plantas deben crecer epifíticamente apoyadas verticalmente en palos o cortezas de saúco. Si se van a plantar especies de climas húmedos o templados con la ayuda de un apoyo, hay que enterrarlas en musgo con tur-

Pleurothalis grobyi.

Pleurothalis teres.

Pleurothalis sp., Ecuador.

Pleurothalis sp., Ecuador.

ba. La cantidad de agua y de luz depende de dónde proceda. Si se desconoce, nos fijaremos en su morfología: las especies pequeñas con hojas endebles tienen que conservarse en ambiente húmedo, semisombreado y con vapor, mientras que las de hojas frondosas necesitan luz más difuminada directa del sol y también un refrigerador y un período más seco en el estancamiento. Se encuentra en zonas tropicales de América situadas entre México y Argentina.

Pleurothalis sp., Perú.

Polyrrhiza funalis.

Ponthieva maculata.

Polyrrhiza funalis ☐ ⊡ ☹ ☺

INTERMEDIA

Estas orquídeas son toda una curiosidad con respecto a sus flores y su importancia excede las fronteras de la familia de las *Orchidaceae*. Las pertenecientes al género de las *Polyrrhiza* y a otros géneros (por ejemplo, *Chiloschista*, *Microcoelia*, etc.) ya no pueden dar hojas normales, por lo que la fotosíntesis tiene lugar sólo en la clorofila que contienen esas carnosas y aplanadas raíces verdes que salen de un tallo extremadamente corto y proliferan por encima del apoyo o libremente, creando una forma similar a un nido. Las flores de la *P. funalis* crecen individualmente, son muy amplias y de color blanco verdusco. El borde tiene forma de corazón y con una rama verde. Los cuidados requieren cierta experiencia: hay que montar las raíces de la planta (con muchísimo cuidado y delicadeza) sobre un soporte de madera (por ejemplo, corteza de saúco) y hay que colgarlas en un lugar bien ventilado con una buena iluminación. La planta requiere vapor, sobre todo en verano. *La P. funalis* florece en cultivos con mucha dificultad. En su hábitat natural (Cuba y Jamaica) florece entre finales de invierno y principios de primavera.

Ponthieva maculata ⊡ ⊡ ☺

INTERMEDIA

Se trata de una de las 25 especies que comprenden uno de los géneros pequeños de la mayoría de orquídeas terrestres. La *P. maculata* crece epifíticamente e incluso en el suelo. No da lugar a pseudobulbos y sus hojas alargadas llegan a los 25 cm y están dispuestas en una escarapela sésil. La inflorescencia de la planta es recta y se compone de un gran número de flores pequeñas con motas azules y violetas, pétalos blanquecinos y un borde rojo o amari-

llo. Hay que evitar que se sequen sus finas raíces. Esta especie florece en invierno y en primavera y se extiende por México, Venezuela y Ecuador.

Porpax lanii ☐ ☺

INTERMEDIA TERMOFÍLICA

El género *Porpax* se caracteriza porque las partes superiores de sus pseudobulbos son planas y durante los períodos de sequía carecen de hojas. Estas plantas «durmientes» son espectaculares si se observan en ramas o en rocas. La especie *P. lanii* posee una espiga de flor extremadamente corta que crece en nuevos brotes incluso fuera del entorno de la axila del par de hojas. Del mismo modo, aparecen flores de dos en dos, que suelen ser rojas con tonalidades en verde. Su aspecto es un tanto extraño, ya que las bases de los sépalos crecen juntas, lo que hace que las flores se abran sólo parcialmente. La *P. lanii* debe cuidarse como el resto de epífitas; lo único que hay que tener en cuenta es que necesita un poco más de luz. Cuando los pseudobulbos han madurado, las plantas atraviesan un período de sequía sustancial. Esta especie florece a finales de otoño y en primavera y procede del sureste asiático.

Promenea xanthina ☐ ☺

INTERMEDIA TERMOFÍLICA

Se trata de una miniatura de gran belleza cuyos pseudobulbos sólo miden 2 cm de largo. Sus espigas salientes cuentan con una o dos flores de color amarillo limón con un borde con motas rojas. En rela-

Porpax lanii.

ción al tamaño global de la planta, se puede decir que sus flores son enormes: miden 5 cm a lo largo. Es una epifita que requiere una dosis de luz de media a alta. Necesita humedad y crece mejor en un sustrato ligero en un tiesto colgante o en una cesta. La floración tiene lugar entre finales de primavera y verano. Al igual que otros miembros del género de las *Promenea*, procede de Brasil.

Psychopsiella limminghei   □ ☹

INTERMEDIA TERMOFÍLICA

Esta orquídea se clasificó bajo el género de las *Oncidium* hasta 1982, cuando se excluyó para dar lugar a un género independiente ya que poseía unas cualidades distintas: la forma y tamaño de sus partes verdes, el color de sus hojas y la anatomía de sus flores. La *P. limminghei* es una miniatura cuyos pseudobulbos, planos y desprotegidos, miden 2 cm de largo y cuentan con una sola hoja de 2-4 cm de longitud adornada en rojo. Ambos órganos se adhieren al apoyo. La espiga de la flor es fina y puede llegar a medir 10 cm. Normalmente sólo cuenta con una flor. Las flores miden de 3-4 cm de diámetro y su borde es amarillo claro. El resto de los tépalos es de color marrón y amarillo. No es fácil de cultivar. Se debe apoyar en una corteza y estar en semipenumbra. La humedad en su entorno no debe ser elevada en invierno y florece entre finales de la primavera y verano. Esta planta procede de Venezuela.

Promenea xanthina.

Psychopsiella limminghei.

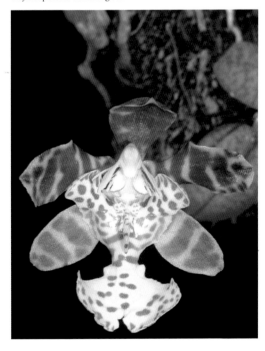

Psychopsis krameriana.

Psychopsis papilio.

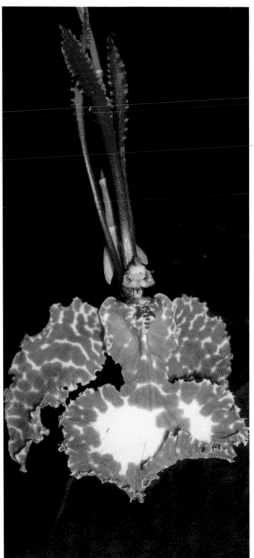

man la atención por su trío de tépalos rojos oscuros. En sus tépalos laterales, amarillos y marrones y curvados, se pueden apreciar las alas de una mariposa. Su borde es ancho, ondulado, amarillo en el centro y con motas marrones en los bordes. Los cuidados que requiere esta especie son los mismos que los de la *P. papillo*. La floración de la planta es irregular y ocurre a lo largo del año. Procede de Costa Rica, Panamá, Colombia y Ecuador.

Psychopsis papilio

INTERMEDIA TERMOFÍLICA

A pesar de que el género de las *Psychopsis* se estableció ya en 1838, su espécimen más conocido y representativo no se incluyó en este género hasta 1975. Hasta hoy día, todavía se clasifica como dentro de las *Oncidium papilio*. Si se compara con una especie similar como la *P. krameriana*, cabe destacar que esta planta es más fuerte y que la parte superior de su flor en «mariposa» es plana y cuenta con las típicas «alas» en la columna. Sus cuidados no son complicados: puede ponerse en tiestos o crecer epifíticamente. Pueden crecer en invernaderos, pero necesitan protegerse de la sombra excesiva y de la humedad de las raíces. Su floración ocurre de forma irregular durante todo el año. En esta planta no se debe cortar la espiga de la flor, pues continúa creciendo y dando flores durante muchos meses e incluso años. La *P. papillo* se descubrió en la parte norte de Suramérica y también en Ecuador y Perú.

Psychopsis krameriana

INTERMEDIA TERMOFÍLICA

Es otra de las especies que se englobaba bajo el género de las *Oncidium* hasta 1982. Fue entonces, y debido a la anatomía de sus flores, cuando los taxonomistas decidieron traspasarla a un pequeño género que ahora contiene 5 especies. La planta es muy bonita y sus cuidados son fáciles. El pseudobulbo tiene forma oval y puede llegar a medir 4 cm. Sólo cuenta con una hoja firme, alargada, elíptica y con motas en rojo. Aparecen flores continuamente y una a una en su espiga de unos 50 cm de largo. Sus flores son todo un fenómeno de la naturaleza: lla-

Psychopsis versteegiana

INTERMEDIA TERMOFÍLICA

Este género de orquídeas de flor de mariposa incluye un total de 5 especies que son muy similares entre sí. La *P. versteegiana* difiere del resto en algunos rasgos de la morfología de sus flores, como por ejemplo, que son más pequeñas, hecho que contrasta con el resto de sus proporciones. Sus pseudobulbos unifoliados miden de 4 a 7 cm, mientras que sus hojas pueden llegar a medir hasta 30 cm. Cuando se marchita la primera generación de flores, la espiga de la flor sigue ramificándose y puede llegar a medir 110 cm. La planta procede de bosques húmedos y fríos y por lo tanto, es más sensible a las temperaturas altas. Su período de floración engloba todo el año. El hábitat de la planta no se ha determinado todavía, ya que se ha extinguido de muchas zonas. Las últimas investigaciones han concluido que esta planta se ha hallado en Surinam, Bolivia y Ecuador.

Psychopsis versteegiana.

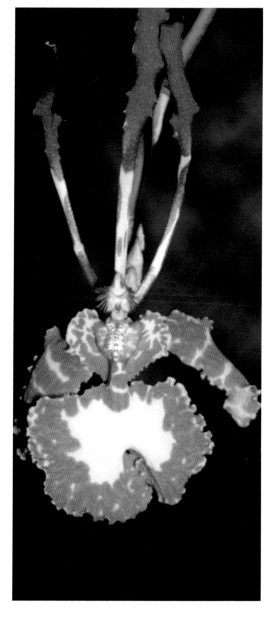

Psygmorchis pusilla.

Psychopsis pusilla □ ☹ ☺

INTERMEDIA TERMOFÍLICA

Esta especie, que solía conocerse con el nombre de *Oncidium pusillum*, era tan rara que se excluyó junto con otras cuatro especies similares para dar lugar a una especie independiente. La planta no da lugar a pseudobulbos y sus hojas, planas y no muy frondosas, se disponen en forma de abanico. Los botánicos le han dado un nombre a esta estructura: morfología iridácea. La *P. pusilla* es una miniatura y la longitud total de la escarapela de sus hojas no sobrepasa los 5-6 cm. La espiga de su flor es corta y sólo cuenta con una flor amarilla con motas rojas y marrones en su centro. Debido a su tamaño, necesita un ambiente bien ventilado y húmedo y debe estar en una zona con sombra. La floración de esta planta es irregular, sobre todo en verano. Esta especie se puede encontrar en una amplia región tropical de América Central y Suramérica.

225

Pteroceras semiteretifolium □ ⊡ ☺

INTERMEDIA TERMOFÍLICA

Se trata de una miniatura epifítica maravillosa capaz de adornar cualquier colección incluso cuando no está en flor. Se caracteriza por un tallo corto y monopodo que está oculto bajo unas hojas muy comprimidas e inflamadas. Sus hojas, muy frondosas y de 7 cm, se disponen en forma de abanico. La espiga de la flor es más corta que las hojas y cuenta con una única flor con tépalos blancos. El borde es amarillento con una marca violeta clara. Las flores miden 2 cm de diámetro, pero desde que la planta forma varias espigas de una vez, la floración constituye todo un acontecimiento. La planta tiene que crecer epifíticamente en un lugar con luz abundante. En la naturaleza, las flores aparecen en hacia finales de la estación de lluvias. La planta procede de Indochina, incluyendo Vietnam y las provincias de sur de China.

Pteroceras semiteretifolium.

Renanthera monachica.

Renanthera monachica ⊡ ◼ ☺ ☺

TERMOFÍLICA

El denominador común de todas las especies *Renanthera* es un tallo firme y monopodo que cuenta con dos filas de hojas cortas y duras. La espiga de su flor, larga y ramificada, cuenta con muchas flores. La espiga de la especie *R. monachica* mide 50 cm, mientras que sus hojas pueden alcanzar hasta 13. La inflorescencia mide alrededor de 20 cm y está compuesta de un rango de 10-15 flores, de 2,5 cm a lo ancho. Los tépalos son amarillentos o rojizos y suelen contar con motitas escarlata. El borde apenas se puede apreciar. En la naturaleza, la *R. monachica* crece epifíticamente (en rocas en casos excepcionales) y para que florezca necesita luz solar directa. Para su crecimiento, hay que plantarla en una cesta epifítica recubierta de sustrato permeable y hay que darle un período de sequía y descanso en invierno después de que las flores se marchiten. La floración es escasa y ocurre entre otoño y primavera. Esta especie procede de Filipinas.

Renanthera matutina ◼ ☺ ☺

TERMOFÍLICA

Como sucede con muchos de sus híbridos intergenéricos, los miembros de la especie *Renanthera* son famosos sobre todo en granjas comerciales al sur de EE.UU., Hawai y en Malaya. Los híbridos del género *Renanthera* de color rojo, inflorescencias ramificadas y proporciones fuertes se consideran como

Renathera matutina.

especies muy valiosas. En Europa, este género apenas se cultiva, si bien la primera orquídea epifítica que floreció en América fue la *R. coccinea*. La *R. matutina* posee unos tépalos amarillos y rojos cubiertos de motas rojas. En cuanto a los cuidados que requiere esta planta, se puede decir que no difiere demasiado de los de otras especies anterior-

mente mencionadas. La *R. matutina* procede de Tailandia, Malasia, Java y Sumatra.

Rhyncholaelia digbyana

INTERMEDIA

Esta especie solía englobarse dentro del género *Brassavola*, con el que sólo comparte un rasgo: la forma alargada de sus ovarios. La apariencia de sus partes verdes recuerda mucho a las orquídeas *Cattleya* o *Laelia*. La *Rhyncholaelia digbyana* cuenta con unos pseudobulbos alargados y gruesos que poseen una única hoja muy gruesa. Las flores son bastante amplias (miden unos 12 cm de lado a lado) y son muy decorativas, ya que cuentan con un borde color crema con fimbrias en sus extremos. Hay una variedad poco común, que se llama *Rhyncholaelia fimbripetala*, que cuenta con extremos con fimbrias en otros pétalos y está muy valorada. Si bien ya el título nos advierte de que la especie no es fácil de cultivar, el hecho de que florezca puede decirse que es el examen de graduación que debe pasar cualquier cultivador que se precie. En zonas templadas, esta orquídea sufre porque le falta luz en invierno y sólo florece de vez en cuando (entre finales de la primavera y el verano). Esta especie es uno de los progenitores de la mayoría de los híbridos con la *Cattleyas* (*Brassocattleya*). La planta procede de México, Honduras y Guatemala.

Rhyncholaelia digbyana.

Rhyncholaelia glauca   ▫ ▪ ☺

INTERMEDIA

Esta orquídea se parece a la especie anterior físicamente, sólo que es más pequeña y sus hojas tienen una tonalidad más grisácea y también son más pequeñas al margen de que carecen de esos detalles en el borde ondulados. Por otra parte, la *R. glauca* tiene una floración más fácil, sobre todo una vez entrada la primavera. La planta necesita los mismos cuidados que la especie anterior, es decir, necesita un apoyo de madera y no se debe trasplantar con demasiada frecuencia, sólo cuando la planta comienza a generar nuevos brotes. Los especímenes ya marchitos atraviesan un período de descanso en el que deben recibir cantidad suficiente de luz, estar en un ambiente ventilado y se deben regar comedidamente. Puede encontrarse en México, Guatemala, Honduras y Panamá.

Rhynchostylis gigantea   ▪ ☺

TERMOFÍLICA

El género *Rhynchostylis* sólo contiene 4 especies de orquídeas, apodadas «colas de zorro», ya que la espiga de su flor es densa y protuberante. La inflo-

Rhynchostylis gigantea.

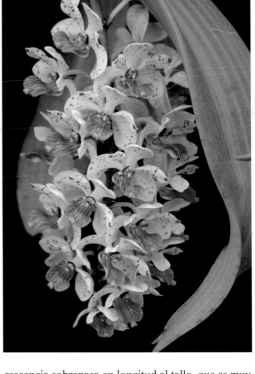

Rhyncholaelia glauca.

rescencia sobrepasa en longitud al tallo, que es muy corto, y está cubierto con dos filas de hojas resistentes que pueden llegar a medir 30 cm. El color de sus flores, que miden 3 cm de ancho, puede variar entre

Rhynchostylis gigantea, roja.

el blanco y el violeta. Los cuidados que necesita son similares a los de otros miembros del género *Vanda*. La planta debe montarse en un apoyo epifítico o plantarse en una cesta colgante. Florece en otoño y procede de Mianmar, Tailandia y Laos.

Rhynchostylis rosea　　■ ☺

TERMOFÍLICA

Orquídea que se parece al género *Vanda* físicamente. Es copia de la especie antes mencionada, pero sus flores son más pequeñas (2 cm), blanquecinas y cubiertas de motas rojas y violetas. Su borde es violeta. Una planta puede dar lugar a varias espigas de flores a la vez. Requiere los mismos cuidados que otras orquídeas *Vanda*. Florece entre otoño e invierno y procede de Filipinas.

Rhytionanthos aemolum　　□ ☺

INTERMEDIA TERMOFÍLICA

Esta especie es representativa de las orquídeas asiáticas pequeñas y se caracteriza por sus flores de forma extraña que la hacen muy interesante a los ojos de coleccionistas de miniaturas epifíticas. Las bases de sus pseudobulbos unifoliados, alargadas y ovala-

das, dan lugar a espigas de flor cubiertas de motitas que cuentan con 5-6 flores naranjas. Sus tépalos laterales crecen juntos y forman una herradura llamativa que apunta hacia abajo. El borde, violeta claro, es minúsculo. La planta debe protegerse del exceso de luz solar y de la sequía. La época en que nacen las flores de los pseudobulbos viejos no es la mejor para el cultivo (principios de otoño) debido a que es muy difícil que se desarrollen nuevos pseudobulbos, pues eso suele suceder en invierno. La planta procede de Tailandia, Laos y Mianmar.

Rhytionanthos aemolum.

Rodriguezia secunda.

Rodriguezia granadensis.

Rodriguezia granadensis □ ☺

INTERMEDIA TERMOFÍLICA

Todas las especies incluidas en este pequeño género (35) son pequeñas y muy atractivas. Sus flores, de forma tubular, cuentan con un par de sépalos laterales, alargados, en forma de saco que apuntan hacia atrás. La *R. granadensis* es una miniatura deslumbrante y sus pseudobulbos miden 2 cm de largo y cuentan con una sola hoja de 5-7 cm de longitud de dureza media. Sus flores, amarillentas-blanquecinas, crecen en una espiga saliente y escasa. Es una especie epifítica que no necesita muchos cuidados. Florece en verano y otoño y procede de Ecuador.

Rodriguezia secunda ▣ ☺

INTERMEDIA TERMOFÍLICA

El nombre en latín de esta especie resume una de las cualidades de las flores de esta planta: están dispuestas unilateralmente, secundariamente, es decir, sólo se sitúan a un lado de la espiga de la flor. Los pseudobulbos de esta especie son bi o trifoliados, de 4-6 cm de longitud, mientras que sus hojas, de dureza media y finas, alcanzan los 15 cm. El color de las flores varía entre rosa y carmesí. El aspecto decorativo de la planta lo realzan las numerosas raíces aéreas. Se puede encontrar en una zona geográfica amplia: crece en América Central (Panamá y Trinidad) y en Suramérica (en el área cercana a Colombia y Brasil). Esta fotografía se tomó en Ecuador.

Rodriguezia sp. ⊡ ☺

CRIOFÍLICA INTERMEDIA

Esta planta se parece a la especie brasileña *R. brac-teata*. Sus pseudobulbos alcanzan los 3 cm de longitud y cuentan con hojas finas a la par que resistentes. En la espiga de su flor podemos encontrar de 7 a 12 flores violetas oscuras y su borde cuenta con venas más oscuras y una mota alargada y amarilla en su base. Los cuidados que exige esta planta no son muy complejos y, de hecho, crece muy bien en tiestos, en cestas con un ligero sustrato epifítico o en apoyos colgantes. Debe situarse en un ambiente bien ventilado y muy luminoso (aunque hay que evitar que la luz del sol incida directamente a la planta a través del cristal). Hay que regar la planta con frecuencia, incluso en invierno, pues puede seguir creciendo y los pseudobulbos florecen continuamente, varias veces al año.

Rossioglossum grande ⊡ ☺ ☺

CRIOFÍLICA INTERMEDIA

Hace treinta años, esta orquídea se incluía dentro del género *Odontoglossum*. Sin embargo, las diferencias en la morfología de sus flores se ganaron su propio género. Los pseudobulbos de esta especie miden 8 cm, son planos, bi o trifoliados y con bordes puntiagudos. Sus hojas miden 35 cm, son alargadas y con forma elíptica y cuentan con una epidermis resistente y curtida. En la espiga de su flor erguida pueden

Rodriguezia sp., Bolivia.

crecer de 4 a 8 flores (aunque en cultivos sólo aparecen de 2 a 4) de hasta 15 cm a lo largo. El color básico de esos tépalos con forma de lengua es el amarillo. Además, los sépalos tienen rayas marrones y la base de los pétalos es marrón. El borde, en forma de concha, es blanco con motitas marrones. La *R. grande* requiere algunos cuidados específicos que han de satisfacerse para que la planta florezca. Las reglas básicas consisten en que la planta sea bien iluminada, cuidados normales en verano (es decir, que la planta esté en el jardín) y, lo más importante de todo, que esté en un ambiente fresco (10 ºC) y seco durante todo el invierno. Si las plantas se conservan en un sustrato epifítico en tiestos bajo esas condiciones, prosperarán y crecerán durante todo el año, incluso en un piso seco. La *R. grande* florece en otoño e invierno y procede de México y Guatemala.

Rossioglossum grande.

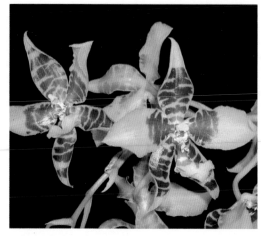

Rossioglossum schlieperianum ▣ ☺ ☺

INTERMEDIA

Se trata de una orquídea cuyo tamaño y forma de sus pseudobulbos es el mismo que el de la *R. grande*, si bien sus hojas son más cortas (15 cm) y sus flores más pequeñas (8 cm de diámetro). Sin embargo, su tallo, de 25 cm, cuenta con muchas flores (un máximo de 8), incluso en cultivos. Los tépalos de las flores son amarillentos y tienen motas marrones y rojas. Los extremos y la base de ese borde circular y ensanchado llevan también motas marrones y rojas. Lo más característico de esta especie es la forma de su borde. Los cuidados que requiere esta especie son los mismos que los de las anteriores, pero hay que tener en cuenta que es más propicia a conservarse en un ambiente más templado y el período de descanso en invierno no tiene que ser muy largo. La floración ocurre en otoño y primavera. El hábitat natural de la planta es Panamá y Costa Rica.

Rossioglossum williamsianum ▣ ☹ ☺

INTERMEDIA

El color de sus flores, marrones y amarillas, depende de variedades, lo que hace que algunos especímenes se parezcan a la *R. grande*. Las diferencias principales con respecto a la anterior se basan en la larga espiga del *R. williamsianum* y en que sus flores son más pequeñas aunque más numerosas. Sus tépalos son más orbiculados y la columna de sus flores tiene una forma diferente. Esta especie es la más termofílica de entre todas las orquídeas *Rossioglossum*. La planta puede tolerar un descenso moderado de la temperatura en invierno. Procede de altitudes bajas como Guatemala, Honduras y Costa Rica.

Sarcochilus hartmannii ▣ ☺ ☺

INTERMEDIA

La *S. hartmannii* representa las orquídeas australianas. Es muy pequeña, monopoda y su tallo cuenta con abundantes hojas muy curtidas y de 10 cm que se sitúan en dos filas. La espiga de la flor cuenta con diversas flores y mide 20 cm. Las flores miden, a lo largo, 2 cm, tienen un borde amarillo y rojo y su perfume es similar al de la miel. Las bases de sus tépalos están adornadas con motas rojas. Esta planta tiene que estar bien iluminada, y el descenso de las temperaturas y de los riegos en invierno debe ser moderado. Florece en primavera y procede de New South Wales y Queensland, Australia.

Sarcochilus hartmannii.

Sarcoglyphis mirabilis.

Sarcoglyphis mirabilis ⊡ ☺ ☺

INTERMEDIA TERMOFÍLICA

Se trata de una bella orquídea de pequeño tamaño y que llama la atención por el aspecto de sus partes verdes. Su tallo monopodo crece despacio y está cubierto por dos filas de hojas muy gruesas, casi redondas, transversalmente y llevan un surco longitudinalmente. Sus flores, delicadas y blanquecinas, con un borde violeta, miden 1 cm a lo largo y crecen en una espiga semierguida que cuenta con un rango de 5-12 flores. Es una planta exigente y necesita una buena ventilación y una buena dosis de luz. Crece epifíticamente. Su floración ocurre en primavera y su hábitat natural se halla en Tailandia.

Schoenorchis fragrans ☐ ☺

INTERMEDIA TERMOFÍLICA

Se trata de una orquídea cuyo tallo alcanza una longitud de muy pocos centímetros: cuenta con una cantidad abundante de hojas muy gruesas, de hasta 1,5 cm de longitud. Para seguir en la línea de las orquídeas Vanda, las axilas de las hojas dan lugar a varias espigas de una vez. Cada una de las inflorescencias cuenta con un rango de 3-8 flores violetas, con un toque blanco y un borde largo y sigmoideo. La *S. fragrans* es una epifita que necesita luz en abundancia, pero de forma moderada, ya que, de lo contrario, se puede deshidratar fácilmente. En invierno, es imposible que tenga luz suficiente, por lo que le viene bien que se reduzca la temperatura en torno a 20 °C. La planta florece a finales de verano y procede del sureste asiático.

Schoenorchis fragrans.

233

Schomburgkia tibicinis.

Schomburgkia tibicinis.

Schomburgkia tibicinis

TERMOFÍLICA

Es imposible que el género de las *Schomburgkia* pase desapercibido ya que sus flores son muy llamativas y sus pseudobulbos, fuertes, bifoliados, amarillos dorados y están huecos, por lo que suelen alojar colonias de hormigas. La *S. tibicinis* cuenta con unas flores resistentes y muy llamativas, con una combinación sofisticada de colores en sombras marrones, violetas y amarillentas y blancas. Las raíces no crecen demasiado y, por eso, esta planta se debe plantar epifíticamente como si se tratara de la cabecera de una parra. Muchos cultivadores se quejan de que sus especímenes no han florecido durante años. Eso se debe a que no han recibido la cantidad necesaria de luz solar y a que sus agrupamientos no se han separado periódicamente. Florece a finales de primavera y procede de países de América Central y del istmo que rodea México y Costa Rica.

Schomburgkia undulata

TERMOFÍLICA

La *S. undulata* se parece a la especie anterior, ya que también se caracteriza por su mirmecofilia (es decir, la coexistencia de hormigas). Hay colonias

Schomburgkia undulata.

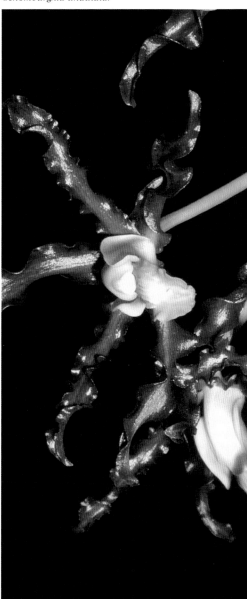

Sedirea japonica

INTERMEDIA

En el mundo de las orquídeas, no hay muchas especies epifíticas cuyo hábitat natural sea Japón; esta es una de ellas. Se trata de una especie pequeña de gran belleza que se relaciona con el género de las *Aerides*. Cuando no está en flor, se parece más al género *Phalaenopsis*. Su tallo, muy corto, cuenta con dos filas de hojas carnosas en forma de cinturón. Puede haber más de una espiga creciendo al mismo tiempo y cada una de ellas puede tener hasta 12 flores llamativas y relativamente amplias. El color básico de las flores es el blanco, con motas violetas en el borde y en la mitad inferior de los sépalos laterales. Esta especie puede crecer como epifita o en un tiesto. En invierno, hay que reducir un poco la cantidad de luz y también de agua. Las flores suelen aparecer a principios de primavera. Esta planta procede del sur de Japón, Corea y las islas colindantes.

Sedirea japonica.

enteras de hormigas que viven en las cavidades de sus pseudobulbos. En esta relación, la planta sirve de morada para hormigas y, a la vez, se nutre de los excrementos de éstas, protegiéndose así frente a varias pestes. Los ápices de los pseudobulbos dan lugar a un tallo firme que contiene de 3-15 flores violetas y marrones, de hasta 8 cm de diámetro. Su borde cuenta con tres lóbulos y es de color lila blanquecino. Esta epifita necesita la mayor cantidad posible de luz, sobre todo en otoño que es cuando salen los pseudobulbos nuevos. Florece en primavera y procede de Colombia, Venezuela y Trinidad.

Seidenfadenia mitrata.

Seidenfadenia mitrata   ▣ ☺

INTERMEDIA TERMOFÍLICA

El único representante del género *Seidenfadenia* resulta curioso por la relación desproporcionada entre la longitud de su tallo monopodo y sus hojas protuberantes. Sus hojas son carnosas, semicirculares y longitudinales. Los cultivadores de esta espe-

cie aprecian sus flores (de tépalos blanquecinos, rosas y violetas), muy llamativas y perfumadas, que crecen en abundancia en una espiga diagonal que es más corta que las hojas. Se cultiva epifíticamente, con la cantidad máxima de luz y, durante el período de vegetación, hay que regarla abundantemente y suministrarle abono. Florece en primavera y se descubrió en Tailandia y Mianmar.

Sigmatostalix radicans

INTERMEDIA TERMOFÍLICA

Se trata de una especie que tiene mucho que aportar: destaca por su vitalidad y por la belleza de sus grupos de flores que crecen muy deprisa. Por desgracia, sus flores son extremadamente pequeñas. Esta especie también se conoce con el nombre de *Ornithophora radicans* y está muy vinculada al género *Oncidium*. Sus pseudobulbos son pequeños, alargados y ovalados y terminan con un par de hojas de aspecto similar al de la hierba. La espiga de la flor no es muy larga y lleva grupos de flores con un rango de entre 2 y 10 flores blanquecinas y amarillas que miden, como mucho, 1,5 cm. El borde es amarillo y la columna de la flor, situada en el medio, es de violeta. Esta orquídea casi no exige cuidados: basta con colgarla de una pieza de madera o de corteza de árbol, regarla con moderación y situarla en un ambiente semisombreado. La floración tiene lugar a finales de verano y en otoño. Esta planta procede de Brasil.

Sigmatostalix radicans.

Sobralia crocea.

Sobralia crocea ▫ ◻ ☺

INTERMEDIA TERMOFÍLICA

Una característica que comparten estas orquídeas es que poseen un tallo similar al de un junco: largo, delgado y que se ramifica poco a poco. Sus hojas son lanceoladas y resistentes con una ondulación longitudinal. En los ápices de los brotes aparecen unas bellas flores más bien pequeñas que crecen de una en una o de dos en dos en los extremos de unos brotes parcialmente salientes y con mucho follaje. Sus tépalos, alargados y anaranjados, siempre están semicerrados llegando casi a esconder su borde tu-

Sobralia sp., Ecuador. Especie epifítica.

bular pálido de extremo ondulado. Además de sus pequeñas proporciones, esta especie también destaca por su estilo de vida epifítico, que no es típico del resto de *Sobralias*. En los cultivos, hay que situarla sobre una placa de corteza y recubrirla de una capa de musgo para asegurarnos de que se conserve en un ambiente húmedo y semisombrío. La planta florece en invierno y en primavera y es de Ecuador.

Sobralia sp. ▫ ◻ ☺

TERMOFÍLICA

Las *Sobralias*, sobre todo las terrestres, cuentan con flores amplias y muy llamativas, de bordes tubulares. Sin embargo, no son muy longevas, lo que, junto con sus proporciones voluminosas, constituye todo un obstáculo a la hora de darse a conocer en las colecciones de orquídeas. La taxonomía del género es, de hecho, algo confusa: no es un género interesante a la hora de cultivar y por eso, tampoco debe ser interesante para los taxónomos. La especie de la foto, que procede de Venezuela (¿la *S. liliastrum?*) vive en la tierra y se parece físicamente a la famosa *S. leucoxantha*. Su tallo mide de 50 a 100 cm de longitud, con lo que la planta se clasifica bajo el epígrafe de las que ocupan poco espacio. Sus flores son blancas y pueden llegar a medir 8 cm a lo largo. Cuenta con un borde tubular de extremos blancos. Las especies terrestres del género *Sobralia* han de contar con un sustrato a base de arena y húmedo y deben recibir una buena dosis de luz y situarse en un ambiente bien ventilado (hay que tenerlo muy en cuenta en días bochornosos de verano). La planta terrestre florece en invierno y primavera y procede de estribaciones de los Andes venezolanos, mientras que la especie de la foto es una epifita que se encontró en las tierras bajas del Amazonas en Ecuador. El área geográfica del resto de *Sobralias* es inmensa y crecen en zonas similares y tropicales de América Central y de Suramérica.

Sobralia sp., Venezuela. Especie terrestre.

Sophronitella violacea

CRIOFÍLICA INTERMEDIA

Esta miniatura epifítica se englobaba como miembro del género *Sophronitis*, pero la forma de su borde y el hecho de que contase con dos lóbulos en el estigma le hizo dar lugar a un género independiente. Sus pseudobulbos unifoliados crecen en un rizoma saliente. Sus hojas, resistentes y estrechas, tienen forma de cinturón. Por su corta espiga suelen aparecer 1-2 flores en el ápice del pseudobulbo. Sus tépalos son violetas oscuros. Los cuidados que requiere son los mismos que los de la *Sophronitis mantiqueriae*, aunque soporta temperaturas más altas. Florece en primavera y es del este de Brasil.

Sophronitis cernua.

parcialmente. La belleza de esta especie se contempla, sobre todo, cuando sus grandes agrupaciones que contienen docenas de pseudobulbos se abren para dar lugar a una inmensa cantidad de flores. Los cuidados que exige son los mismos que los de la *S. mantiqueirae*, aunque la *S. cernua* puede conservarse a una temperatura algo más elevada. Florece a principios de primavera o en otoño.

Sophronitis coccinera   □ ☹

CRIOFÍLICA INTERMEDIA

La *S. coccinea* es la *Sophronitis* pero más esplendorosa y es muy valorada entre los cultivadores. Aunque sus hojas son curtidas, ovaladas, extendidas y de 6 cm de longitud, la especie se incluye en la categoría de miniaturas. Sus flores, rojas y lustrosas, crecen individualmente en una espiga corta y cuentan con los parámetros más amplios de todo el género. Las más valoradas son, sobre todo, los especímenes de la *S. coccinea* var. *grandiflora*, cuyas flores llegan a los 8 cm de diámetro. De hecho, los coleccionistas están dispuestos a invertir en ella con tal de conseguir su variedad de flores naranjas o amarillas. A excepción de la especie *S. rosea*, el género entero es muy criofílico. Los cuidados que exige esta planta son muy específicos (para saber más acerca de cómo cultivar la *S. coccinea*, véanse las siguientes especies). Esta especie ha servido para crear un vasto número de híbridos al cruzarlos con géneros relacionados, como pueden ser, por ejemplo, *Laelia*, *Cattleya* y *Brassavola*. Florece en verano y, a veces, en otoño. Procede de Brasil.

Sophronitis cernua   □ ☹

CRIOFÍLICA INTERMEDIA

El género de las *Sophronitis* incluye 6 especies que se encuentran sólo en Brasil. Son orquídeas en miniatura que cuentan con flores de colores llamativos. La *S. cernua* es la segunda orquídea *Sophronitis* más cultivada. La base de la planta es un brote saliente que da lugar a pseudobulbos largos, de 2,5-3 cm, y ovalados, que cuentan con una sola hoja, ovalada también, gruesa y curtida. Por desgracia, las flores rojas que aparecen en su corta espiga (4-8) son muy pequeñas (3 cm a lo largo) y sólo se abren

Sophronitis coccinea.

Sophronitis mantiqueirae.

vez en que florecen. En los cultivos, el color original rojo oscuro de sus flores se transforma en naranja, debido a que la dosis de radiación ultravioleta que ha recibido no ha sido suficiente. Las raíces tienden a amoldarse; por eso, la planta tiene que montarse en losas de corcho o de corteza de pino. Algunos cultivadores optan también por plantarla en tiestos de barro, manteniendo siempre el sustrato ventilado y drenado. Esta planta no se debe trasplantar con demasiada frecuencia. Florece en invierno y procede de altitudes elevadas y frías de Brasil.

Spathoglottis lobbii ◼ ☺

INTERMEDIA TERMOFÍLICA

Los miembros del amplio género de las *Spathoglottis* (alrededor de 55 especies) se parecen mucho entre sí: la mayoría de ellos son plantas terrestres con pseudobulbos sésiles y pequeños que cuentan con 4-5 hojas lanceoladas y onduladas. La espiga de su flor erguida contiene una pequeña cantidad de flores muy llamativas de color amarillo azufre con un motivo rojo en el centro que destaca. El rasgo característico de esta especie se observa en la forma de la columna de la flor, muy arqueada. Esta especie necesita conservarse en un tiesto con un sustrato a base de turba enriquecida con arcilla, arena y espuma de poliestireno. En verano, la planta tiene que situarse en un ambiente sombreado. Esta especie florece durante la primavera y procede del suroeste asiático.

Spathoglottis lobbii.

Sophronitis mantiqueirae ☐ ☹

CRIOFÍLICA INTERMEDIA

Se parece mucho a la S. *coccinea* en cuanto a apariencia y proporciones, pero su diferencia estriba en que no cuenta con rayas rojas en sus hojas, su período de floración no ocurre en la misma época y su criofilia es más fuerte. Es muy difícil cultivar, ya que requiere unas condiciones ecológicas extremas: necesita aire fresco y una dosis de luz abundante. En el hábitat natural de la planta, los meses de verano son los más frescos y las temperaturas suelen descender hasta 0 ºC en esa época del año. Por eso, suelen reducir paulatinamente sus pseudobulbos en las colecciones y se atrofian, por lo que rara es la

Spathoglottis plicata.

Spathoglottis plicata   ▣ ☺

INTERMEDIA TERMOFÍLICA

La *S. plicata* es la orquídea que se cultiva más a menudo en todo el mundo. Es tan conocida que se ha trasplantado de su hábitat natural de Asia y ha empezado a cultivarse en hábitats naturales en Hawai y al sur de Florida. Esta especie se parece a la anterior físicamente y en sus partes verdes. La espiga de su flor sobrepasa las hojas y se compone de 5 a 25 flores que miden 3 cm de diámetro. El color de los tépalos de esta especie es muy variable: pueden ser blancos, rosas o violetas. Su borde, estrecho, se enancha en su extremo y es amarillo en el centro. La *S. plicata* se debe cuidar igual que las especie anteriores. La floración de esta planta es irregular, si bien suele suceder en otoño y primavera, y procede de Filipinas, Taiwán, la península de Malaya, Indonesia y Nueva Guinea.

Stanhopea candida.

Stanhopea candida

INTERMEDIA TERMOFÍLICA

Aunque las orquídeas de este género no cuentan con una morfología demasiado llamativa de sus partes verdes, lo más sorprendente es ver sus flores enormes, extrañas y carnosas. Sus pseudobulbos son ovalados, alargados y puntiagudos y cuentan con una única hoja de 30 cm de largo, elíptica, fuerte y ondulada. La espiga de su flor crece hacia abajo y sólo mide de 8-10 cm y cuenta con un rango de 1-3 flores de color blanco puro cuyo borde es verde, con una forma un tanto extraña. La morfología de la flor se describe en el género de la *Stanhopea* sp. y los cuidados que necesita esta planta son los mismos que los de la *S. martiana*. Algo curioso es que la *S. candida* florece en primavera. Procede de altitudes bajas de Bolivia, Colombia y Venezuela.

Stanhopea costaricensis

INTERMEDIA TERMOFÍLICA

Se trata de una de las plantas más adaptadas al calor de todo el género. Sus flores son bonitas y amplias (pueden llegar a medir 12 cm de diámetro) y pueden florecer hasta seis a la vez en su espiga de

Stanhopea costaricensis.

25 cm de largo, que apunta hacia abajo. Su color es un tanto atípico: lleva motitas marrones y rojizas sobre una base amarilla en todos sus tépalos. El centro de la flor lo realzan dos manchas oscuras. Aunque no requiere muchos cuidados, todavía no está muy presente en las colecciones de orquídeas. El período de floración tiene lugar en primavera y a principios de verano. Se descubrió en Costa Rica como se puede deducir del nombre de la especie, pero también se encuentra en Panamá y Nicaragua.

Stanhopea embreei

INTERMEDIA TERMOFÍLICA

Físicamente, se parece a la *Stanhopeas*. Sus flores son muy bellas y cuentan con tépalos verdes y color crema de 10 cm a lo largo y que crecen en una inflorescencia suspendida en grupos de 2 a 4. La morfología del borde es algo complicada: lleva motas blancas y violetas en las puntas y dos manchas oscuras sobre una base naranja. Los cuidados que requiere esta especie son los mismos que los de la *S. martiana*. Las flores aparecen en primavera y verano y su hábitat natural se encuentra en Ecuador en altitudes entre 500 y 1.000 m.

Stanhopea embreei.

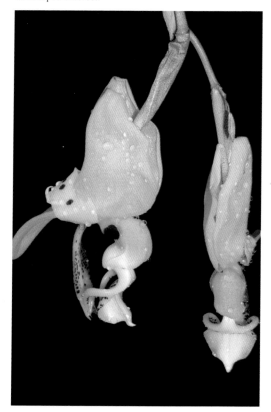

Stanhopea florida

INTERMEDIA TERMOFÍLICA

Se trata de una especie poco común cuyas flores no son duraderas en absoluto. Los biólogos especializados en este campo cuentan estos ejemplares con los dedos de la mano, de manera que quien pueda admirar uno de estos ejemplares, puede darse por afortunado. La *Stanhopea florida* es una orquídea de muchas flores, con una dimensión de 6 a 7 cm. de anchura, blanquecinas y con motas violetas. Necesita más humedad que otras *Stanhopeas*, aunque los demás cuidados que requiere son los mismos que pide el resto del género. La planta florece durante el invierno y, además de encontrarse en Ecuador, también podría hallarse en Perú.

Stanhopea florida.

Stanhopea jenischiana   ▣ ☺

INTERMEDIA TERMOFÍLICA

Esta orquídea se relaciona directamente con la especie *S. oculata* y *S. wardii*, ya que la apariencia de sus partes verdes es casi idéntica. Se pueden apreciar pequeñas diferencias en la morfología de sus flores. Los cuidados que requiere son los mismos que los de la *S. martiana*. Florece en otoño y procede de Ecuador, Venezuela, Colombia y Panamá.

Stanhopea martiana   ▣ ☺

INTERMEDIA TERMOFÍLICA

Las partes verdes de la *S. martiana* se parecen a las de otros miembros del género de las *Stanhopea*. La

Stanhopea martiana.

espiga de su flor, suspendida, cuenta con 2-3 flores amarillentas de 14 cm de diámetro. Su mayor atractivo decorativo consiste en motas violetas y ese mismo color está también en los tépalos y en el borde. Los cuidados que exige son casi los mismos que los de las *Stanhopea*. Los cimientos de las futuras inflorescencias, robustos y en forma de eje, se caracterizan por su geotropismo positivo. Si no se cultivan las *Stanhopeas* epifíticamente en ramas o en trozos de corteza verticales, hay que intentar plantarlas en cestas epifíticas espaciosas y más bien planas. El sustrato tiene que ser suelto para que las raíces de la planta puedan crecer sin sufrir daños. Se recomienda una mezcla de cortezas pequeñas de pino, musgo de turba, espuma de poliestireno y demás ingredientes en esa línea. No se recomienda plantarlas en tiestos. Todas las orquídeas del género *Stanhopea* necesitan un ambiente semisombrío, una buena ventilación, riegos frecuentes y, cuando se forman nuevos pseudobulbos, una cantidad abundante de abono. Durante el período de estancamiento hay que reducir los riegos. Esta especie florece a finales de verano y procede México.

Stanhopea oculata   ▣ ☺

INTERMEDIA TERMOFÍLICA

Junto con la *S. tigrina*, la *S. oculata* es la especie más cultivada. Los inconvenientes de esta especie son los mismos que los de otras *Stanhopeas*: sus agrupaciones de flores son medianas y voluminosas y sus flores enseguida se marchitan. La *S. oculata* posee una inflorescencia saliente que alcanza los 35 cm de longitud y cuenta con un rango de 4-10

Stanhopea oculata.

Stanhopea platyceras.

Stanhopea saccata ▣ ■ ☺

INTERMEDIA TERMOFÍLICA

Se trata de un miembro fuerte del género, con protuberancias extrañas y retorcidas sobre un borde amarillo blanquecino. Sus proporciones hacen que no sea demasiado recomendable para pequeños invernaderos. La inflorescencia cuenta con flores muy desperdigadas, con una flor o, más frecuentemente, con un rango de 2 a 4, con tépalos amarillos y bordes blancos. El extremo del borde lleva unas motitas delicadas. Requiere los mismos cuidados que la *S. martiana*. Florece en verano y se da en los bosques húmedos del norte de Suramérica, incluido México.

Stanhopea saccata.

flores muy esparcidas. Sus flores son blanquecinas con una franja amarillenta y motas violetas muy delicadas. La base del borde está decorada con dos motas llamativas marrones y rojas. Esta planta necesita los mismos cuidados que los de otras especies. La floración ocurre durante el verano. Procede esta planta de países de América Central y el área rodeada por México y Honduras, así como de Colombia y Venezuela.

Stanhopea platyceras ▣ ☺

INTERMEDIA TERMOFÍLICA

Esta especie es representativa del género de las *Stanhopeas* y es muy rara en las colecciones. Sus proporciones son más bien amplias y el aspecto de los pseudobulbos y de las hojas es el mismo que el de las especies relacionadas. En su inflorescencia suspendida, de 20 a 25 cm de longitud, crecen de 3 a 6 flores tiernas y amarillentas. Esta especie se debe cultivar epifíticamente en una cesta de madera, al igual que la *S. martiana*. La floración tiene lugar en otoño y el hábitat natural de la planta se sitúa en las estribaciones de los Andes colombianos.

245

Stanhopea sp., Ecuador.

Stanhopea tigrina.

verano, sus bases dan lugar a formas de saco de color verde y amarillo cubiertas de motas marrones, que serán los cimientos de la futura inflorescencia. Y entonces tiene lugar el gran momento: la apertura de unas flores fantásticas, que llegan a medir hasta 16 cm de diámetro. El color básico de la flor es un amarillo pálido de fondo que se cubre con motas marrones y rojas oscuras. La espiga de la flor suele contar con un rango de 2-4 flores que, en relación a otras partes de la flor, suelen ser bastante amplias, por lo que a veces la planta no puede sostener sus propias flores y algunas llegan a morir antes de abrirse. Los cuidados que requiere suelen ser los mismos que los de otras *Stanhopeas*. La floración se produce en verano. Procede de México.

Stanhopea wardii.

Stanhopea sp.

INTERMEDIA TERMOFÍLICA

Los pseudobulbos de esta orquídea constituyen un rasgo característico del género, junto con su borde alargado y ovalado. Cuentan con una sola hoja, elíptica y extendida, con varias ondulaciones longitudinales que alcanzan los 35 cm. La inflorescencia se compone de 2-5 flores carnosas amarillas y blancas con manchas oscuras. Todas las partes de la flor son muy frondosas y el borde cuenta con una morfología compleja, de la cual los expertos botánicos extraen tres partes: *hypochile, mezochile* y *epichile*. Necesita los mismos cuidados que la *S. martiana*. Florece a finales de verano y, a veces, a principios de primavera. Procede de Ecuador y Colombia.

Stanhopea tigrina

INTERMEDIA TERMOFÍLICA

La *S. tigrina* es la orquídea más grande y más famosa de todas las *Stanhopea*. Al igual que otras especies, esta planta forma agrupaciones sésiles de pseudobulbos unifoliados y verdes oscuros. A finales de

Stelis sp., Ecuador.

Stanhopea wardii

▫ ▢ ☺

INTERMEDIA TERMOFÍLICA

La *S. wardii* tiene proporciones pequeñas cuando no está en flor. Sus flores pueden llegar a medir hasta 14 cm a lo largo, son amarillentas-anaranjadas y llevan motitas rojas. Su saliente inflorescencia puede contar con hasta 10 flores. La base del borde cuenta con dos motas oscuras muy llamativas y los cuidados que requiere son los mismos que los de otras *Stanhopeas*. Como sus pseudobulbos son pequeños, se pueden plantar en una cesta epifítica o de forma abierta en una rama. Florece a finales de verano. Esta especie procede de América Central, México y Panamá.

Stelis

▫ ☺

INTERMEDIA TERMOFÍLICA

El género Stelis es amplio, pues cuenta con 270 especies. Se parece ligeramente a las orquídeas relacionadas con los géneros *Pleurothalis* o *Masdevallia* físicamente. Su rizoma de salida da lugar a brotes delgados, fuertes y unifoliados que terminan en hojas lanceoladas invertidas o en espátula. Esa extensa espiga de la flor cuenta con muchas flores que se suelen disponer en dos filas: los sépalos de las flores forman una disposición triangular y sus partes bajas crecen juntas. En la mayor parte de es-

pecies, los sépalos tienen un color blanquecino. Es muy difícil que los sépalos de las orquídeas *Stelis* cuenten con otros colores más atractivos. El resto de partes de la flor son pequeñas. Esta planta puede cultivarse epifíticamente o en tiestos, según las instrucciones que requieren los géneros relacionados que se han mencionado con anterioridad. El género *Stelis* habita en las regiones tropicales del continente americano. Las plantas de la foto proceden del cráter Pululahua en Ecuador.

Stelis sp., Ecuador.

Taeniophyllum obtusum.

Stenoglottis longifolia.

Stenoglottis longifolia   ⊡ ▣ ☺

CRIOFÍLICA INTERMEDIA

Esta orquídea terrestre, muy decorativa en flor, no se cultiva a menudo. Sus carnosas raíces dan lugar a escarapelas de hojas moteadas de 12 cm de longitud y la espiga de su flor (de hasta 35 cm) cuenta con muchas flores pequeñas y rosáceas con un borde bífido. Se debe cultivar en tiestos con sustrato húmedo y ventilado. Cuando las flores se marchitan, las partes de la planta que están por encima de la tierra mueren, por lo que tiene que pasar el invierno en un ambiente fresco y seco. Florece a finales de verano y es de los semidesiertos de Natalu en Sudáfrica.

Taeniophyllum obtusum   ▢ ☺

INTERMEDIA TERMOFÍLICA

Esta planta constituye un ejemplo entre las orquídeas sin hojas de tallo extremadamente reducido (1 cm) y de raíces planas y asimiladoras. Pero, al contrario que otros géneros llamativos como la *Chiloschista* y la *Polyrrhiza*, cuenta con unas flores blanquecino amarillentas y minúsculas (3-5 mm) a lo largo, que aparecen de una en una en esa corta espiga. Las proporciones de estas raíces en escarapela que generan flores son muy pequeñas (5-10 cm a lo largo). Estas plantas son muy sensibles a la sequía excesiva y a otros errores de cultivo. Los cuidados que requiere se mencionan en el apartado de la *Polyrrhiza finalis*. Esta planta es de floración irregular (sobre todo en otoño) y procede de Malasia, Tailandia, Camboya e Indonesia.

Tainia viridifusca   ▣ ☺

INTERMEDIA TERMOFÍLICA

Se trata de una especie representativa de un amplio género de orquídeas asiáticas terrestres o epífitas. Su rizoma da lugar a pseudobulbos unifoliados y cilíndricos. Sus hojas son estrechas y muy largas. Su inflorescencia, alta y erguida, no crece hasta que los pseudobulbos caen. La espiga de la flor de la *T. viri-*

difusca cuenta con hasta 30 flores de 3,5 cm de diámetro. Los tépalos son marrones y retorcidos. Su borde blanquecino es muy pequeño. Se debe plantar en tiestos con una mezcla permeable y epifítica, enriquecida con un complemento húmedo y rodeada durante la vegetación de un ambiente húmedo, templado y semisombreado. Cuando las hojas se caen, hay que dejar de regarla y reducir la temperatura. Florece en invierno y procede de Tailandia.

Thunia alba ■ ☺

CRIOFÍLICA INTERMEDIA

Las orquídeas del género *Thunia* se caracterizan por tallos largos y carnosos, semejantes a los juncos, que cuentan con dos filas de follaje. Crecen del suelo y sólo algunas veces pueden trepar por los árboles. En esa inflorescencia apical aparecen de 2-8 flores blancas cuyo borde tubular es amarillo en el interior. Sus proporciones voluminosas hacen que esta especie no sea de lo más deseado en los cultivos. Las plantas necesitan un sustrato más pesado de lo normal y un período seco substancial (en el cual las partes anteriormente mencionadas mueren) La *T. alba* florece en verano procede de la India.

Tainia viridifusca.

Thunia alba.

Ticoglossum krameri ▫ ◾ ☺

Tolumnia scandens.

CRIOFÍLICA INTERMEDIA

Los pseudobulbos de esta especie son ovalados, de 2 a 5 cm de longitud y cuentan con una única hoja de 20 cm de largo. Su espiga de la flor, erguida, sólo mide 20 cm de altura y cuenta con 2-3 flores muy esparcidas. Sus tépalos son elípticos y de un blanco puro y el borde es rosa blanquecino. Ha de cultivarse epifíticamente o en un tiesto colgante rodeado de un ambiente fresco, sombrío y ventilado. En los días calurosos de verano, hay que empañar la planta, para lo cual hay que mojar el suelo del invernadero. En invierno hay que dejar que la planta atraviese un período de sequía. Florece entre otoño y primavera y se encuentra en América Central (incluyendo Panamá, Costa Rica y Nicaragua).

Tolumnia ☐ ▫ ☺ ☺

TERMOFÍLICA

El género de la *Tolumnia* es muy conocido, sobre todo, la especie *Tolumnia variegata*, que aunque se conoce como *Oncidium variegatum*, se diferencia de las orquídeas *Oncidium* en la morfología de sus partes verdes, en algunos detalles de la morfología de sus flores y en el número de cromosomas. Cuando no tiene flores, los dos géneros son muy parecidos. De hecho, fue la intervención del hombre la que hizo que ambos géneros se aproximaran. Como

Tolumnia sp., Cuba.

es fácil de hibridar, ha dado lugar a bellos híbridos que se extienden más en las colecciones que en la planta original y que florecen con más facilidad. Los miembros de este género (30) constituyen unos pseudobulbos pequeños o tallos cortos que cuentan con escarapelas de hojas en forma de abanico. Sus hojas cuentan con bordes dentados de puntas afiladas que se han adaptado a vivir en climas cálidos y secos, debido a su fortaleza y resistencia. Sus flores, muy llamativas, son de color amarillo, marrón, rojo y blanco y crecen en espigas muy ramificadas y con muchas flores. El borde empequeñece a los demás tépalos debido a sus proporciones y se caracteriza por una morfología compleja y específica de la especie. Han de cultivarse como epifitas para conseguir mejores resultados. También se pueden plantar en tiestos, pero entonces la floración no es abundante. Durante la vegetación, se debe asegurar una buena dosis de luz, calor y ventilación, por lo que la planta puede pasar el verano en el jardín. Durante el estancamiento de invierno, se debe reducir la temperatura y el vapor debe desaparecer por completo. Esta planta es de floración irregular y procede de las islas del Caribe.

Trias disciflora.

Trias oblonga.

Trichocentrum pulchrum   ▣ ☺ ☺

INTERMEDIA TERMOFÍLICA

El género entero de las *Trichocentrum* es muy importante en cuanto a su cultivo y todas sus especies (unas 20) son muy hermosas. Sus pseudobulbos son

Trichocentrum pulchrum.

Trias disciflora   ▢ ☺ ☺

INTERMEDIA TERMOFÍLICA

Lo que llama la atención de estas orquídeas en miniatura es la morfología de su cuerpo y no tanto la de sus flores. Sin embargo, siguen siendo interesantes a los ojos de los amantes de las orquídeas pequeñas y epifíticas. Estas plantas dan lugar a una red densa de pseudobulbos sésiles, con forma de balón, verdes y de 2 cm a lo largo. Las flores de la *T. disciflora* son de las más amplias y más llamativas del género. Pueden medir hasta 2 cm de diámetro y son rojas claras con motas violetas. Su borde, muy ensanchado, es más oscuro y tiene motas. Esta planta requiere los cuidados que se especifican en las siguientes especies. Su floración tiene lugar durante la primavera y procede de Laos y de Tailandia.

Trias oblonga   ▢ ☺ ☺

INTERMEDIA TERMOFÍLICA

La morfología de esta planta delata al género bajo el cual se engloba. Sus pseudobulbos, muy aplanados, miden 1,5 cm de largo y cuentan con una única hoja, un poco más larga y en forma de pelota. Las flores son específicas de la especie: cuentan con un trío de sépalos muy desarrollados en verde y amarillo. Debe cultivarse epifíticamente y hay que añadir un poco de musgo y turba a las raíces al montarla en un apoyo. Los apoyos suspendidos han de situarse en semisombra, donde la humedad exceda la media. Durante el estancamiento invernal, la planta debe regarse con moderación. Florece a principios de primavera y procede de Tailandia y Laos.

minúsculos y casi invisibles entre unas flores carnosas y alargadas que alcanzan longitudes de 9 cm y cuentan con un borde redondeado. Sólo crece una única flor blanca en una espiga muy corta que es amarilla en las bases de sus bordes. El resto de los tépalos tienen rayas longitudinales compuestas por motas rojas. Ha de cultivarse lo mismo que las siguientes especies. Florece en verano y procede de Venezuela, Colombia, Ecuador y Perú.

Trichocentrum tigrinum   ☐ ☺

INTERMEDIA TERMOFÍLICA

Esta especie es la más famosa de entre todas las orquídeas *Trichocentrum*. Se parece a la *T. pulchrum* físicamente, pero sus hojas llevan motitas rojas. Sus tépalos son blancos y están cubiertos de motas rojas y marrones, color que va en contraste con el borde, muy ensanchado, que es blanco en su extremo y pasa del violeta y el rojo al amarillo de su base. Este

Trichocentrum tigrinum.

género es muy fácil de cultivar. La orquídea debe plantarse en corteza o en un tiesto situado en un ambiente ventilado, húmedo y sombreado. Como las plantas no atraviesan un período de estancamiento en invierno, necesitan regarse con frecuencia, pero con moderación, sin que la humedad sea excesiva en el substrato. La *T. tigrinum* florece en verano y principios de otoño y procede de Ecuador.

Trichoceros parviflora   ☐ ☐ ☺

INTERMEDIA

Se trata de un género pequeño (tan sólo 5 especies), aunque representativo, de orquídeas epífitas o litofíticas, muy del gusto de los coleccionistas debido a sus pequeñas proporciones y a su fascinante morfología. En sus protuberancias, largas y estoloníferas, crece sólo un pseudobulbo con forma de balón, que cuenta con dos o más hojas, muy resistentes en sus bases. En su inflorescencia saliente crecen flores de las axilas de las hojas. La *T. parviflora* cuenta con flores amarillas de 2,5 cm de largo, cuya base del borde es roja y muy velluda. Esa columna igualmente velluda situada en medio de la flor cuenta con dos protuberancias en forma de cuernos desafilados. No es muy difícil cultivar esta planta, pero las especies litofíticas suelen florecer muy despacio y rara vez en cultivos epifíticos. Esta planta florece a principios de primavera y procede de altitudes medias de los Andes suramericanos.

Trichoceros parviflora.

Trichopilia fragrans.

Trichopilia laxa.

Trichopilia fragrans   ▫ ◾ ☺

INTERMEDIA

Los bordes de las flores de este género son de un blanco puro casi transparente. Sin embargo, su belleza apenas dura, ya que las flores se marchitan en sólo tres días. Por suerte, se pueden encontrar de dos a tres espigas con dos flores a la vez (rara vez más) que crecen sucesivamente desde las bases de sus pseudobulbos (alargados, planos, unifoliados y que pueden alcanzar longitudes de hasta 12 cm). La *T. fragrans* es un epífito que exige cuidados simila-

Trichopilia marginata.

res a los de la *T. marginata*. Florece en otoño y se extiende en una zona amplia que incluye las Antillas, Venezuela, Colombia y Bolivia.

Trichopilia laxa   ▫ ◾ ☺

INTERMEDIA

Las flores de las orquídeas *Trichopilia* se caracterizan por un borde amplio y muy llamativo con una base doblada. La especie *T. laxa* cuenta con unos pseudobulbos planos y ovalados de unos 7 cm. En

marginata florece en primavera y su hábitat natural está en América Central y el área rodeada por Guatemala y Colombia.

Trichopilia sp. · ◼ ☺
INTERMEDIA

La taxonomía del género *Trichopilia* no está clara. Muchas especies se confunden con otras y algunas se describieron basándose en un único espécimen que no se volvió a encontrar. Ese es el caso de la orquídea venezolana y ecuatoriana de la foto. En su cultivo, no se encontrarán muchos obstáculos, excepto cómo adquirir una de ellas. El género de las *Tricophilia* no es muy exigente en cuanto a dosis de luz y a ventilación se refiere, lo que la hace una planta adecuada para invernaderos *amateurs*.

Trigonidium egertonianum ◼ ☺
INTERMEDIA TERMOFÍLICA

El punto fuerte de las orquídeas que pertenecen a este género son sus flores de forma extraña. Este género contiene un pequeño número de especies muy voluminosas (unas 12). La *T. egertonianum* cuenta con pseudobulbos pequeños (de tan sólo 2 cm de largo o incluso menos) que terminan en unas finas hojas que alcanzan los 35 cm de longitud. Sus flores, pequeñas (2 cm a lo largo) y cortadas crecen una a una en una espiga fina. Los tépalos son marrones y blancos con rayas marrones a lo largo y cubren por completo ese borde pequeño. En las esquinas superiores de los pétalos podemos encontrar dos manchas oscuras llamativas. La planta se ha de cultivar epifíticamente y tiene que conservarse en un ambiente bien ventilado con mucha luz y humedad. Florece a principios de primavera y procede de México y Colombia.

Trigonidium egertonianum.

su espiga, suele haber 4-8 flores semiabiertas con tépalos rosados y un borde entre amarillo y blanco. Los cuidados que requiere esta planta son los mismos que los de la *T. marginata*. Florece en primavera y procede de Colombia y Venezuela.

Trichopilia marginata · ◼ ☺
INTERMEDIA

Se trata de una especie muy bella, conocida también con el nombre de *T. coccinea*. Se parece a la *T. laxa*, a excepción de que sus flores son mucho más amplias (hasta 12 cm a lo largo). Los tépalos de sus flores son de un blanco rosado en el exterior y rojo carmesí con un borde blanco en el interior. Esta planta se puede cultivar epifíticamente, pero es mejor que se instale en un tiesto colgado relleno con una mezcla permeable epifítica. Las plantas que llevan apoyos han de humedecerse con más frecuencia. La *T.*

Trudelia pumila   ▣ ☺

CRIOFÍLICA INTERMEDIA

Hasta 1988, los botánicos clasificaban a esta orquídea dentro del género de las *Vanda*. Pero se decidió que constituyera un género independiente debido al tono y a la dispar anatomía de sus flores. Sus hojas

apenas miden 12 cm de largo y sus flores blanquecinas, muy amplias, suelen aparecer de 3 a 5 en esa espiga y miden 6 cm de diámetro. Las rayas que aparecen en su borde varían del rojo sangre a un rojo más amarronado. Crece en altitudes elevadas. Necesita una gran dosis de luz al igual que su anterior género. La *T. pumila* procede del Himalaya y florece en verano.

Tuberolabium cotoense   ▣ ☺

CRIOFÍLICA INTERMEDIA

Orquídea pequeña con flores con perfume de coco, englobada bajo el género *Saccolabium* hasta 1992. El tallo de esta planta es corto y decorativo. Tiene dos filas de hojas firmes que alcanzan longitudes de hasta 10 cm. Las flores de esta especie son de color blanco con una marca violeta en el borde, pequeñas y muy duraderas y crecen en una inflorescencia corta. Debe cultivarse epifíticamente en un ambiente húmedo y semisombreado. Florece en primavera y otoño y procede de Filipinas y Taiwán.

Tuberolabium cotoense.

Vanda-Coerulea híbrido.

Vanda-Coerulea híbrido

INTERMEDIA

El de la foto es un pariente del híbrido (la especie *V. coerulea*) que se le parece mucho y se trata de una de las pocas orquídeas botánicas de flores azules. Es esta cualidad la que se ha usado para dar lugar a ambos híbridos intergenéricos y a interespecies. La planta original se parece físicamente a las siguientes especies, si bien es algo más pequeña. Cuenta con un rango de 5 a 15 flores color celeste, cuya distribución de las venas es en redecilla y más oscura, que miden 10 cm.a lo largo y crecen en una espiga erguida que alcanza los 40 cm de longitud. Se suele plantar en cestas o amplios tiestos recubiertos con corteza o con un substrato epifítico grueso. Esta orquídea requiere muchísima luz y un ambiente fresco. Aunque se ponga mucho empeño en cuidarla, los tallos crecen muy despacio y su floración es rara e irregular. Esta planta procede de Asam, Mianmar y Tailandia.

Vanda coerulescens

INTERMEDIA

Los miembros del famoso género *Vanda* tan significativo en los cultivos son también los más característicos de las orquídeas monópodas. Sus híbridos intergenéricos y entre especies crecen en cantidades masivas en invernaderos para orquídeas situados en los trópicos (Hawai y el suroeste de Asia). Todos los híbridos del género *Vanda* florecen a duras penas y de forma irregular debido a que no reciben la cantidad suficiente de luz en invierno. Las hojas de la *V. coerulescens* llegan a medir 30 cm de largo y el tallo puede llegar a medir 40 cm o más. Sus flores son azules y lilas y pueden medir de 3 a 4 cm a lo largo. Su borde lleva motas azules y violetas. Esta especie requiere los mismos cuidados que las especies anteriores. Su floración tiene lugar en primavera y procede de Mianmar, Tailandia, el noreste de la India y el sur de China.

Vanda coerulescens.

Vanda tricolor var. suavis   ■ ☺ ☺

INTERMEDIA

Se trata de una especie poco exigente y de gran belleza. Sin embargo, sólo es recomendable para invernaderos grandes, ya que su tallo monopodo se halla cubierto de dos filas de hojas de 30 a 45 cm de largo y puede alcanzar una altura de 150 cm. Su inflorescencia se compone de 5-10 flores perfumadas, de tres colores y de 5 a 6 cm a lo largo. En un espécimen típico, se observan tépalos en forma de hélice blancos en su exterior y amarillos con motas marrones en su interior. La var. *suavis* de la foto tiene tépalos más estrechos blancos en su interior. En ambos casos, el borde es rosa y violeta. Requiere los mismos cuidados que otras *Vandas* intermedias. Florece en invierno y procede de Java y Laos.

Vanda tricolor var. *suavis*.

Vandopsis lissochiloides   ▣ ■ ☺ ☺

INTERMEDIA TERMOFÍLICA

Este género cuenta con un pequeño número de especies (12) que se parecen a las orquídeas del género *Vanda*, en especial, a la *Arachnis*. Con respecto al último género, las *Vandopsis* se diferencian por la ausencia de espuelas en la parte baja del borde. Sus flores, muy bellas y duraderas, dotan a la planta con un buen potencial tanto para el cultivo como para el cruce. La espiga de la *V. lissochiloides* alcanza una longitud de 1 m y cuenta con unas hojas finas de hasta 50 cm de altura. Su inflorescencia es erguida y cuenta con un rango de 10-20 flores que miden de 6 a 7 cm de diámetro. Sus tépalos amarillos van cubiertos de motitas marrones y rojas y son violetas en el exterior. La punta del borde es violeta.

Vandopsis lissochiloides.

Vanilla aphyllum.

Los cuidados que requiere son los mismos que los de aquellas *Vanda* más afines al calor. Se cree que procede de Filipinas, Nueva Guinea (ver foto), las Molucas y Tailandia.

Vanilla aphyllum   ▣ ■ ☺ ☺

INTERMEDIA TERMOFÍLICA

Esta planta está muy relacionada con la única orquídea útil del mundo: la *V. planifolia*. Los ovarios de esta planta, cuando no están maduros, se usan en la industria alimenticia (para dar lugar al azúcar de vainilla) y cosmética. La *V. aphyllum* sólo se cultiva como una curiosidad en los jardines botánicos. Es una especie epifítica o terrestre que da lugar a tallos bastante largos, segmentados, muy resistentes y semejantes a lianas, cubiertos de hojas pequeñas, alargadas y de forma ovalada. Sus raíces son largas y fuertes y salen de todos los nudos, los cuales, siempre y cuando los tallos hayan madurado y reciban la cantidad suficiente de luz, darán lugar más adelante a flores amarillas y verdes que crecerán en un rango de 1 a 4 en las inflorescencias. El borde de la flor es rojo, tubular y con un extremo con fimbrias. La *V. aphylum* requiere ciertos cuidados: la planta ha de situarse en un recipiente amplio relleno de un sustrato epifítico, los brotes que crecen se han de guiar hacia otros tiestos, arriates o apoyos de madera o colgarlos en un invernadero, y necesita un ambiente cálido y buena dosis de luz. Florece en otoño y procede de la península de Malaya.

Warmingia eugenii.

Warmingia eugenii

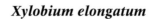

INTERMEDIA TERMOFÍLICA

Este género sólo incluye dos pequeñas especies que son parientes cercanos de las orquídeas *Macradenia* y *Notylia*. La especie más conocida es la *W. eugenii*, que cuenta con unos pequeños pseudobulbos que sólo miden 2 cm cada uno de los cuales posee una única hoja ovalada y alargada de 10 cm de longitud. La inflorescencia cuenta con 30 flores de 2 cm o más pequeñas. Todos los tépalos son blancos y transparentes, con extremos con fimbrias. La *W. eugenii* se clasifica entre los epifitos afines a la sombra. Su floración ocurre en otoño y la planta procede de los bosques del este de Brasil.

Xylobium elongatum

INTERMEDIA

Las 30 especies que componen este género son toda una joya en las colecciones de orquídeas. Sus flores se parecen a las de las orquídeas *Lycaste* en cuanto a su morfología y forma, pero se diferencian en el ta-

Xylobium elongatum.

maño y el color. La especie *X. elongatum* es una excepción: cuenta con flores amplias y verdes con un borde llamativo de motas rojas y en forma de lengua. La espiga de su flor, corta y saliente, crece al igual que el resto de orquídeas *Xylobium*, desde la base de sus pseudobulbos con hojas en la parte superior. La *X. elongatum* es una especie epifítica (y en ocasiones terrestre) que tiene que plantarse en un tiesto colgante. La planta no necesita cuidados especiales. En invierno, hay que reducir la temperatura y la frecuencia de los riegos. Esta especie procede de los Andes colombianos y ecuatorianos.

Xylobium sp. ▣ ☺

INTERMEDIA

Al contrario que las especies anteriores, esta es una de las más representativas del género (y por lo tanto su aspecto es más sencillo). Sus pseudobulbos son fuertes, de hasta 8 cm de altura, y acaban en una hoja lanceolada, ondulada y que alcanza hasta 25 cm de longitud. Las proporciones de la planta contrastan con esas flores minúsculas (de 1-2 cm de largo), rojas y blancas, que pueblan esa inflorescencia con un rango de 5 a 8. Esta planta florece durante el otoño y procede de las estribaciones de los Andes ecuatorianos.

Zygopetalum mackaii ▣ ☺

CRIOFÍLICA INTERMEDIA

Si alguien se decidiese a escribir un manual para principiantes en el cultivo de las orquídeas, no debería excluir en ningún momento a esta especie, ya que el cultivo de la *Z. mackaii* está muy extendido. En los últimos años, se ha vendido en supermercados, incluso con una variedad con pedigrí. Si se tiene en cuenta el amplio abanico de orquídeas híbridas en venta que conforman su competencia, se puede observar que se debe a la belleza de sus flores. Miden 8 cm a lo largo, su borde es blanquecino y cuenta con un toque violeta en la distribución de sus venas. El borde va en consonancia con las motas verdes y marrones que se hallan en otros tépalos. La espiga de la flor cuenta con hasta 8 flores y alcanza una altura de 70 cm, lo que hace que esta especie sea muy adecuada en flores cortadas (por lo que a veces se cultiva). Los cuidados que exige suelen ser parecidos a los de las *Cymbidia* criofílicas, aunque necesitan un descanso extra en verano. En esa época, no se debe regar la planta en ocho semanas. La *Z. mackaii* florece en otoño y procede de las regiones montañosas de Brasil.

Orquídeas terrestres de zonas templadas

Las orquídeas, en la mente de la mayor parte de habitantes de la zona templada de Europa, Asia y Norteamérica, se asocian a países distantes y exóticos. Son muy pocas las personas que saben que el hábitat natural de estas plantas no se limita a las regiones tropicales templadas y que se pueden expandir fuera de los límites de dichas regiones hasta los rincones más fríos del planeta.

Lo que importa es que las orquídeas se hallan omnipresentes en cualquier parte de la tierra, a excepción de los desiertos y de las regiones árticas. Evidentemente, donde más *Orchidaceae* se encuentran es en los trópicos, lugar que representa el 90% de un total de 25.000 especies de orquídeas, que no solamente incluyen las especies dominantes epifíticas, sino además un pequeño número de orquídeas de suelo, las cuales se conocen también como orquídeas terrestres. Por supuesto, a medida que uno se va alejando del ecuador, el número de orquídeas va disminuyendo. Sin embargo, todavía se pueden encontrar por centenares en las zonas templadas del hemisferio norte y sur. Todas estas orquídeas crecen de la forma «clásica», es decir, en el suelo.

Este capítulo pretende servir de introducción a las orquídeas de la zona templada del hemisferio norte, centrándose en algunas especies. Si se comparan con las especies tropicales, las orquídeas terrestres pueden parecer algo pobres a primera vista, y se pueden confundir con hierbas de una pradera. Pero si nos fijamos más detenidamente, nos damos cuenta de su belleza atípica. Además, estas plantas poseen características increíbles y muy adaptables (para más detalles, ver la descripción de las especies individuales y sus géneros).

Aunque el título de este capítulo no es demasiado preciso, algunas de las orquídeas que aquí se describen no son exclusivas de las zonas templadas, sino que su hábitat natural se extiende hasta las inmediaciones de las regiones subtropicales o, al contrario, más allá del círculo polar ártico. En cualquier caso, se sabe que crecen en zonas donde las temperaturas bajan tanto en invierno que el crecimiento de estas plantas se interrumpe por completo. En consecuencia, estas plantas perennes, al igual que otras especies, tienen que adoptar otra estrategia de supervivencia diferente a la que usan otros ejemplares epifíticos de los trópicos, puesto que se han asentado en una zona (el suelo) en la que tienen que sufrir la peor época del año.

Eso significa que su crecimiento no va a ser continuado a lo largo de todo el año, sino estacional.

Por eso, se pasan parte del año replegadas en los órganos del subsuelo (las raíces o bulbos y el rizoma). Los pseudobulbos, un rasgo característico de la mayor parte de las orquídeas tropicales, forman parte de las orquídeas de la zona templada sólo en casos excepcionales (por ejemplo, en géneros del tipo *Malaxis* y *Hammarbya*). Mientras que los brotes de las orquídeas tropicales tiene varias formas (pueden ser salientes, trepadores o segmentados), en las terrestres siempre son erguidos con una inflorescencia en espiga que contiene varias flores que son, salvo determinadas excepciones, pequeñas, aunque su morfología es bastante similar a la de otras *Orchidaceae*.

Al contrario que en el capítulo anterior, las siguientes descripciones apenas mencionan sus cuidados y sus símbolos gráficos (incluyendo sus instrucciones en cuanto a temperatura, que son muy parecidas en la mayor parte de especies). La razón es sencilla: aunque algunas *Orchidaceae* son atractivas, la mayor parte de ellas no se pueden trasplantar ni tan siquiera en condiciones artificiales.

Orchis purpurea, República Checa.

Izquierda: *Barlia robertiana*, Chipre.

Eso se debe a las necesidades complicadas y de equilibrio de las orquídeas terrestres. Una abrumadora mayoría de estas plantas se adhieren a micorrizas en sus vidas (las micorriza es a una coexistencia de las raíces con filamentos de unos hongos «buenos» que les proporcionan los nutrientes necesarios [para más información, ver capítulo «Una simbiosis misteriosa» bajo el apartado «Caracterización de las orquídeas»).

La dependencia de hongos es más intensa en las orquídeas tropicales, sobre todo para las plantas más maduras. El más mínimo cambio químico en el ambiente cercano e incluso a cierta distancia de estas orquídeas, les puede causar una necrosis rápida e irreversible a los hongos de los órganos del subsuelo que, en consecuencia, se transmitirá a toda la planta.

Como siempre, para toda regla hay una excepción. Algunas plantas maduras pueden salir adelante gracias a su aparato de asimilación. Sin embargo, su cultivo es imposible, ya que la legislación de los países en los que se cultivan no lo permite. Las micorriza y las orquídeas terrestres están entre esas especies que se han ido extinguiendo a lo largo de este último siglo. Especialmente en Europa, por ser una región expuesta a una intensa explotación ecológica y a la intervención del hombre, el que fue una vez el hábitat natural de algunas especies de orquídeas se ha reducido a unas cuantas porciones de tierra aisladas y habitadas por poblaciones muy debilitadas de unos cuantos especímenes. Las orquídeas contribuyen a varios procesos, positivos y negativos: extender el área de tierra arable, mejora, abono, lluvia ácida, contaminación aérea y contaminación general medioambiental.

Lo que es más, las orquídeas terrestres de la zona templada no se pueden propagar mediante semillas en condiciones artificiales, ni tan siquiera in vitro (es casi imposible y, además, inútil intentar transportar las plantas de semillero a su ambiente natural). Esto hace que los países europeos tengan que adoptar fuertes medidas para conservar sus especies de orquídeas. Si cualquier persona intenta extraer drogas de los bulbos de estas plantas, trasplantarlas de su hábitat natural o comerciar con ellas, pueden ser multados y su comportamiento se calificará de amoral y constitutivo de un acto de barbarie.

Las especies que a continuación se detallan son tan sólo una selección del grupo de las orquídeas terrestres del hemisferio norte, teniendo en cuenta que hay alrededor de 215 orquídeas que crecen en Europa y en las áreas adyacentes (y cientos de ellas en las zonas templadas de Asia y América del Norte). Considerando la fragmentación ecológica del hábitat de las especies que aquí se presentan, al igual que su sorprendente variabilidad, cada foto va acompañada del nombre del país en el que se realizó o de donde procede la planta. En las especies que tienen nombre en inglés, éste se detalla.

Anacamptis pyramidalis

ORQUÍDEA PIRAMIDAL

Esta bella orquídea es la única representante de su género. El nombre de su especie hace referencia a esa curiosa forma piramidal de esa inflorescencia parcialmente abierta. La planta en cuestión pasa el inverno sobre un par de bulbos que tienen forma de balón y no están segmentados. El tallo alcanza una longitud de entre los 20 y 80 cm y cuenta con un rango de 4 a 10 hojas lanceoladas y estrechas que pueden llegar a medir hasta 25 cm. de largo. El color de sus flores varía entre el rojo claro y el rojo violeta. Su borde mide 1 cm y cuenta con tres lóbulos. La *Anacamptis pyramidalis* se desarrolla, sobre todo, en suelos alcalinos de prados de montañas relativamente yermas, pero también es una planta que puede encontrarse en bosques poco poblados. La *A. pyramidalis* tiene su floración en primavera y verano y procede de la zona mediterránea, desde donde se expande hasta la zona norte de Europa y el oeste asiático (incluyendo Siberia central) y el norte de África.

Anacamptis pyramidalis, República Checa.

Barlia robertiana

ORQUÍDEA GIGANTE

La *B. robertiana* (foto en pág. 262) es la típica orquídea termofílica mediterránea. Cuenta con un par de bulbos subterráneos que dan lugar a un fuerte tallo que puede alcanzar 80 cm y contar con un rango de 2-5 hojas lanceoladas y alargadas que pueblan una escarapela en la parte del tallo más próxima al suelo. Su inflorescencia, densa y rica, puede crecer y llegar a los 23 cm de longitud. Las flores llevan una combinación de colores en sombras rosas-blanquecinas, violetas, marrones-rojizas y verdes. El borde es de tres lóbulos y el del medio tiene dos puntos. Al contrario que la especie *B. metlesicsiana*, el borde de la *B. robertiana* es verduzco y sus lóbulos laterales van curvados al revés. Esta especie se encuentra en bosques poco poblados y praderas yermas. Crece en tierras bajas y en áreas montañosas de tierras alcalinas secas o ligeramente húmedas. Florece en invierno y primavera y se extiende por todo el Mediterráneo, excepto por la parte sur del Adriático.

Cephalanthera damasonium

ELÉBORO BLANCO

El género *Cephalanthera* se extiende, sobre todo, en la zona templada de Eurasia y tan sólo hay una especie no verde que se encuentra en América del Norte. El nombre de este género procede de las palabras griegas «kephale» (cabeza) y «anthera» (antera) y se refiere a la antera apical de la planta curvada hacia delante. El polen es en polvo, algo un tanto atípico por lo que no está agrupado en polinia. Aunque sólo el 50% de las raíces de las plantas están infectadas con hongos simbióticos, las micorrizas siguen siendo muy importantes. Se sabe que en la naturaleza se han descubierto especímenes no verdes que florecen. La *C. damasonium* crece de un rizoma subterráneo muy ramificado y que genera brotes adventivos. Por eso, algunas localidades suelen contener grupos de individuos creados vegetativamente. El tallo suele medir de 30 a 60 cm de altura y cuenta con un rango de 3-5 hojas ovales, bien distribuidas, con estrías a lo largo. Esa inflorescencia cuenta con un rango de 3-20 flores color crema con borde amarillento. Las flores pueden autopolinizarse, por lo que sólo se abren ligeramente. La especie necesita lugares sombríos o semisombríos y suelos alcalinos. Florece al final de la primavera y principios de verano y se da en Europa y Asia Menor.

Cephalanthera kurdica, Turquía.

Cephalanthera kurdica

La *C. kurdica* es una orquídea *Cephalanthera* de muchas flores que se nutre principalmente de hongos simbióticos, ya que su propio aparato asimilador es muy reducido. Por eso el tamaño de su inflorescencia no guarda demasiada proporción con respecto al de sus diminutas hojas. El tallo de la *C. kurdika* puede llegar a medir 70 cm de largo y cuenta con hojas de 5 cm de largo muy pegajosas. Su inflorescencia es muy escasa pero consiste en un número elevado de flores (puede llegar hasta 40) de un tono rosáceo y 2,5 cm a lo largo que se abren sucesivamente, comenzando por la de más abajo. Esta especie se encuentra en bosques poco poblados y en arbustos, sobre todo en bosques de robles de mucha maleza. Florece en primavera y procede de Turquía, del Kurdistán turco e iraquí y del oeste de Persia.

Cephalanthera longifolia

ELÉBORO DE HOJAS ESTRECHAS

Esta orquídea *Cephalanthera* se hace notar por la inmensidad de su hábitat natural. Se parece mucho físicamente a la especie *Cephalanthera damasonium*, pero no se puede confundir con ella, debido al formato de sus hojas, tan finas, estrechas y alargadas, las cuales están dispuestas en dos filas y pueden llegar a medir hasta 16 cm. Sus flores, en cuanto al color, son blancas como la nieve. Esta especie suele crecer en los ambientes sombríos de bosques poco poblados, así como en los bordes con hierba de bosques más densos. Las flores, que aparecen a finales de primavera, dependen del clima del lugar. Se sabe que la *Cephalanthera damasonium* se encuentra en alrededor de 40 países situados en Europa, Asia Menor, el Cáucaso, Persia y el oeste del Himalaya.

Cephalanthera longifolia, República Checa.

Chamorchis alpina, Eslovenia.

Comperia comperiana

Esta orquídea llama la atención por sus bordes de tres lóbulos tan alargados que parecen hilos. Se trata del único representante de un género aislado y que no guarda relación con ningún otro. Sobrevive bajo tierra gracias a sus dos bulbos con forma de pelota. La escarapela de su hoja se compone de un rango de 2-4 hojas que alcanza longitudes de 15 cm. Cuando florece, la espiga de la flor llega a los 60 cm y cuenta con varias hojas pequeñas. Su inflorescencia puede llegar a medir 25 cm de largo y posee 20-30 flores llamativas. El color de los tépalos es un marrón verduzco cuyo borde es malva. Sus dos lóbulos laterales, al igual que las dos puntas del lóbulo central, se extienden hasta unas protuberancias finas y retorcidas que pueden llegar a medir 8 cm. Crece en coníferas o en bosques caducifolios de altitudes alpinas y florece en verano. Sólo se da en Crimea y su hábitat natural se sitúa en Asia Menor.

Comperia comperiana, Lesbos.

Chamorchis alpina

ORQUÍDEA ALPINA

Esta orquídea alpina es la única representante del género. Ocupa un lugar especial dentro de la taxonomía de las orquídeas terrestres y es endémica de Europa, exclusivamente. La especie se pasa la mayor parte del año bajo el suelo en forma de bulbo ovalado o en forma de pelota. Como puede dar lugar a bulbos adicionales y a brotes cortos, se reproduce vegetativamente y suele crecer en agrupaciones. Cuenta con un rango de 4 a 10 hojas alineadas como el césped y se disponen en una escarapela cerca del suelo. El centro de la escarapela da lugar a una espiga de flor de 5 a 15 cm de longitud. En la inflorescencia (que suele medir entre 2 y 5 cm), se sitúan de 2 a 12 flores minúsculas y los tépalos, marrones y mustios, le dan a la flor una forma muy parecida a un casco. Su borde, amarillo y verde, es sólo de una pieza y cuenta con un borde desfilado. La floración de la *C. alpina* tiene lugar en verano y se encuentra en praderas yermas y rocosas y otros lugares alpinos similares de las montañas europeas más altas, donde la especie «trepa» hasta alcanzar altitudes de 2.700 m por encima del nivel del mar. Crece en los Alpes, los Cárpatos y en Escandinavia.

Corallorrhiza trifida, Eslovaquia.

Corallorrhiza trifida

ORQUÍDEA DE RAÍCES CORALINAS

Se trata de una especie de orquídeas que no es verde. La planta carece de clorofila y sobrevive sólo gracias a sus filamentos de hongos que penetran a

través de casi todos los tejidos de sus órganos subterráneos. El género completo de las *Corallorrhiza* procede de América del Norte, donde se sabe que crecen de 15 a 20 especies (sobre todo en México). La *C. trifida* le debe su nombre genérico a un rizoma subterráneo perenne parecido a los corales. A finales de primavera, el rizoma, ya carente de raíces, da lugar a uno o más pedúnculos amarillentos y sin hojas, que cuenta con unas cuantas inflorescencias, cada una de las cuales posee un rango de 2 a 10 flores pequeñas. Los tépalos son del mismo color que la espiga. El borde es blanquecino y, a veces, posee unas motas rojas y marrones en su base. La *Corallorrhiza* crece en bosques húmedos y sombríos, en laderas pobladas y húmedas, en la tundra y en situaciones geográficas en esa línea. Se sabe que se da en altitudes que alcanzan los 2.000 m. Florece a finales de primavera y en verano. Esta especie es excepcional, ya que su hábitat es muy amplio (la zona templada de Europa, Asia y América del Norte).

Cypripedium

LA ZAPATILLA DE LA DAMA

En este libro ya se ha usado con anterioridad el término «Zapato de Venus» o «Zapatilla de la dama» para describir otras orquídeas (tropicales). Los botánicos también lo usan cuando hacen referencia a

Cypripedium calceolus, República Checa.

géneros terrestres como son el *Paphiopedilum* y el *Phragmipedium*. Estos géneros no están demasiado relacionados con el *Cypripedium*, pero sí que comparten ciertas características, como por ejemplo, la forma de su espiga, muy parecida a la de un zapato y, sobre todo, hay un detalle en su morfología bastante evidente: sus flores cuentan con dos estambres funcionales (en contraste con la inmensa mayoría de las orquídeas, que sólo tienen uno). Esta particularidad hace que estos tres géneros de orquídeas ocupen un lugar especial a nivel mundial y los científicos piensan que estas plantas se pueden considerar *Orchidaceae* de pura raza y que deberían constituir un género independiente.

Sea como sea, las Cypripedium «Zapato de Venus» son unas bellas orquídeas terrestres de flores amplias y llamativas. La mayoría de ellas crecen en las zonas templadas y frías, por lo que su crecimiento es estacional. Sobreviven las épocas más duras del año gracias a su rizoma tan fino, saliente y muy ramificado. Cada año, los brotes apicales del rizoma dan lugar a tallos de follaje escalonado y lanceolado. La cantidad de sus hojas, estriadas a lo largo, varía según la especie y la edad de cada espécimen, aunque a menudo suelen estar en un rango de 1 a 5. La axila de la hoja apical da lugar a una única flor (y en ocasiones a 2-3), de 4 a 12 cm de diámetro. Al igual que sucede con el resto de orquídeas, los tépalos se disponen en dos círculos: los dos tépalos laterales del exterior crecen juntos en un tépalo de dos

Cypripedium japonicum, Japón.

Cypripedium japonicum, Japón.

puntas que se sitúa bajo el borde. El tercero es de forma ovalada y apunta hacia arriba. Los tépalos laterales interiores se proyectan hacia los lados y complementan a ese borde en forma de bolsa que se asemeja a un zapato de bebé.

Las flores de las orquídeas *Cypripedium* cuentan con una morfología complicada y representan

a las flores trampa. Los polinizadores (insectos voladores en la mayor parte de los casos), que quedan atrapados en la estructura interior de la flor, no pueden moverse de muchas formas, con lo cual la polinización está garantizada. En primer lugar, el insecto es atraído por los colores de las flores. Cuando aterriza en la suave superficie del extremo del borde, se resbala y llega hasta la bolsa. Tras varios intentos fallidos de volver a la superficie cóncava y resbaladiza de la bolsa, el insecto queda absorto por la luz de las dos aperturas de las paredes laterales próximas a la base del borde. Para llegar a la luz, tiene que pasar por una zona de vello frágil antes de que perciba la luz de la «salida de emergencia». Antes de salir de la flor, se sacude todo el polen que se le ha pegado (que no está agrupado en polinia) en la antera. Cuando el insecto, sin quererlo, visita otra flor y toca el estigma, restriega el polen que se le ha pegado y sólo entonces vuelve a recargarse de polen de los estambres.

Desde que la primera semilla es germinada hasta que la flor nace, pueden pasar de 9 a 10 años y hasta incluso de 13 a 15. Por fortuna, las plantas también se reproducen vegetativamente, por la desramificación de sus rizomas. Las *Cypripedia* maduras no son demasiado dependientes de las micorrizas, por lo que se pueden trasplantar y volver a cultivar con facilidad. Desgraciadamente, son también objeto de interés de los cultivadores de plantas alpestres y de quienes coleccionan plantas curiosas. Como la propagación vegetativa es muy ineficaz y la fecundación in vitro suele fallar en los cultivos, se suele saquear el hábitat natural de muchas especies de gran belleza de todo el mundo. Las especies que se cultivan en jardines incluyen la *C. calceolus* y la *C. macranthum*, pero sobre todo, las especies americanas como la *C. reginae*, *C. parviflorum*, *C. acaule* y *C. arietinum*, las japonesas como la *C. debile*, *C. japonicum* y, por último, la especie del Himalaya *C. corsigerum*. Algunas orquídeas *Cypripedia*, que todavía son unas auténticas desconocidas a los ojos de los botánicos y de los cultivadores, ya se han importado desde China.

Las especies del género de las *Cypripedium* no están muy especializadas ecológicamente y se pueden encontrar en varios biotopos, incluyendo bosques de coníferas de hoja caduca o semicaduca, en laderas pobladas y rocosas y en praderas yermas de diversas altitudes, desde tierras bajas hasta altitudes alpinas. Como sólo habitan en las regiones templadas y frías del hemisferio norte, la floración de estas plantas tiene lugar a finales de la primavera.

El número total de orquídeas *Cypripedium* se sitúa en torno a los 50, pero sólo crecen tres de ellas en Europa. La más importante de estas tres es la especie *Cypripedium calceolus*, ya que se encuentra en casi todo el continente (y también en Asia, incluyendo Japón) y también porque destaca entre otras orquídeas europeas por el tamaño y la belleza de sus flores extrañas de unos 8 cm a lo largo. Las otras dos *Cypripedia* sólo crecen en el extremo de Europa, es decir, en Rusia (el verdadero hogar de la *Cypripedium guttatum* y la *Cypripedium macranthum* es Asia, incluido Japón, y también América del Norte). Todas las especies del género *Cypripedium* habitan en la zona fría del hemisferio norte, a excepción de una especie mexicana.

Cypripedium macranthum var. *speciosum*, Japón.

Cypripedium montanum, EE.UU.

Dactylorhiza incarnata, Eslovaquia.

Dactylorhiza incarnata

ORQUÍDEA DE PANTANO

Las orquídeas *Dactylorhiza* se incluían por error en el género *Orchis*. Fue en 1970 cuando se ganaron su propia independencia y se reconocieron en los círculos botánicos. Si se comparan con las orquídeas del género *Orchis*, las *Dactylorhizas* son un grupo más joven cuyo lugar de procedencia se sitúa en Asia Menor. Anatómicamente se diferencian de las especies *Orchis* por sus tubérculos subterráneos alargados y segmentados como dedos (de ahí el nombre en latín de esta especie, ya que la palabra griega «dactylos» quiere decir dedo). El nombre *D. incarnata* hace referencia al color rosa pálido que poseen las flores de la planta. Se trata de una planta robusta que alcanza una altura de 90 cm cuando está en flor. Su tallo cuenta con un rango de 4 a 7 hojas lanceoladas, alargadas, con motas, rectas y amarillas y verdes (algo más pálidas durante la floración). En relación al tamaño global de la planta, la inflorescencia es corta (8-15 cm), pero es densa y cuenta con una rango de 25-50 flores que crecen de las axilas de esas escamas tan largas y lanceoladas. Los tépalos que incluyen el borde cuentan con una marca algo más oscura. La apariencia de la planta es muy apreciada y cuenta con muchas formas y variedades. Su hábitat preferido se halla en las praderas más húmedas y en pantanos con base alcalina. Florece en verano y se extiende por toda Europa.

Dactylorhiza maculata

ORQUÍDEA DE BREZO CON MOTAS

Esta orquídea solía considerarse como una subespecie de la *D. fuchsii*, leve confusión que todavía prevalece en su taxonomía y en los datos de su hábitat, lo que suele justificarse por la alta variabilidad y la difícil clasificación de las orquídeas *Dactylorhiza*. Esta orquídea cuenta con unos tubérculos planos, segmentados y subterráneos y un tallo de 15 a 60 cm que posee una escarapela poblada y próxima al suelo con un rango de 3 a 5 hojas. De abajo arriba, las flores se empequeñecen y se estrechan. La inmensa mayoría de las flores van decoradas con motas marrones y rojas, todas ellas muy pronunciadas. Al principio, la inflorescencia es corta, pero a medida que pasa el tiempo, crece, dando lugar a numerosas flores de 1,5-2 cm de diámetro. Su color oscila entre un violeta claro y el blanco. Las flores conforman un borde de tres lóbulos ensanchado con unas marcas llamativas compuestas de pequeñas líneas y puntos oscuros. Esta especie crece en bosques, brezales, praderas yermas y ligeramente húmedas y pantanos. Florece en verano y está muy extendida en Europa (en Rusia, llega hasta Siberia central). También puede verse en el norte de África, aunque con más dificultad (en las montañas Atlas).

Dactylorhiza maculata, Finlandia.

Dactylorhiza majalis, República Checa.

Dactylorhiza majalis

ORQUÍDEA PANTANOSA

Se trata de una de las orquídeas europeas más famosas y abundantes. Si bien se adapta muy bien a los cambios ecológicos, poco a poco va disminuyendo en cantidad debido a la presencia humana. En el pasado, la *D. majalis* era en muchas zonas todo un símbolo que anunciaba el comienzo de la primavera y la gente solía trasplantarla y cuidarla en su jardín. Cuando florece, la *D. majalis* constituye una planta muy decorativa, de la que se pueden encontrar muchas variedades. La piedra angular de la planta consiste en tubérculos subterráneos segmentados y semejantes a dedos que, en primavera, dan lugar a un tallo hueco y grueso que puede llegar a medir 45 cm. Este tallo va cubierto de hojas ovaladas y lanceoladas en su parte baja y unas hojas más pequeñas en su parte superior. Sus hojas son de color verde o van cubiertas de motas marrones y rojas muy llamativas. Esa inflorescencia densa y relativamente corta cuenta con un rango de 20 a 35 flores violetas o rosas y violetas. Los tépalos son inclinados o casi verticales y su borde tiene forma de lazo en el centro y se divide en tres lóbulos. El borde lleva también una espuela corta y desafilada. La *D. majalis* crece en praderas húmedas y en arroyos pantanosos en altitudes altas. Florece en verano y procede de Europa, sobre todo de las regiones centrales y occidentales.

Dactylorhiza majalis, República Checa.

Dactylorhiza sambucina, República Checa.

Dactylorhiza sambucina

ORQUÍDEA DE FLORES DE PERFUME DE BAYA

Se trata de una orquídea excepcional que no puede pasar desapercibida por varias razones. Además de que es la más pequeña de su género y de que florece justo cuando empieza la primavera, lo más sorprendente es que sus especímenes, incluso cuando están aislados, aparecen en dos variaciones de color totalmente distintas, lo que no suele suceder en el género de las orquídeas. Aunque la especie más abundante es la de especímenes amarillos, también hay plantas de flores rojas y violetas. La *D. sambucina* hiberna gracias a sus dos tubérculos ovalados y bífidos. Su tallo, hueco, puede medir hasta 30 cm de altura, si bien habitualmente es más corto, y va cubierto de un rango de 4-7 hojas sin motear, alargadas y lanceoladas. Los bordes de sus tépalos, la parte superior del tallo y las escarapelas de la inflorescencia son de un color entre rojo y violeta la variedad roja. La inflorescencia es densa, poblada y corta y cuenta con un rango de 10-25 flores relativamente amplias. Además de los colores anteriormente mencionados, las flores también pueden ser blancas, rosas o incluso una combinación entre amarilla y violeta. Las escarapelas más bajas que soportan el peso de las flores (que huelen a bayas) suelen ser más amplias y sobrepasan la longitud de éstas. Hay una espuela gruesa y larga que domina a las flores y que va sujeta a la parte trasera de la base de ese borde sin segmentar o de tres lóbulos. Su hábitat se sitúa en bosques poco poblados y praderas yermas y secas en altitudes medias y altas. Florece en primavera y verano en las zonas frías y sólo crece en Europa.

Epipactis palustres

ELÉBORA PANTANOSA

Se trata de una de las orquídeas más bellas y más llamativas cuando florece. Para que luzca todo su esplendor, ha de crecer en un ambiente sin sombra y con mucha humedad en el suelo. Se trata de la única orquídea que puede sobrevivir en biotopos inundados durante un período de tiempo relativamente largo. Los especímenes maduros dependen de las micorrizas por lo que es fácil trasplantar y cuidar estas plantas. El órgano de hibernación de la planta, al igual que el de otras especies del mismo género, es un rizoma saliente cubierto de algunas protuberancias. En primavera, sus brotes apicales dan lugar a tallos fuertes, de 30-50 cm de altura, que cuentan con un rango de 4 a 8 hojas alargadas, lanceoladas y cortas que van disminuyendo de tamaño según se avanza de abajo arriba por la planta. Su inflorescencia sobresale un poco y después se endereza. La espiga de la flor se compone de un rango de 8 a 30 flores blancas y marrones. Sus tépalos, en punta, son rojos y marrones con un toque de verde o de blanco. Su borde se divide en un hipoquilo blanco, plano, en forma de tazón y de venas oscuras y su epiquilo es blanco puro, ondulado y tiene forma de abanico. La especie florece en verano y procede de Europa y de Asia Menor.

Epipactis palustris, República Checa.

Epipactis purpurata

ELÉBORA VIOLETA

Se sabe que, a nivel mundial, sólo existen en torno a 30-35 especímenes del género *Epipactis,* de los que la inmensa mayoría se encuentra en la región templada del hemisferio norte (sobre todo en Asia oriental) y se sabe que tan sólo una especie crece en México. La *E. purpurata* se encuentra entre las especies dependientes de los nutrientes que le suministran sus fibras micóticas. La superficie de su follaje se puede reducir y el nivel de clorofila en sus tejidos es bajo. Se han descubierto algunos ejemplares extremos que carecen de clorofila, por lo que se trata de plantas totalmente violetas y rosas. El rizoma de la planta es subterráneo, ramificado, inclinado y saliente y puede dar lugar hasta a 10 tallos que

Epipactis purpurata, República Checa.

alcanzan longitudes de 5 a 10 cm. Al igual que el resto de la planta, las hojas también sufren cierta pérdida de clorofila: de hecho, son azules y violetas y muy extendidas. La inflorescencia puede llegar a medir hasta 25 cm y es densa y rica: se compone de 25 a 50 flores amplias. Sus tépalos son gachos como una campana, de color verde grisáceo en el exterior y amarillos, verdosos y blanquecinos en el interior. El borde cuenta con un hipoquilo marrón y violeta en forma de tazón que excreta gran cantidad de néctar. El extremo del borde (el epiquilo) es violáceo. La *E. purpurata* prefiere ambientes sombríos, por lo que se encuentra en bosques poblados, aunque crece también en monocultivos de piceas. Florece en verano y procede de Europa occidental y central.

Epipogium aphyllum

ORQUÍDEA FANTASMA

Se trata de una orquídea misteriosa, tanto en apariencia como en estilo de vida. Sus tejidos carecen de suficiente clorofila, por lo que la planta depende totalmente de los nutrientes que le proporcionan sus fibras micóticas, proceso conocido como micotrofia obligada. Las plantas sobreviven en el suelo gracias a un rizoma muy ramificado, semejante a un coral y carente de raíces. Las ramificaciones del rizoma son la vía de reproducción vegetativa de esta planta. Su hábitat natural suele darnos una idea de especímenes independientes que, en realidad, se hallan conectados bajo el suelo. En verano, los brotes apicales de sus órganos subterráneos dan lugar a tallos transparentes, huecos y rectos que cuentan con fragmentos de hojas muy reducidas. Su inflorescencia cuenta con un rango de 2-4 flores amarillentas y rojizas pálidas que huelen a plátano. La posición de las flores en la inflorescencia es excepcional y, en su desarrollo, no atraviesan el proceso de resupinación (es decir, no giran 180º). Como resultado, el borde apunta hacia arriba. El ritmo de vida y de propaga-

Epipogium aphyllum, República Checa.

ción sexual de las orquídeas *Epipogium* es todavía un misterio. La planta lo mismo no florece durante años que lo hace incluso bajo el suelo. Esta especie habita en bosques sombríos y caducifolios y su área geográfica es inmensa (Europa, Asia Menor, el Himalaya, Corea, Kamchatka y Japón).

Gennaria diphylla

Se trata de una orquídea de flores verdes anteriormente clasificada en el género *Orchis*. Es el único ejemplar del género *Gennaria* y constituye una de las 8 especies de orquídeas que habitan las islas Canarias. Su escarapela tiene dos hojas adheridas y escalonadas y una inflorescencia escasa. Suele dar lugar a brotes en sus tubérculos subterráneos en las protuberancias de sus raíces que se expanden hasta 1 m más allá de la planta madre. Los especímenes recién formados dan lugar a una única hoja y florecen, en invierno y primavera, con el paso de los años. Se encuentra en la parte oriental de las Canarias y en Madeira. También la encontramos al oeste del Mediterráneo, en Córcega y Cerdeña.

Gennaria diphylla, Tenerife.

Goodyera repens, Eslovaquia.

Goodyera repens

CABELLOS TREPADORES DE MUJERES

El hábitat principal del género *Goodyera* se sitúa en el sureste asiático, aunque se pueden encontrar ciertas especies dispersas en la zona templada del hemisferio norte. La *Goodyera repens* no es la típica orquídea terrestre, ya que sus rizomas estoloníferos trepan por la capa superficial de musgo y de las agujas de las coníferas. Sus rizomas son muy ramificados y dan lugar a grupos enteros de plantas delgadas en zonas naturales. Además, una característica a destacar es que es de hoja perenne. Estas hojas son alargadas, ovaladas y se disponen en pequeñas escarapelas en los extremos de las protuberancias del rizoma. La espiga de la flor, erguida, mide de 10 a 30 cm de altura y cuenta con un rango de 5 a 15 flores blancas y pequeñas, abiertas parcialmente y muy velludas. Las orquídeas *Goodyera* crecen en bosques de coníferas cubiertos de musgo y semisombríos. La *Goodyera repens* florece durante el verano y su hábitat natural se sitúa en zonas dispersas de Europa y en Asia Menor.

Gymnadenia densiflora, Eslovaquia.

Gymnadenia densiflora

ORQUÍDEA PERFUMADA

El género *Gymnadenia* incluye unas tres especies, de las cuales sólo se conocen 13 ejemplares en Europa y el resto se sitúan en las zonas árticas y templadas de Asia y América. Esta especie no se reconoció hasta principios del siglo XXI, ya que antes se incluía como subespecie del género *G. conopsea*, un tipo de *Gymnadenia* más pequeño. El nombre genérico en latín se refiere a la forma dactilar de los tubérculos subterráneos de la planta. La *G. densi-*

Gymnadenia densiflora, Eslovaquia.

flora es una orquídea robusta, muy variable y que puede llegar a medir 1 m. Pasa el invierno gracias a sus dos tubérculos bífidos. La parte baja de su tallo genera unas cuantas hojas alargadas, lanceoladas y brillantes que están muy apretadas, mientras que la parte superior del tallo da lugar a unas flores pequeñas que parecen escarapelas pegajosas. Su inflorescencia es muy densa y mide unos 30 cm de largo. Puede contar con hasta 150 flores de color rosa, violeta y rojo, y raras veces aparece con flores diminutas y de un color blanco puro. Otro elemento de la flor es su espolón de 2 cm de altura. Esta planta se encuentra en praderas húmedas, en zonas pantanosas y también en bosques ligeros y se sabe que crece en altitudes de 2.800 m. Florece entre la primavera y el verano y su hábitat natural incluye Europa, Asia Menor, el Cáucaso, el Himalaya y China.

Tabernaria tridactylites

La *H. tridactyles* es una orquídea discreta y rara, ya que crece exclusivamente en las islas Canarias (sobre todo en la zona oeste del archipiélago). Representa un género de orquídeas relativamente largo y se encuentran centenares de parientes en las regiones tropicales del mundo. Los principales polinizadores de esta especie son las mariposas nocturnas. La planta cuenta con dos tubérculos elípticos bajo el suelo que dan lugar a una escarapela que suele contar con tres hojas alargadas y lustrosas y una inflorescencia de flores pequeñas, verdes y amarillas. La flor tiene un borde trilobulado y bífido y de ahí el nombre en latín de esta planta. Es la orquídea más abundante de las islas Canarias. De su hábitat natural (los bosques de laurel y de brezos) ha pasado a encontrarse en otras zonas que incluyen los muros de los jardines y las paredes de muchos hogares. La floración de esta especie es un tanto atípica, ya que comienza a finales de otoño, lo que está considerado como un período extraño para las altitudes más bajas.

Habenaria tridactylites, Tenerife.

Himantoglossum caprinum, Eslovaquia.

Himantoglossum caprinum

Esta especie representa uno de los géneros más extraños de las orquídeas europeas. Su nombre científico deriva de la palabra griega «himas» (que significa «cinturón») y de «glossa» (lengua), lo que nos da una idea de la característica distintiva de todo el género: cuenta con una franja muy alargada, con forma de cinturón y en espiral en el borde de la flor. La planta es fuerte y alta (de hasta 90 cm) y con un rango de 7 a 10 flores que disminuyen de tamaño conforme se recorre la planta de abajo arriba. La inflorescencia es poco densa, pero puede llegar a contar con hasta 50 flores blancas y rojas en forma de casco y con los bordes como anteriormente se ha mencionado. La *H. caprinum* florece en primavera y, al contrario que las especies anteriores, su hábitat original se centra en la zona este del Mediterráneo y de Asia Menor. Desde allí, la *H. caprinum* se extiende hacia el norte y no sólo a través de Europa occidental, sino también a través de la depresión Canónica y la parte este de los Alpes. Hasta hace poco, los especímenes de las poblaciones austríacas y húngaras se consideraban los más representativos de la *H. caprinum*, pero en 1989 se descubrió un ejemplar en Eslovaquia al que siempre se había confundido con una especie de floración más temprana: el *H. adriaticum*.

Himantoglossum hircinum

SATIRIÓN BARBADO

El género de las *Himantoglossum* resalta por una característica: todos sus especímenes, incluso aquellos que crecen muy al norte de su hábitat natural, mantienen su biorritmo mediterráneo y sus hojas empiezan a caerse ya en otoño. Por eso, son muy sensibles a las bajas temperaturas del invierno. Antes de que llegue la primavera y cuando el período de floración comienza, sus hojas están casi muertas. La *H. hircinum* es más pequeña que la especie anterior, pero, por lo demás, se le parece mucho. Sus flores despiden un fuerte olor a cabra (y de ahí su nombre en latín). Esta planta se encuentra en laderas de montañas muy frondosas, en zonas de arbustos y en bosques caducifolios poco poblados y florecen a finales de primavera. El hábitat original de la planta se centra en las regiones centrales y occidentales del Mediterráneo, desde donde se extiende hacia las islas Británicas y las regiones occidentales de Europa Central.

Himantoglossum hircinum, Francia.

Limodorum abortivum

Se trata de la única especie representativa de su género. La talla, color y forma de sus flores varía dependiendo de la belleza de sus muchas especies tropicales, que son algo más pequeñas. Sin embargo, es muy difícil de cultivar, ya que esta planta depende de sus hongos durante toda su vida y, por eso, es muy sensible a cualquier cambio ecológico. Además, su existencia es misteriosa: subterráneamente, la especie da lugar a un rizoma grueso que cuenta con numerosos y fuertes brotes que se enredan como si de un nido se tratase. Este nido da lugar a un tallo violáceo que alcanza una altura de 25 a 60 cm. Las hojas se reducen a escarapelas, son marrones y violetas y muy pegajosas. Su inflorescencia no es muy densa, va erguida y su una espiga es de hasta 30 cm, con un rango de 5 a 20 flores moradas o azuladas. A veces, estas flores se abren sólo parcialmente. En años secos, el tallo no puede crecer desde la tierra, en cuyo caso tanto la floración como el crecimiento de las semillas tienen lugar en el subsuelo. Las semillas de esta planta son largas junto con las del *Cypripedium calceolus* que es la orquídea más amplia de toda Europa (mide 1,5 mm). El desarrollo individual de las semillas es muy lento y complicado y la planta no sale por encima de la tierra hasta que no ha pasado de 8 a 10 años bajo el suelo. La *L. abortivum* habita en bosques poco densos, praderas de mucho césped y yermas. Florece a finales de primavera, es muy termofílica y crece tanto en el sur de Europa como en

el norte de África. También se extiende por el sur de Persia.

Listera ovata

BIFOLIADA COMÚN

Es muy raro encontrarse con esta hierba de flores verdes y amarillas paseando por el bosque, ya que se trata de una orquídea genuina. Una de las características más interesantes de esta planta sencilla es que pasa mucho tiempo desde que germina hasta que alcanza la madurez. De hecho, desde la germinación hasta la floración pueden pasar hasta 15 años. Por suerte, esta especie se propaga vegetativamente mediante brotes adventivos en sus largas raíces. Aunque durante sus primeros años su crecimiento es lento, la *Listerna ovata* es una planta que sobrevive muy bien, ya que se trata de uno de los pocos miembros de la familia de las *Orchidaceae* que es totalmente independiente de los hongos simbióticos de sus tejidos cuando alcanza la madurez. Por eso mismo, también se adapta muy bien a los cambios ecológicos.El rizoma subterráneo de la planta da lugar a un tallo suave de 60 cm de altura con una parte superior velluda. Un tercio por encima de su parte baja, se pueden observar dos hojas opuestas, anchas, ovales y de color verde oscuro. Su inflorescencia contiene de 20 a 80 flores verdes y amarillas con tépalos curvados hacia delante y un

Listera ovata, República Checa.

Listera ovata, República Checa.

Neottia nidus-avis, República Checa.

borde muy alargado y de dos lóbulos. La *Listerna ovata* se encuentra en algunos bosques sombríos y en praderas con diversos niveles de humedad. La floración se produce a finales de primavera y la zona geográfica por la que se extiende esta especie es muy amplia: incluye casi toda la zona templada de Eurasia.

Neottia nidus-avis

ORQUÍDEA DE NIDO DE PÁJARO

Se trata de una orquídea no verde, que se adapta muy bien y es muy abundante. Su tallo apenas lleva hojas y cuenta con muy poca clorofila. Por eso, las plantas suelen depender de los hongos presentes en el subsuelo a la hora de nutrirse. La *N. nidus-avis* puede contar con un número elevado de hongos porque los órganos del subsuelo ocupan mucha superficie. El rizoma, corto, saliente y de crecimiento lento, pasa varios años produciendo una agrupación masiva de raíces en forma de nido. Los dos nombres científicos de esta planta hacen referencia a esta forma de nido: el nombre genérico está en griego («neottis» significa «nido») y, el de la especie, en latín («nidus avis» significa «nido de pájaro»). Las semillas de esta especie pasan de 5 a 8 años escondidas bajo el suelo, reteniendo nutrientes y, sólo pasado ese tiempo, se observa la floración por encima del suelo. Después de que las flores se marchiten y de que las semillas germinen, el rizoma muere, pero algunas raíces dan lugar a nuevos individuos, con lo que el ciclo vuelve a comenzar. El pedúnculo de la planta mide entre 20 y 40 cm y sólo cuenta con unas cuantas hojas de tamaño reducido. Su inflorescencia es densa, cilíndrica y muy extendida y mide hasta 13 cm de largo. Las flores son amarillas y marrones, amarillas claras o, a veces, de color blanco puro. La especie también florece bajo el suelo. La *N. nidus-avis* habita en bosques caducifolios sombríos y suele florecer en primavera. Abunda en Europa, el norte de África, Asia Menor y su hábitat se extiende por Siberia central y el Cáucaso.

Neottia nidus-avis, República Checa.

Ophrys holosericea subsp. *holubyana*, Eslovaquia.

Ophrys bombyliflora, Rodas.

Ophrys

El género *Ophrys* representa el grupo más interesante y significativo de orquídeas terrestres, tanto dentro como fuera de Europa. Sus miembros son únicos, no sólo por la belleza extraña y sin igual de sus flores, sino también por el mecanismo perfecto, increíble y fantástico para atraer a los insectos poli-

nizadores que es casi exclusivo en el reino de las plantas. Todas las especies *Ophrys* se parecen en gran medida tanto en sus partes vegetativas como en su estilo de vida.

El nombre de esta planta procede del griego («*ophrys*» significa «ceja») y se refiere, metafóricamente, a la actitud condescendiente de este género con respecto a otras plantas. La primera mención a este nombre la encontramos en la *Historia de la*

Ophrys ataviria, Rodas.

Ophrys candica, Rodas.

Ophrys cretica, Creta.

Ophrys epirotica, Grecia.

Ophrys fusca, Rodas.

Naturaleza de Plinio, obra que data del siglo I d. C. Como después fue imposible determinar para qué planta utilizó el autor este nombre, los taxonomistas decidieron aplicarlo a las orquídeas altaneras.

Según Linne, el género *Ophrys* incorporaba un número elevado de especies de orquídeas terrestres, pero, a medida en que se recopilaba información, se excluyeron algunas especies en categorías taxonómicas independientes.

El género *Ophrys* es muy joven y está bastante aislado con respecto a otras *Orchidaceae*. Su hábitat natural se encuentra en el Mediterráneo, sobre todo en su zona oriental, en la que se pueden encontrar hasta 40 especies de *Ophrys*, muchas de las cuales conforman un inmenso número de subespecies. Tan sólo unas cuantas especies de *Ophrys* se hallan presentes en Asia y en el norte de Europa. Todas las especies del género *Ophrys* pasan parte del año en el subsuelo e hibernan en sus tubérculos en forma de balón que más adelante dan lugar a nuevos bulbos antes y durante la floración. En la siguiente estación, este bulbo sirve de nutriente para el nuevo individuo. Por eso, hay siempre dos bulbos presentes cuando florece la planta. Los órganos subterráneos de esta planta se usaban para fabricar una droga conocida como sa-

Ophrys garganica, Italia.

lep (una mezcla de tubérculos de orquídea parcialmente secos de efecto supuestamente afrodisíaco) debido a su alto contenido en sustancias mucilaginosas y de almidón. Según se dice, los órganos subterráneos de las orquídeas *Ophrys* todavía se

Ophrys helenae, Grecia.

manejan entre comerciantes kurdos en Turquía e Irak.

La mayor parte de las *Ophrys* cuentan, incluso en la madurez, con una dependencia media-fuerte de hongos simbióticos en sus tubérculos y raíces. Por eso, sólo dan lugar a hojas pequeñas y estrechas y es muy difícil trasplantarlas en jardines o en otros lugares. En la mayoría de orquídeas *Ophrys*, las hojas, azuladas, verdes y muy lustrosas, salen ya en otoño y, si las temperaturas son favorables, las plantas siguen creciendo lentamente también en invierno. Las hojas sufren mucho con las heladas, sobre todo en plantas que se encuentran en zonas más elevadas o más al norte.

Las flores de la especie de las *Ophrys* sobrepasan la variedad de colores y formas de todas las orquídeas Europeas: se contemplan de 2 a 12 flores en tallos erguidos que carecen de hojas en la parte superior. Algunas de las partes de la flor se parecen, asombrosamente, a varias especies de insectos, rasgo que caracteriza a esta planta.

Ophrys insectifera, Eslovaquia.

Ophrys kotschyi, Chipre.

Esta cualidad y las distintas formas de los cuerpos de los insectos han mantenido intrigados a los científicos durante mucho tiempo y siguieron siendo un misterio hasta que, a principios del siglo XX, un francés llamado Pouyanne, se dio cuenta en Argelia, en 1916, de que la única especie de insectos que se acerca a la *Ophrys speculum* era un himenóptero llamado *Dasyscolia ciliata*. Las flores que fueron examinadas sólo presentaban el macho de la especie, por lo que se deduce que el individuo en cuestión no acudía a las flores sólo para alimentarse sino también para copular. Por eso, se descubrió un nuevo principio de polinización de las flores conocido como pseudo-copulación. Las orquídeas *Ophrys*, para asegurar la polinización de sus flores, utilizan la técnica de la imitación sexual, es decir, imitan a las hembras de ciertas especies de insectos y hacen que los machos, confundidos, al «copular» con la flor transporten el polen que se les ha pegado al cuerpo a otras flores. Todas las especies del género *Ophrys* cuentan con un polinizador seleccionado a quien imitan; ahora bien, el que la planta exista no tiene nada que ver con la actividad sexual del polinizador.

Para atraer a los machos polinizadores, la planta no sólo se vale de su impacto visual (óptico). Su perfume, una mezcla de terpenoides) se extiende de 10 a 15 m a la redonda y se parece mucho al que usa el insecto hembra para atraer a su pareja antes de copular. De hecho, se ha descubierto que una vez que un insecto ha sido «engañado» no regresa a la planta embaucadora ni a ninguna de su especie. Por eso, es muy difícil que los botánicos graben y observen estas visitas. El hecho de que la planta sea fecundada es extraño debido a la especificidad de

todo el proceso, que tarda de unas tres a cuatro semanas, a pesar de que la temporada de floración es larga. Como resultado, sólo de un 5 a un 10% de las flores de esta especie son polinizadas. Sin embargo, es suficiente si se tiene en cuenta que cada cápsula

Ophrys israelitica, Chipre.

madura genera unas 12.000 semillas. En resume, decir que la imitación sexual no es exclusiva de este género de orquídeas, ya que se sabe que también sucede en otras orquídeas que se localizan en Australia y Suramérica.

Ophrys omegaifera, Rodas.

Ophrys sicula, Rodas.

Ophrys speculum, Italia.

Ophrys tenthredinifera, Italia.

Las *Ophrys* se encuentran en zonas secas, soleadas y templadas y no están muy rodeadas de otras plantas. Se pueden encontrar en laderas de montañas rocosas, en praderas yermas o en poblaciones de arbustos del Mediterráneo conocidas como «garrigas» y «malezas» y en bosques caducifolios o de coníferas poco poblados.

Las orquídeas *Ophrys* suelen florecer a principios de la primavera o en el verano, dependiendo de la zona. En el Mediterráneo, la floración tiene lugar en invierno y en Europa Central, por su parte, se produce más tarde. El hábitat natural de esta planta se sitúa al centro y al este del Mediterráneo. Muchos de los hábitats de esta especie se extienden al norte de África y en Asia Menor y en las regiones más cálidas de Europa Central.

Orchis canariensis

El género *Orchis* engloba a toda la familia (*Orchidaceae*). Sin embargo, son pocas las personas que saben lo prosaica que es la palabra latina «orchis». Nuestros antecesores creían que los tubérculos de las *Orchis* tenían propiedades afrodisíacas y, de hecho, su forma, junto con la de las raíces, parecen testículos (así, el término *Orchis* viene a significar eso, testículo). La *Orchis canariensis* es una especie muy rara y endémica en todas las islas Canarias, excepto en aquellas que son más secas, esto es, Lanzarote y Fuerteventura. Los dos tubérculos de la planta, de forma ovalada, dan lugar a un tallo alto de entre 15 y 45 cm, que cuenta con un rango de 2 a 3 hojas alargadas y lanceoladas. La inflorescencia es relativamente corta y se compone de 5 a 20 flores. Los tépalos de la flor son de color rojo y violeta y suelen llevar una marca verde en el centro que contrasta. El borde es blanquecino y tiene una mancha oscura en los extremos que destaca. Esta especie suele crecer en zonas húmedas de vientos, como, por ejemplo, las cuestas de las montañas de las islas Canarias. El suelo tiene que ser un sustrato ligeramente alcalino de origen volcánico. La *Orchis canariensis* tiene su proceso de floración a finales del invierno.

Orchis canariensis, Tenerife.

Orchis coriophora, Eslovaquia.

Orchis coriophora

ORQUÍDEA CHINCHE

La *Orchis coriophora* es uno de los miembros no demasiado relevantes de este género. Su espiga contiene la mayor parte de las hojas en su parte inferior y llega a medir 60 cm. Las flores vienen a medir unos 2 cm a lo largo y conforman una inflorescencia densa y rica que suele oler a chinches (y de ahí el nombre de la especie). Los tépalos son marrones, rojos, rosas o incluso verdes y los superiores están algo caídos y se parecen a un casco en pico. La *Orchis coriophora* suele habitar en praderas yermas, aunque también se ha encontrado en zonas húmedas. Florece según el clima del hábitat, si bien lo habitual es que lo haga en primavera. Aunque se le considera una especie europea, también crece al norte de África y en Asia Menor. Esta especie es muy sensible a los cambios climáticos y abunda mucho en Europa.

Orchis italica

ORQUÍDEA HOMBRE DESNUDO

En esta especie, la escarapela de sus hojas consiste en un rango de 3 a 5 hojas que dan lugar a un tallo de 20 a 50 cm de altura que genera una inflorescencia en forma de balón muy corta. El color básico de las flores es un rosa blanquecino o un violeta (*O. italica* var. *purpurea*). Los tépalos cuentan con rayas oscuras, mientras que el borde trilobulado lleva motas circulares y oscuras. Los tépalos, al unirse, tienen forma de casco y se parecen, en cierta medida, al de la *O. tridentata*. La *O. italica* crece en praderas yermas y en bosques poco poblados y prefiere suelos alcalinos secos que periódicamente pueden ser húmedos en regiones templadas. Suele encontrarse en altitudes de hasta 1.300 m y florece en primavera. Esta especie se extiende en las regiones templadas de todo el Mediterráneo.

Orchis italica, Italia.

Orchis mascula

ORQUÍDEA VIOLETA TEMPRANERA

La ciencia moderna no ha demostrado que los tubérculos de las *Orchis* y otras orquídeas terrestres posean efectos afrodisíacos. De hecho, lo único que han revelado los análisis es la presencia de almidón. Sin embargo, todavía existen en el mercado turco vendedoras ambulantes de «tubérculos de salep», un componente que venden a los hombres de vida sexual poco satisfactoria y que contiene tubérculos secos de *Orchis*, *Ophrys* y otras especies de orquídeas terrestres.

La *Orchis mascula* es una orquídea bonita de una amplitud ecológica inmensa y, aunque conforme avanza el tiempo disminuye poco a poco, sigue siendo abundante en la naturaleza. Su apariencia es muy apreciada y se encuentran especies diferentes acostumbradas a distintos hábitats. Las hojas de esta planta, lanceoladas, pueden o no llevar motas y el tallo de la flor puede llegar a medir hasta 60 cm de longitud. Las flores púrpuras se disponen en una inflorescencia cilíndrica y densa y cuentan con tépalos laterales alargados que están curvados hacia fuera en sus extremos. El borde de la flor es ancho y blanquecino en su base y va recubierto de motas negras.

Las plantas florecen durante la primavera y habitan en altitudes entre bajas y alpinas, incluyendo la península Ibérica, los Balcanes, el norte de África y las islas Británicas. Así mismo, se han detectado algunas plantas en el Caúcaso, en Irán y las islas Canarias.

Orchis mascula sp. *signifera*, Eslovaquia.

Orchis militaris, República Checa.

Orchis militaris

ORQUÍDEA MILITAR

Esta especie se llama así por el aspecto de sus tépalos que son rosas, blancos y grisáceos en el exterior, sobre todo por su forma de casco cuando se unen. Los ejemplares de esta especie son muy fuertes, de hasta 70 cm de altura cuando están en flor. Sus hojas, ovales y de color verde, se condensan en la parte inferior del tallo. Su inflorescencia es densa y contiene unas 40 flores, además del casco, con bordes de puntos oscuros que se parecen a los bordes de la *Orchis simia*.

La *Orchis militaris* se encuentra entre las orquídeas terrestres que mejor se adaptan a los cambios y por eso era tan abundante en el pasado. Además, suele trasplantarse en los jardines con mucho éxito. Hoy en día es una especie en peligro, sobre todo en la Europa continental, debido a la reducción masiva de su hábitat natural. La *Orchis militaris* es famosa porque es de fácil hibridación con otras especies *Orchis*. Esta planta se encuentra en praderas yermas o bosques poco poblados de suelos cálcicos más secos y tiene su floración en primavera, según la zona.

Su hábitat natural es uno de los más expandidos de Europa, ya que se encuentra en casi todo el continente, incluyendo el norte de Italia, el sur de Suecia al norte, el oeste de Inglaterra, Lago Baikal, Rusia, Grecia y el este de Turquía.

Orchis militaris, República Checa.

Orchis morio

ORQUÍDEA DE ALAS VERDES

Algunas orquídeas conforman una escarapela de hoja en otoño y sus hojas siguen creciendo muy despacio a lo largo del año, excepto en períodos de temperaturas muy bajas. El crecimiento de las plantas es bastante largo y llega a durar de 7 a 8 meses. Este fenómeno se debe a que esta especie procede del Mediterráneo.

La *Orchis morio* es muy valiosa tanto física como morfológicamente y da lugar a un amplio número de subespecies y variedades. La escarapela de su hoja genera un tallo de 10 a 40 cm de largo cubierto de 5 a 25 flores violetas, o también rosas y blancas. El nombre en latín de esta especie se refiere al casco de la flor de rayas marrones que se parece al sombrero de un payaso (de hecho, «morio» significa payaso). El borde trilobulado se pliega en dirección a las axilas longitudinales y lleva motas en la parte de la axila. Su espolón, cuyo extremo apunta hacia abajo, mide 1 cm de longitud. La *Orchis morio* florece en primavera. En el pasado, era una de las orquídeas más abundantes de Europa debido a su alto nivel de adaptación. Puede crecer en suelos tanto ácidos como alcalinos y su hábitat ha permanecido casi intacto hasta que poco a poco se ha ido desvaneciendo. Se trata de una especie muy rara que sólo crece en zonas aisladas. El área global de su hábitat es muy amplia e incluye Europa, el norte de África y Asia Menor.

Orchis pallens

ORQUÍDEA DE FLORES PÁLIDAS

Las poblaciones de la especie *Orchis* se caracterizan por una floración irregular: unos años, las zonas en las que se hallan se inundan de inflorescencias y, otros, las especies en flor se pueden contar con los dedos de una mano. Es un fenómeno de difícil explicación, ya que interactúan muchos factores. Por ejemplo, depende del número de ejemplares que hayan alcanzado la madurez y su primera floración en un año determinado, de la frecuencia de floración de dichas especies, ya que no todas ellas florecen anualmente, y de si las hojas de las orquídeas fueron atacadas el año anterior por agentes como las pestes, el pastoreo o la siega.

Un buen ejemplo de lo anteriormente dicho lo podemos encontrar en la especie *Orchis pallens* que es la que antes florece de todo el género *Orchis*. Las flores aparecen ya en primavera y suelen sufrir a consecuencia de las heladas. La escarapela de la hoja consiste en un rango de 2 a 4 hojas alargadas y ovaladas. La espiga de la flor va recubierta de 1 a 2 flores de bolsa. Cuenta con una inflorescencia cilíndrica de densidad media sobre un tallo de 15 a 35 cm de altura con un rango de 15 a 30 flores amarillo azufre, color excepcional, ya que el color amarillo está en minoría en el género de las *Orchis*. (Otras especies *Orchis* que cuentan con flores amarillas incluyen la *Orchis provincialis*, la *Orchis pauciflora* y la *Orchis laeta*.) La *Orchis pallens* vive en bosques caducifolios y semicaducifolios o en praderas húmedas y sombrías repletas de arbustos. Su floración tiene lugar en primavera y crece por toda Europa y por Asia Menor.

Orchis pallens, República Checa.

Orchis palustris, Eslovaquia.

Orchis palustris

ORQUÍDEA DE CIÉNAGA

A menudo se considera a la *Orchis palustris* como una subespecie de la *Orchis laxiflora* y se le llama *Orchis laxiflora* subs. *palustris*. Representa las *Orchidaceae* de pantanos.

Físicamente se parece mucho al género de las *Dactylorhiza*, aunque se diferencia en sus tubérculos subterráneos con forma de pelota. El pedúnculo de un espécimen en flor crece de 15 a 60 cm: sus hojas son alargadas y sólo miden 2 cm de anchura. La inflorescencia de la especie es de densidad baja o media y sólo cuenta con una pequeña cantidad de flores amplias y de color púrpura (o a veces de color rojo o blanco). El borde es trilobulado y el lóbulo central se extiende a lo largo.

Las *Orchis palustris* habitan en zonas húmedas y de aluviales en las proximidades de ríos, lagos y en poblaciones de juncos. Su hábitat se limita a zonas templadas y no contaminadas.

El período de floración de la planta es en primavera y su área geográfica se centra entre la parte norte del Mediterráneo y Europa Central y occidental, aunque también se ha localizado en Asia Menor y el norte de África.

Orchis papilonacea

ORQUÍDEA DE MARIPOSA ROSA

Las plantas de la foto representan dos de las tres variedades especiales de esta valiosa y decorativa *Orchis* mediterránea: la var. *rubra* y la var. *grandiflora*. Los miembros del género miden de 15 a 40 cm de altura y forman sólo 2-3 hojas alargadas lanceoladas cercanas al suelo. La inflorescencia puede ser densa o poco densa y no suele contar con más de 12 flores ni con menos de 4. Los tépalos van curvados hacia delante, pero no tienen forma de casco. Son de color marrón y rojo o púrpuras y el entramado de sus venas es oscuro. La flor cuenta con un borde muy ensanchado con rayas oscuras o motas que varían su color de violeta a violeta oscuro en algunos de los especímenes de las variedades grandiflora más bellas. La *O. papilionacea* florece a principios de primavera y se encuentra en suelos alcalinos de praderas yermas, en poblaciones mediterráneas de arbustos y de semiestepa y en bosques poco poblados. La variedad *rubra* de la foto crece en la parte central del Mediterráneo, aunque también se han encontrado ciertos especímenes esporádicos en Argelia y en Grecia. El hábitat natural de la var. *grandiflora* se extiende por el este y el oeste de la zona

Orchis papilionacea var. *grandiflora*, Italia.

Orchis papilionacea var. *rubra*, Italia.

mediterránea (península Pirenaica, Sicilia, el norte de África, etc.). Esta especie también se encuentra en el Cáucaso: variedad conocida como *caspica*.

Orchis pauciflora

Se trata de otra especie representativa de las *Orchis* amarillas. Además del color de sus flores, destaca por la desproporción entre la pequeña escarapela de sus hojas y su larga inflorescencia. La inflorescencia de la planta no suele ser muy densa y cuenta con pocas flores y gracias al pedúnculo alcanza una altura de 10 a 25 cm. Los tépalos son amarillos páli-

Orchis pauciflora, Grecia.

dos y su borde es ensanchado y de color amarillo oscuro o verdusco amarillento. La parte axial del borde contiene una serie de motas oscuras en dos filas. La *O. pauciflora* es una especie difícil de clasificar y, a veces, se considera una variedad de la *O. provincialis*. Florece en primavera en tierras alcalinas de praderas yermas y en poblaciones de arbustos poco densas. Su hábitat natural incluye las zonas centrales y orientales del Mediterráneo.

Orchis purpurea

LA ORQUÍDEA DE LA DAMA

El número de especies de este género hace que las *Orchis* sean de las plantas más abundantes de Europa. Además, en el norte de África, las Canarias y la zona mediterránea y colindante a Asia se encuentran 60 especies de orquídeas.

La *Orchis purpurea* es llamativa y fuerte. Un espécimen en flor consiste en una escarapela que da lugar a un rango de 3 a 6 hojas alargadas, ovaladas y carnosas y a un tallo que alcanza 90 cm de altura y que cuenta con una o dos hojas pequeñas en su parte baja. La espiga de la flor es densa y rica y las flores llevan un casco rojo y marrón y su borde blanquecino va cubierto de un vello rojo. Incluso en las poblaciones más pequeñas y aisladas, resulta imposible encontrar dos especímenes idénticos. Esta especie se encuentra en tierras bajas y en áreas de montaña de las regiones más templadas y prefiere los suelos cálcicos de bosques y praderas. Este tipo de orquídea florece en primavera, según la zona, y se extiende por Europa, el norte de África y Asia Menor.

Orchis purpurea, República Checa.

291

Orchis simia, Italia.

Orchis spitzelii, Grecia.

Orchis sim*ia*

ORQUÍDEA MONO

A primera vista resulta evidente de dónde procede el nombre de esta orquídea: si se inspecciona de cerca el borde de la flor, se observa que su forma se parece al cuerpo de un mono.

El espécimen en flor suele medir de 30 a 40 cm de altura, sus hojas son azuladas y lustrosas y la axila de las hojas superiores da lugar a una espiga muy densa que contiene docenas de flores. Una característica interesante de la inflorescencia es que no empieza a florecer desde la flor más baja, como suele suceder en otras orquídeas, sino a la inversa, es decir, desde la más alta. La *O. simia* florece en primavera y son pocas las que se encuentran en los suelos cálcicos del Mediterráneo, el Cáucaso y el Kurdistán iraquí. También se encuentra en los enclaves más cálidos de los países del norte influidos por el clima oceánico, como por ejemplo, Holanda, Alemania e incluso Inglaterra.

Orchis spitzelii

ORQUÍDEA SPITZEL

Se trata de una *Orchis* de montaña muy interesante debido a la extensa área de su hábitat natural. Es muy delgada y sus hojas son alargadas y lanceoladas. Su inflorescencia es poco llamativa. El tallo de su flor llega a medir 50 cm de altura y sus hojas (2-7) se hallan dispuestas en una escarapela redonda de 6 a 12 cm de longitud y de 2 a 3 cm de largo. La inflorescencia de su espiga es muy densa y contiene de 10 a 30 flores verdes y violetas. Los tépalos verdes poseen motas marrones y rojas, mientras que las motas de su borde rosa violáceo son de color oscuro. La floración de esta especie tiene lugar en primavera, según la zona. Habita en bosques poco poblados, poblaciones de pinos de montaña enanos y praderas de montañas situadas en altitudes entre 1.000 y 2.100 m. La *O. spitzelii* se suele encontrar en suelos alcalinos y húmedos y en la zona del Mediterráneo, los Alpes, la península Pirenaica, los

Balcanes y el Cáucaso. La mayoría de las poblaciones están muy distantes unas de otras y aisladas.

Orchis tridentata

ORQUÍDEA DENTADA

La mayoría de las *Orchis* se propagan exclusivamente por vía vegetativa, es decir, mediante semillas. La *O. tridentata* se encuentra entre las especies más sensibles y de crecimiento más lento de todas. El nombre de su especie procede de la protuberancia en forma de tridente que se encuentra al final del casco de su flor. En otoño normalmente, la planta da lugar a escarapelas de las hojas que cuentan con un rango de 3 a 5 hojas verdes y azuladas, alargadas y lanceoladas. El pedúnculo sólo mide de 12 a 25 cm y la inflorescencia es muy reducida y, a medida en que va creciendo, cambia de forma. Al principio, tiene forma cónica y, más adelante, ovalada. Los tépalos se disponen en forma de casco y son de color violeta rosáceo, si bien el entramado de sus venas es algo más oscuro. El borde trilobulado es de un rosa blanquecino y lleva motas violetas oscuras. La *O. tridentata* florece en primavera y se trata de una especie mediterránea que se puede encontrar también en el Cáucaso y en Irak. Su hábitat se halla en las praderas de césped abundante de suelos cálcicos.

Orchis tridentata, República Checa.

Platanthera bifolia, República Checa.

Plantanthera bifolia

ORQUÍDEA MARIPOSA MENOR

El género de las *Platanthera* crece, sobre todo, en América del Norte, donde se ha encontrado un mayor número de ejemplares de esta especie. Algunos se extienden desde América hasta Europa (como la *P. parvula* o la *P. hyperborea*). También se pueden encontrar especímenes de este género (con un total de 200) en los trópicos del hemisferio norte. La *P. bifolia* es una orquídea de gran belleza que se adapta muy bien a los cambios ecológicos con un intenso perfume. Los especímenes maduros sólo dependen de los nutrientes que le suministren sus hongos y, por eso, se pueden trasplantar y volver a cultivar. La planta pasa el invierno con la ayuda de dos tubérculos alargados y ovalados, que se reducen a protuberancias semejantes a raíces. Tanto los especímenes que florecen como los estériles dan lugar a dos hojas ovaladas, anchas y situadas casi una en frente de otra. El pedúnculo de la flor es estéril, por lo que sólo cuenta con unas cuantas flores en su parte baja que hacen que la inflorescencia pueda llegar a medir 70 cm. Esa inflorescencia poco densa mide hasta 25 cm y se compone de 15 a 35 flores verdes y blancas. Una de las características de esta planta es su borde alargado en forma de lengua de extremo color verde junto con su espolón hueco, semitransparente y de 4 cm de largo que contiene néctar en su interior. La especie crece en bosques poco poblados, praderas yermas y brezales en altitudes que varían entre tierras bajas y zonas montañosas. Prospera tanto en suelos secos como en húmedos de diversas composiciones. Su floración tiene lugar en verano y se puede encontrar en Europa, el norte de África, Asia Menor, el Cáucaso y Persia.

Platanthera hyperborea

ORQUÍDEA MARIPOSA POLAR

En toda Europa, el único lugar en el que crece esta planta es en la zona fría y volcánica de Islandia. La *P. hyperborea* llegó allí tras un complicado viaje desde América hasta el sur de Groenlandia. De hecho, algunos expertos la clasifican como especie *Habenaria*. Cuenta con unas raíces gruesas semejantes a una remolacha y su pedúnculo mide de 8 a 40 cm con un rango de 4 a 8 hojas lanceoladas en la parte inferior de la planta que se hacen cada vez más pequeñas conforme se recorre el pedúnculo de abajo arriba. El espolón suele ser bastante corto. Esta planta crece en praderas húmedas y aluviales y en los brezales y los bosques húmedos de América. Florece en el verano y, además de en Islandia, se sabe que crece en las zonas frías de América del Norte y también en el este asiático, concretamente en Japón.

Platanthera hyperborea, Islandia.

Serapias cordigera, Italia.

Serapias cordigera

SERAPIAS DE FLORES DE CORAZÓN

El género mediterráneo de las *Serapias* contiene pocas especies (7) y se caracteriza por la morfología atípica e inconfundible de sus inmensas flores, consistentes en un borde trilobulado cuyo lóbulo central es muy alargado y ensanchado, con lo que se parece a una lengua enrollada tanto en su forma como en ese color marrón rojizo. La parte superior de su lengua velluda es cóncava debido a los lóbulos del borde que apuntan hacia arriba y que se rozan en sus extremos. El otro rasgo característico de la flor es el casco erguido y alto que forma el resto de los tépalos. La *S. cordiguera* pasa el invierno bajo tierra, rezagada en sus dos tubérculos. A finales del invierno, esos tubérculos dan lugar a varias hojas finas y a un pedúnculo de flor que mide hasta 50 cm de altura, con hojas en la parte inferior y con un rango de 3-10 flores. El lóbulo central del borde negro y violeta es ancho y tiene forma de corazón. Los lóbulos laterales, erguidos, casi están escondidos por ese casco blanco violáceo. La planta habita en bosques poco poblados, en poblaciones mediterráneas de garrigas y en praderas húmedas. Florece en primavera y se extiende por todo el Mediterráneo, incluyendo la costa atlántica templada de Francia y las Azores (excepto las islas de Flores y Corvo).

Serapias lingua, Italia.

Serapias lingua

ORQUÍDEAS DE LENGUA

El lóbulo central del borde de la *Serapias* se parece a una lengua enrollada, lo cual se plasma en el nombre de la *S. lingua*. Además, esta especie destaca porque puede dar lugar a brotes subterráneos que acaban generando nuevos tubérculos, por lo que suelen crecer en la naturaleza vegetativamente y dando lugar a grupos. La *S. lingua* es delgada y llega a medir 35 cm durante su floración. Cuenta con un rango de 4-8 hojas, lanceoladas y alargadas, que se concentran en la parte baja del tallo. Su inflorescencia se compone de 2-8 flores que varían de color (de blanco a violeta) con un entramado de venas oscuro y en relieve. El lóbulo central del borde es más ancho y corto, desafilado en la parte superior y de color variable (rojo ladrillo o violeta blanquecino). Se encuentra en bosques poco poblados, colinas de arbustos y praderas poco fértiles y húmedas. Florece en primavera y se da en la zona del Mediterráneo.

riables en cuanto a color y forma. Las escarapelas, muy fuertes, protegen las bases de las flores y, al igual que los cascos, son de colores rosáceos y lustrosos con un entramado de las venas en relieve y rojo. El lóbulo central del borde es lanceolado en su extremo (epiquilo) de hasta 2,8 cm de longitud y suele estar invertido. Su color varía entre rojo ladrillo y violeta amarronado. La *S. vomeracea* habita en zonas de mucha luz y templadas que incluyen las garrigas, los robledales, los olivares y las praderas húmedas. Florece en primavera y se extiende en forma de 3 subespecies por la amplia área del Mediterráneo. El límite al norte de su hábitat natural lo conforman las estribaciones del sur de los Alpes.

Spiranthes spiralis

CABELLERAS DE DAMAS DE OTOÑO

Esta especie cuenta con especímenes por casi todo el mundo y contiene más de 60 especies. La mayoría de ellas crecen en la zona templada del hemisferio norte. Una de las características principales de esta especie es que su inflorescencia, larga y erguida, forma una espiral. La *S. spiralis* suele dar lugar a dos, tres y hasta cuatro tubérculos semejantes a una remolacha. La espiga de la flor mide de 7 a 30 cm y va recubierta de unas hojas reducidas y a escala que nunca sobrepasan la escarapela terrestre de hojas ovaladas y lanceoladas. Este curioso crecimiento, se debe a que la escarapela crece exclusivamente después de que se haya empezado a formar la inflorescencia, es decir, a principios de verano. Sobrevive en invierno y muere en la primavera del año siguiente. Durante su crecimiento, da lugar a un nuevo tubérculo subterráneo que florecerá en la siguiente estación y justo después de que sus propias hojas mueran. En su espiga unilateral se observan de 6 a 30 flores en espiral muy pequeñas, no abiertas del todo y blancas con un borde amarillento y ondulado en su extremo. La *S. spiralis* habita en praderas yermas, pastos y bosques de coníferas no muy poblados. Florece a finales de verano y abunda en sobre todo en el suroeste de Europa, en el norte de África y en Asia Menor.

Serapias vomeracea

SERAPIAS DE BORDE LARGO

Las flores de las orquídeas *Serapias* usan una estrategia muy interesante para atraer a insectos polinizadores: la oscuridad del interior de las flores es una cueva acogedora que hace que los insectos pasen ahí la noche. En este proceso, se encargan de transportar el polen que se les ha pegado al cuerpo.

La *S. vomeracea* cuenta con un par de tubérculos en forma de bola bajo tierra que, en primavera, generan unas cuantas hojas lustrosas verdes o rojas y alargadas y un tallo que alcanza una longitud de 60 cm. La parte superior del tallo varía de color, pasando del rosa al rojo violáceo. La función de la inflorescencia la realiza una espiga que cuenta con un rango de 3-10 flores relativamente amplias, muy va-

Trausteinera globosa

ORQUÍDEA DE CABEZA REDONDA

Se trata de una orquídea esbelta cuyos tubérculos son alargados, no están segmentados y cuentan con brotes adventivos muy cortos. Las hojas no se disponen en una escarapela en el suelo, sino que se distribuyen por ese tallo erguido de 25 a 50 cm de altura. Las hojas más desarrolladas y más amplias son las de la parte inferior, que son alargadas y lan-

Spiranthes spiralis, República Checa.

ceoladas. La función de la inflorescencia la realiza una espiga densa con muchas flores que en principio tiene forma de pirámide redondeada (y de ahí el nombre en latín «globosa» y su traducción al castellano: de cabeza redonda) y más tarde, casi cilíndrica. La inflorescencia cuenta con una amplia variedad de flores pequeñas rosas, rojas y violetas, aunque también blancas. A principios de la época de floración, en el verano, los tépalos conforman un casco y, poco a poco, se van separando. El borde cuenta con tres lóbulos muy divididos, sólo mide de 5 a 8 mm, de largo y cuenta con unas motas delicadas y violetas oscuras. La *Trausteinera globosa* tiene su hábitat natural en praderas yermas y húmedas de zonas montañosas de suelos alcalinos y se sabe que crece en altitudes de hasta 2.500 m. La floración ocurre, como dijimos, a principios de verano. Esta planta se extiende fundamentalmente por el centro y el sur de Europa, aunque también habita en el suroeste asiático.

Trausteinera globosa, Eslovaquia.

Índice

Lecturas recomendadas

ABC de las plantas de interior. Editorial Libsa. 2003.

Alonso de la Paz, F. J.; *ABC de la jardinería.* Libsa, 2004.

Alonso de la Paz, F. J.; *El vivero en casa.* Editorial Libsa. 2003.

Alonso de la Paz, F. J. ; *Trucos y técnicas de jardinería.* Editorial Libsa. 2003.

Cuidados del jardín, Libsa. 2004.

Guía de plantas y flores, Libsa. 2004.

El libro de la huerta, Libsa. 2004.

La enciclopedia del bonsai. Editorial Libsa. 2003.

Martínez, J.; *El jardinero en casa.* Editorial Libsa. 2004.

Noordhuis, Klaas T.; *La gran enciclopedia del jardín.* Editorial Libsa 2003.

Vermeulen, Nico; *La enciclopedia de las plantas de interior.* Libsa. 2003.